서정시학 신서 56

징비록懲毖錄

유성룡 지음 · 박성규 옮김

박성규

경남 고성 출생
고려대학교 에서 문학박사 학위를 받고
계명대학교 한문교육과 교수와 고려대학교 한문학과
교수를 지냈으며, 한국한문학회장 등을 역임하였다.
현재는 고려대학교 명예교수로 있다.
저서로는 『고려후기사대부문학연구』와 번역서로는
『동인시화』 등 저 · 역서 다수가 있다.

서정시학 신서 56
징비록懲毖錄

2015년 3월 30일 초판 1쇄 발행

지 은 이 · 유성룡
옮 긴 이 · 박성규
펴 낸 이 · 최단아
펴 낸 곳 · 서정시학
편집교정 · 최진자
인 쇄 소 · 서정인쇄
주소 · 서울시 성북구 보문로 34길 39(동선동 1가, 백옥빌딩) 6층
전화 · 02-928-7016
팩스 · 02-922-7017
이 메 일 · poemq@dreamwiz.com
출판등록 · 209-91-66271

ISBN 978-89-98845-91-9 03810

계좌번호, 070101-04-072847(국민은행, 예금주, 최단아)

값 12,000원

서 정 시 학 신 서

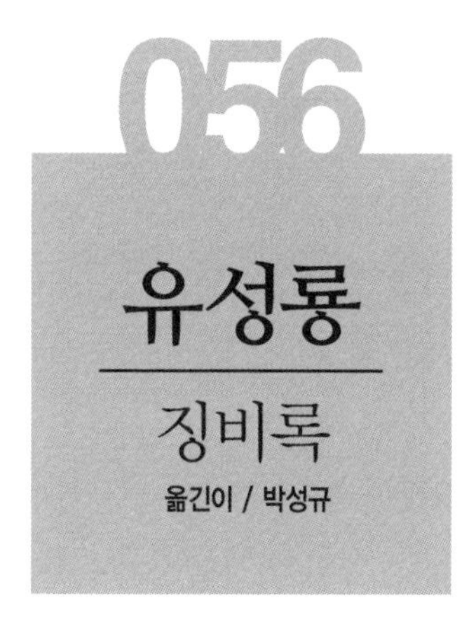

서정시학

이 도서의 국립중앙도서관 출판예정도서목록(CIP)은 서지정보유통지원시스템 홈페이지(http://seoji.nl.go.kr)와 국가자료공동목록시스템(http://www.nl.go.kr/kolisnet)에서 이용하실 수 있습니다.(CIP제어번호: CIP2015008645)

머리말

『징비록』은 16세기 말 동아시아에서 일어났던 임진왜란이라는 잔혹한 전쟁사를 있는 그대로 기록한 하나의 다큐멘터리이자 역사서이다. 그 무대는 중국을 사대하며 문화국이라고 자처했던 조선이고, 그것을 기록한 사람은 조선의 영의정을 지낸 서애 유성룡이다. 그러나 알고 보면 이 전쟁은 일본과 중국이 오랫동안에 걸친 냉담관계에서 촉발된 것으로 조선은 그 사이에 끼어서 날벼락을 맞은 것이나 다름없었고, 명나라를 대신하여 대리전쟁을 치렀다고 해도 지나친 말은 아닐 것이다. 임진왜란이 일어날 즈음에 일본이 조선 땅을 빌려 명나라로 쳐들어가 중국을 점령하겠다는 야욕을 감추지 않고 있었고 실제 대놓고 그런 얘기를 하고 다녔으나 조선에서는 설마 일본이 그렇게 무모한 짓을 저지르리라고는 확신하지 못하고 있었다. 당시 세계 최고의 군사력을 자랑하던 도요토미 히데요시 지배 하의 일본이 자기들이 치밀하게 짜놓은 작전 로드맵에 따라 조선을 침공해오자 조선 천지는 일대 아수라장으로 변하였다. 활시위처럼 팽팽하게 조율되어 있던 일본 군대가 명나라를 점령하기 위한 만반의 준비를 갖추고 조선을 중간지점으로 삼아 상륙하였으므로 그들의 날카로운 공격 앞에 조선은 바람에 쓰러지는 풀처럼 허무하게 무너질 수밖에 없었다. 그러나 이러한 혼란 속에서도 나라를 구원하기 위해 조선의 관료들과 백성들이 혼신의 힘을 기울여 일본에 결사 항전하였고, 실제로는 전쟁 당사자라고 할 수 있는 명나라 군사의 도움을 받아 7년이라는 지루한 전쟁을 끝낼 수 있었다.

『징비록』은 그때 아군을 총지휘하는 입장에서 전국을 다니며 전쟁의 참상을 온몸으로 이겨냈던 유성룡이 실제 전장에서 겪었던 체험담과 아군과 일본군 사이에 벌어진 전투상황을 생생하게 기록한 것이기 때문에 임진왜란 기록물로는 가장 체계적이고 사실적이라고 할 수 있다. 더욱이 유성룡은 『징비록』에서 역사적 사실을 기록하기 위해 사실에 기초한 실증주의적인 기술 방식과 역사적 사건이나 인물에 대한 도덕적 판단기준을 잃지 않으려고 노력한 흔적을 곳곳에서 보이고 있어 오늘날의 사람들에게 임진왜란에 대한 올바른 시각을 가지는 데 큰 도움을 주고 있다.

역자는 어린 시절부터 남해안 쪽 경남 고성에 위치한 고성읍성과 거류산성, 사천의 사천읍성과 신진리왜성, 그리고 진주의 진주성과 남강가에 위치한 논개論介 의암義巖에 자주 들러서 임진왜란에 관한 사실들을 어린 눈으로 확인할 수 있었고, 촌로들에게서 그쪽 지역에 전하는 임진왜란과 관련된 설화들도 익숙하게 들어 왔으므로 어린 나에게는 임진왜란이 늘 현재진행형이었다. 그리고 대학에 진학하여 우리 고전을 공부하게 되자 자연스럽게 『임진록』을 읽게 되었고, 『임진록』을 제대로 이해하기 위하여 임진왜란에 대한 직접적인 자료를 찾다가 『징비록』을 접하게 됨으로써 얘깃거리로만 알고 있던 임진왜란을 보다 구체적으로 이해할 수 있었다. 그 이후로 『징비록』에 꾸준히 관심을 가지고 있었는데, 얼마 전에 주위에서 이를 대중들이 쉽게 읽을 수 있도록 번역해보는 것이 어떻겠냐고 권유하는 바람에 외람되게도 이번에 번역집을 출간하게 되었다. 이런 만용을 부리게 된 데에는, 아마도 어린 시절 초등학교를 오가는 골목에서 고성읍성의 집채만 한 바윗돌을 겁에 질린 눈으로 바라보며 왜인들을 떠올렸던 추억도 그 한 자락을 차지했을 것이다.

영국 속담에 '번역자는 반역자다'라는 말이 있다. 이는 번역을 아예 부정하는 말로, 번역이 얼마나 힘들고 어려운가를 역설적으로 가리키는 말이기도 하다. 그렇다고 해서 번역작업이 없을 수 없기 때문에 중국의 노신은 알기 쉽도록 번역하고, 원작의 면모를 보존할 수 있어야 훌륭한 번역이라고 강조하였다. 지금 역자가 내놓는 이 번역서도 선인들의 그런 우려에서 결코 벗어날 수 없으리라고 본다. 그러나 역자는 『징비록』에 담겨 있는 대강의 뜻이라도 독자에게 전하기 위해 노력을 아끼지 않은 것에 스스로 위안을 삼고자 한다. 독자 제현의 너그러운 아량과 이해를 바란다.

이 번역서가 나오기까지 여러분들의 도움과 노고에 힘입은 바가 크다. 특히 동료 교수이자 50년 지기인 최동호 선생의 격려가 큰 힘이 되었고, 일본 동경대학의 소장 자료 복사본을 제공해 준 일문학과 최관 교수에게도 감사의 마음을 전한다. 또한 서정시학의 최진자 실장님을 비롯한 편집실 여러분들의 노고도 잊을 수 없을 것이다. 끝으로 이 번역서가 나오기까지 옆에서 묵묵히 지켜보며 친구이자 조언자로서의 역할에 충실한 나의 내자에게도 깊은 감사를 드린다.

2015년 3월

양평 옥산재玉山齋에서

역자 박성규 삼가 적다

차 례

징비록 권 1

징비록 권 2

녹후잡기

자서自序

『징비록』이란 무엇을 말하는가? 임진왜란이 발발한 이후의 사실을 기록한 것이다. 그 중에 임진왜란 전의 일도 간간이 기록되어 있는 것은 그 일들이 임진왜란 발발의 단서를 제공했다고 판단되었기 때문이다.

아! 임진년(1592, 선조 25년)에 겪었던 전쟁의 참상은 너무나도 끔찍하였다. 전쟁이 일어난 지 수십 일 만에 한양·개성·평양 세 도읍지가 차례로 함락되었고 조선 팔도가 무너졌으며 더욱이나 임금께서 피난을 떠날 수밖에 없었다. 그런데도 오늘의 이 평화를 얻을 수 있었던 것은 무엇보다도 하늘이 우리를 도왔기 때문이 아니겠는가. 또한 역대 임금들의 어질고 후덕함이 백성들에게 미쳐서 백성들의 나라 사랑하는 마음이 한결같았고, 우리 임금께서 명나라를 섬기는 정성이 명나라 황제를 감동시켜 소국인 우리나라를 돕기 위해 여러 차례 구원군을 보냈으니, 그러한 일들이 없었더라면 나라가 위태롭기 그지없었을 것이다. 『시경』에 '나는 지난 일을 돌아보고 뉘우쳐 매사에 후환이 없도록 조심하고자 한다[予其懲而毖後患여기징이비우환]'(『시경』, 주송周頌 소비小毖편에 나오는 말이다)라는 구절이 있는데, 내가 『징비록』을 지은 이유가 바로 거기에 있다.

백성들이 사방을 떠돌고 나라가 어지러운 시기에 나같이 어질지 못한 사람이 나라의 중책을 맡아 위태로운 정국을 바로잡기는커녕 나라가 뒤집어지는 사태조차 막지를 못하였으니, 그 죄는 죽어도 용서받지 못할 것이다. 그런데도 오히려 시골구석에 엎드려 숨을 쉬며 구차하게 목숨을 부지하고 있으니, 이는 어찌 우리 임금님의 너그러운 은혜 때문이 아니겠는가.

이제 근심과 두려워하는 마음이 조금 진정되어 지난 일들을 생각할 때마다 황송하고 부끄러운 마음에 얼굴을 들 수조차 없다. 이에 한가로운 틈을 타서 임진년(1592)에서 무술년(1598)에 이르기까지 보고 들은 바를 대강이나마 기술하여 모아보니 그 분량이 어느 정도 되었고, 장계(狀啓, 임금의 명을 받고 지방으로 순시를 나간 관원이 임금에게 그 결과를 보고하는 서장書狀과 관료가 각종 정책을 임금에게 적어 올리는 계사啓辭를 말한다)·소차(疏箚, 관료가 임금에게 간단하게 자기의 의견을 적어 올리는 상소문을 말한다)·문이(文移, 문은 통유문通諭文, 이移는 이문移文으로 이는 모두 상급관청에서 하급관청에 내리는 지시 공문을 이른다) 그리고 잡록雜錄 등을 모아 그 뒤에 붙였다. 비록 볼 만한 내용은 들어 있지 않으나 이는 모두 그 당시의 일이라 버릴 수가 없어서 책으로 남기게 된 것이다. 이것으로 시골구석에 살면서 나라에 충성하고자 하는 나의 간절한 마음을 나타내고, 또 어리석은 신하가 나라에 보답하지 못한 죄를 세상에 드러내고 보이고자 한다.

징비록 권 1

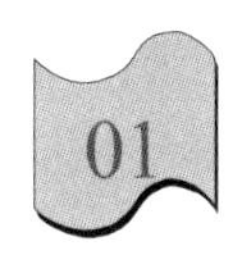

병술년에 일본국 사신 다치바나 야스히로가 도요토미 히데요시의 국서를 가지고 오다.

만력(萬曆, 1573-1620, 중국 명明나라 신종神宗의 연호年號이다) 병술년(1586, 선조 19년) 무렵에 일본국 사신 다치바나 야스히로(橘康廣귤강광)가 일본 국왕 도요토미 히데요시(豊臣秀吉풍신수길)의 국서를 가지고 우리나라에 왔다.

처음 일본 국왕 미나모토씨(源氏원씨)가 명나라 홍무(洪武, 1368-1398, 명나라 태조太祖의 연호이다) 초반에 나라를 세워 우리나라와 외교관계를 맺은 이래로 거의 2백 년의 세월이 흘렀다. 처음에는 우리나라도 일본에 사신을 보내 경조사에 예의를 표했으니, 신숙주가 서장관으로 왕래한 것이 바로 그 한 예다. 훗날에 신숙주가 죽기에 이르렀을 때에 성종께서 할 말이 있으면 해보라고 하니, 신숙주가 대답하기를 "원하옵기는 일본과 우호적인 관계를 잃지 마옵소서"라고 하였다. 성종께서 그 말에 감동하여 부제학 이형원과 서장관 김흔을 일본에 보내 양국간의 우호관계를 더욱 돈독하게 하려 했다. 그러나 사신으로 갔던 그들 일행이 쓰시마(對馬島대마도)에 이르러 풍랑에 놀라서 병을 얻었다는 내용의 서장書狀을 올리니 성종께서 쓰시마 도주島主에게 가지고 간 국서와 예물을 주고 돌아오라고 명을 내렸다. 그 이후로 사신을 다시는 파견하지 않았는데, 그 나라에서 사신을 보내게 되면 우리나라 조정에서는 예에 따라서 그들을 대접할 뿐이었다.

이때에 이르러 도요토미 히데요시가 미나모토씨를 대신하여 왕이 되었다. 어떤 사람이 이르기를, “도요토미 히데요시는 원래 중국 사람으로 왜국倭國에 흘러 들어와서 땔나무 장사로 생계를 유지하였다. 하루는 국왕이 길을 나섰다가 도중에 그를 만났는데, 그 사람됨을 특이하게 여겨 그를 군대에 입대시켰더니 용력이 뛰어나고 싸움을 잘하여 전공을 쌓아 대관大官에 올랐고, 그로 인하여 권세를 얻어 마침내 미나모토씨의 자리를 빼앗아 왕이 되었다”고 하였다. 또 어떤 사람이 이르기를, “미나모토씨가 어떤 사람에게 시해를 당했는데, 도요토미 히데요시가 그 시해한 사람을 죽이고 국왕의 자리를 빼앗았다”고도 하였다.

그는 무력으로 여러 섬을 평정하여 일본국 내의 66주를 하나로 통일하고는 마침내 외국을 침략할 뜻을 품게 되었다. 그래서 “우리나라 사신은 매번 조선을 다녀왔는데 조선에서는 사신을 보내지 않았다. 이는 우리를 업신여기는 처사이다”라 하고는, 바로 다치바나 야스히로를 보내 조선 통신사의 파견을 요청하였다. 그가 보낸 국서의 내용은 거만하기 짝이 없었는데, 그 내용 중에 심지어는 “지금 천하는 나의 손아귀에 들어 왔다”라는 말이 들어 있기도 하였다. 미나모토씨가 망한 지 10여 년이 지나면서 그 동안 일본 여러 섬의 왜인들이 해마다 우리나라에 다녀갔으나 히데요시의 명령이 워낙 엄했던 탓에 일본의 정국에 대해서 발설하지 않았으므로 우리 조정에서는 그쪽 사정을 전혀 알지 못하고 있었다.

그때 다치바나 야스히로의 나이는 50여 세였는데, 몸집이 장대하고 수염과 머리털은 반백이었다. 그가 서울로 올라가면서 지나게 되는 객관客館과 역원驛院에서는 반드시 제일 좋은 방에 묵었고, 더욱이 행동거지가 오만하기 그지없어 지금까지 다녀간 왜국의 사신들이 보였던 태도와는 전혀 달랐으므로 보는 사람들이 괴상하게 여겼다. 옛 법식에 따른다면, 왜의 사절단이 지나가는 고을에서 그들을 맞이할 때는 고을 백성들을 징발하여 그들로 하여금 창을 쥐고 길 양쪽에 늘어서게 하여 군대의 위세를 과시했다. 그런데 야스히로가 인동仁同 고을을 지나가면서 창을 쥐고 있는 병사들을 흘겨보고는 비웃음조로 말하기를 "너희들이 쥐고 있는 창자루가 너무 짧구나"라고 하였다.

그가 상주에 도착하자 목사牧使 송응형(宋應泂, 1539-1592, 조선조의 문신으로 상주목사로 재직하다 선조 25년에 병으로 사직하고 그해에 죽었다)이 그를 환대하는 자리를 마련하였는데, 기녀들이 줄을 지어 춤을 추고 노래하며 흥을 돋웠다. 야스히로가 목사 송응형의 머리털이 하얗게 센 것을 보고는 통역관을 시켜 말하기를, "이 늙은 몸은 여래 해를 전쟁터에서 시달리느라 수염과 머리털이 다 세었지만, 목사께서는 기녀들의 노래와 재주놀음에 빠져 전혀 걱정거리가 없었는데도 오히려 머리가 호호백발이 되셨으니 이는 어인 일입니까"라고 하였다. 그의 말은 대개 송응창의 무사안일한 태도를 풍자한 것이었다.

야스히로 일행이 서울에 도착하자 예조판서가 그를 환영하는 잔치자리를 열었다. 어느 정도 주흥이 돌자 야스히로가 술상 위에 후추를 흩뿌리니 기녀와 악공들이 불고염치하고 앞다퉈 후추를 줍느라 아수라장이 되었다. 야스히로가 머물고 있던 공관으로 돌아와 역관에게 탄식하며 말하기를, "너희 나라는 망하였도다. 기강이 이미 무너졌으니 망하지 않고 무엇을 기대하겠는가"라고 하였다.

야스히로가 본국으로 돌아가게 되었을 때 우리 조정에서는 다만 일본의 국서에만 답하고는 일본에 사신을 보내는 문제에 있어서는 우리가 물길에 익숙하지 못하다는 이유로 거절하였다. 야스히로가 귀국하여 사실대로 조정에 보고하니, 도요토미 히데요시가 크게 노하여 야스히로를 죽이고 그 일족까지도 없애버렸다. 대개 야스히로와 그의 형인 야스토시(康年강년)는 미나모토씨가 통치하던 시대부터 우리나라에 와서 조공朝貢을 바치고 관직까지 받았으므로 그가 일본 조정에 보고한 말이 은근히 우리나라를 편든 느낌을 줬기 때문에 죽임을 당한 것이라고 짐작된다.

일본에서 사신 소 요시토시가 오다.

일본국의 사신 소 요시토시(平義智평의지, 대마도주對馬島主 종의지宗義智를 가리킨다. 임진왜란 때 고니시 유키나가小西行長와 함께 선봉장이 되어서 우리나라에 쳐들어왔다)가 우리나라에 왔다. 도요토미 히데요시가 이미 다치바나 야스히로를 죽이고는, 다시 요시토시를 우리나라에 보내 일본에 사신을 보낼 것을 요청하게 하였다. 요시토시라는 자는 일본의 군권軍權을 장악하고 있던 대장 고니시 유키나가(小西行長소서행장)의 사위로 도요토미 히데요시의 심복心腹이었다. 쓰시마 섬의 태수 소 모리나가(宗盛長종성장)는 대대로 쓰시마 섬을 지키며 우리나라를 종주국으로 섬겼는데, 이때 히데요시가 소씨(宗氏종씨)를 제거하고 요시토시로 하여금 쓰시마 섬을 다스리게 하였다. 그때 요시토시의 파견은, 전에 우리나라가 물길에 익숙하지 않다는 핑계로 통신사 파견을 거절한 적이 있으므로 히데요시가 요시토시를 쓰시마 도주島主의 아들이라고 속이고는 그가 바닷길에 익숙하니 그와 함께 통신사를 보내라는 것이었는데, 거기에는 우리에게 더 이상 통신사 파견을 거절할 명분을 주지 않으려는 속셈이 들어 있었다. 또 한편으로는 그들을 파견하여 우리나라 국방의 허실虛實을 정탐하려는 의도도 숨어 있었다. 야나가와 시게노부(平調信평조신, 柳川調信유천조신)와 겐소(玄蘇현소) 스님도 함께 따라왔다. 요시토시는 젊은 나이지만 날래고 사나워서 그와 같이 온 다른 왜인들이 모두 그가 두려운 나머지 엎드려 무릎으로 설설 기면서 감히 쳐다보지도 못했다. 그가 오랫동안 동평관東平館에 머물면서 기어코 우리나라 사신을 대동하고 일본으로 가려고 했으나, 우리 조정의 의견은 그렇지 않았다.

몇 해 전에 왜구들이 전라도 손죽도損竹島를 노략질하여 변장邊將 이태원李太源을 죽였다. 그때 생포된 왜구가 말하기를 "조선의 변방 사람 사을배동沙乙背同이라는 자가 조선을 배반하고 일본으로 들어왔었는데 그가 우리 왜인들을 인도하여 손죽도를 노략질하게 되었다"고 하였다. 우리 조정에서 이 말을 듣고 분노하였다. 이때 어떤 사람이 말하기를, "마땅히 나라를 배반하고 왜국으로 달아난 사람들을 돌려받은 뒤에 통신사 파견 문제를 의논하여 그들이 진정성이 있는지를 살펴보는 것이 좋겠다"라고 하였다. 그 말에 따라 요시토시의 접반사(接伴使, 외국에서 온 사신이 머무는 곳에 임시로 파견되어 그 사신을 맞아 접대하던 관원으로, 정3품 이상의 고관 중에서 선발하였다)에게 그 사실을 넌지시 귀띔하니, 요시토시가 말하기를, "이 일이라면 어려울 게 없다" 하고는 곧바로 야나가와 시게노부를 본국으로 보내어 그 사실을 조정에 보고하도록 하였다. 그 후로 몇 달이 지나지 않아 왜국으로 달아난 우리나라 백성 10여 명을 모두 데려와서 바쳤다. 임금께서 인정전에 납시어 크게 군사의 위세를 벌이시고 사을배동 등을 묶어 대궐 뜰 안에 잡아들여 문초하시고는 성 밖에서 그들의 목을 치도록 하였다.

요시토시에게 상으로 내구마(內廐馬, 조선 시대에 임금의 어가御駕와 말 등을 관장하던 내사복시內司僕寺에서 기르던 말이다) 한 필을 하사하셨다. 얼마 있다가 임금께서 왜국의 사신 일행을 맞이하여 접견하시고는 잔치를 베푸셨는데 그 자리에는 요시토시와 겐소 등이 참석하여 임금께 차례로 술잔을 따라 올렸다.

이때 나는 예조판서로 있었는데, 예조에도 왜국의 사신들에게 잔치 자리를 베풀기도 했으나 통신사 파견 문제는 큰 진전이 없었다. 내가 대제학이 되어 국서를 짓게 되자 임금님께 "이 사안을 빨리 매듭지어 두 나라 사이에 틈이 생기지 않도록 하셔야 하옵니다"라고 아뢰었다. 다음날 조강(朝講, 경연관經筵官이 아른 아침에 임금에게 나아가 경서經書 등을 강론講論하던 것을 말한다. 정오에 강론하던 것을 주강晝講, 저녁 때에 강론하던 것을 석강夕講이라 하였다) 자리에서 지사(知事, 지중추부사知中樞府事로 조선시대 중추부中樞府에 속했던 정2품의 관직이다) 변협(邊協, 1528-1590, 조선의 무신으로 자는 화중話中, 호는 남호南湖, 본관은 원주原州이다. 관직은 공조판서 겸 도총관을 지냈다) 등이 또한 "마땅히 저들의 선처에 보답하는 사신을 보내시옵고, 아울러 가는 길에 왜국의 동정을 살펴보게 한다면, 이 또한 좋은 계책이 아니겠사옵니까"라고 아뢰자, 드디어 조정의 의논이 정해졌다.

왜국에 사신으로 보낼 적당한 사람을 가려 뽑으라는 임금의 명을 받아 조정 대신들이 인선 작업을 한 끝에 첨지僉知 황윤길(黃允吉, 1536-?, 조선조의 문신으로 자는 길재吉哉, 호는 우송당友松堂, 본관은 장수長水이다. 관직은 황주목사, 병조참판 등을 지냈다. 1590년에 선조의 명을 받고 일본에 통신정사通信正使로 파견되어 도요토미 히데요시豊臣秀吉f를 만났다)을 정사正使로, 사성司成 김성일(金誠一, 1538-1593, 조선조의 문신 퇴계退溪 이황李滉의 문인·학자로 자는 사순士純, 호는 학봉鶴峰, 본관은 의성義城이다. 관직은 성균관 사성, 부제학 등을 지냈다. 1590년에 선조의 명을 받고 일본에 통신부사通信正副로 파견되어 도요토미 히데요시豊臣秀吉를 만났다. 경상우도 관찰사로 왜적에게 항전을 독려했으나 병으로 죽었다)을 부사副使로 확정하고, 전적典籍 허성(許筬, 1548-1612, 조선조의 문신, 자는 공언 功彦, 호는 악록岳麓, 본관은 양천陽川이다. 관직은 이조판서를 지냈다. 허균許筠의 맏형이고, 허난설헌許蘭雪軒의 오빠로도 유명했다. 1590년에 선조의 명을 받고 일본에 통신사通信使의 서장관으로 파견되어 도요토미 히데요시豊臣秀吉를 만났다)을 서장관書狀官으로 삼았다. 이들 통신사 일행은 마침내 경인년(1590년) 3월에 요시토시 등과 함께 일본으로 출발하였다. 요시토시가 공작새 두 마리와 조총鳥銃·창·칼 등을 사신에게 선물로 바쳤었는데, 나중에 임금께서 이 선물을 받아 보시고 공작새는 남양(지금의 경기도 화성시 서부와 안산시 대부동, 인천광역시 옹진군 영흥면 일대를 차지하고 있던 옛 남양군을 말한다) 앞바다 섬에 풀어 주고, 조총은 군기시(軍器寺, 조선조에 병기兵器의 제조 등을 관장하던 관청이다)에 두게 하셨다. 우리나라가 조총을 가지게 된 것은 바로 여기에서 비롯되었다.

03

신묘년 봄에 통신사 황윤길 일행이 일본에서 귀국하다

신묘년(1591) 봄에 통신사 황윤길, 김성일 등이 일본에서 귀국하였는데, 그때 야나가와 시게노부, 겐소 등도 함께 왔다.

통신사 일행이 지난해 4월 29일에 부산에서 일본으로 출발하여 먼저 쓰시마 섬에 도착했고, 거기에서 한 달을 머물다가 물길로 40여 리 거리에 있는 이키 섬(一岐島일기도)에 이르렀다. 다시 하카다슈(博多州박다주), 나카토슈(長門州장문주), 나고야(浪古耶, 북구슈의 나고야名護屋를 이름) 등을 거쳐 7월 23일에야 비로소 일본의 서울인 교토京都에 도착하였다. 왜인들이 일부러 길을 우회해서 안내한데다가 곳곳에서 머물며 시간을 보냈으므로 여러 달을 여행한 끝에 목적지에 다다르게 된 것이다.

우리나라 사신 일행이 쓰시마 섬에 체류하고 있을 때에 소 요시토시가 그들을 위하여 절간에다 환영연을 마련하였다. 우리 사신들이 이미 자리를 잡고 앉아 있는데, 요시토시가 가마를 탄 채 절문 안으로 들어와 섬돌 앞에까지 와서 가마에서 내렸다. 이 모습을 본 김성일이 크게 노하여 이르기를, “쓰시마 섬이라면 곧 우리나라의 번신(藩臣, 중앙 정부에서 떠나 지방에서 백성들을 다스리거나 변방을 지키는 관찰사觀察使·병사兵使·수사水使 등을 아울러 이르는 말로, 여기에서는 대마도를 다스리는 도주島主가 조선 왕의 통제 하에 있는 지방 수령의 뜻으로 쓰인 말이다)이 다스리는 곳인데, 우리 임금의 명을 받든 사신이 이곳에 왔거늘 그대는 어찌 이같이 우리를 업신여기느냐. 그러니 나는 이 잔칫상을 받을 수 없다"라고 하고는 곧바로 자리를 박차고 나가버리니 허성 등도 이어서 자리를 떴다. 요시토시가 민망한 나머지 그를 태우고 온 가마꾼들을 꾸짖고는 그들의 목을 베어 가지고 와서 용서를 빌었다. 이 일이 있은 뒤로부터 왜인들이 김성일을 공경하고 두려워하여 그 앞에서는 예를 갖추었고, 멀리서라도 그가 보이면 말에서 내렸다.

교토에 도착해서는 큰 절에서 머물렀는데, 마침 그때 도요토미 히데요시가 동산도東山道에 출전 중이었으므로(요즈음의 도쿄를 중심으로 한 간토關東 지역을 가리키는 곳으로, 이때 도요토미 히데요시가 그곳에 웅거하던 호조씨(北條氏북조씨)를 치러 갔었다), 여러 달을 하는 일 없이 지내야 했다. 히데요시가 교토로 돌아온 뒤에도 궁실을 수리한다는 핑계로 곧장 우리 사신이 가져간 국서를 받지 않아 이럭저럭 기다리느라 5개 월을 객관에 머물고 난 뒤에야 비로소 국명國命을 전할 수 있었다.

그 나라는 저들의 덴노[天皇천황]를 높이 받들어 도요토미 히데요시를 비롯한 모든 관료들이 신하의 예로써 덴노를 섬겼다. 히데요시를 나라 안에서도 왕으로 부르지 않고 다만 관백關白으로 일컫거나 아니면 박륙후博陸侯라고 불렀다. 이른바 '관백'이라는 말은 옛날 중국의 곽광(霍光(?-B. C. 68), 중국 한漢나라의 대장군으로 소제昭帝가 8세의 어린 나이에 황제의 자리에 오르자 무제武帝의 유훈遺訓을 받은 곽광이 소제를 보필하였는데, 이때 그는 마치 대리섭정代理攝政을 하듯 모든 국사를 먼저 결재하고 나서 그 결과만을 황제에게 고했다. 그는 한나라의 명장이었던 곽거병霍去病의 아우이다)이 조정의 모든 일을 맡아 처리하게 됐는데, 그때 일을 맡은 실무자들이 먼저 곽광에게 '관문關文으로 그 일을 알린[白]' 뒤에 황제에게 고했다는 데서 나온 것이다.

히데요시가 우리 사신 일행을 접견할 때에 가마를 탄 채 대궐에 들게 하고, 우리가 데리고 간 취주대吹奏隊가 앞에서 날라리[笳가]와 피리[角각]를 불며 우리 일행을 인도하여 행진한 뒤에 당堂에 올라 예를 행할 수 있게 하였다.

히데요시는 용모가 왜소하고 누추하였으며 얼굴빛이 검어서 특이한 구석을 찾아볼 수 없었으나 다만 눈빛이 날카로워 사람을 쏘아보는 것 같았다고 하였다. 히데요시가 우리 사신을 맞을 때에 삼중으로 자리를 돋워 깔고 남쪽으로 향하여 앉았는데, 사모紗帽를 쓰고, 검은 도포를 꿰입고 있었다. 여러 신하들이 몇 사람씩 줄을 지어 앉아 있다가 우리 일행이 들어가니 인도하여 자리에 앉기를 권했다. 주연을 베풀기 위한 준비도 없이 앞에 달랑 탁자 하나를 놓고 그 탁자 위에 구운 떡 한 접시를 얹어 놓았을 뿐이었다. 질그릇 술잔에다 술을 따라 돌렸는데, 그 술 또한 뿌옇게 탁해 보였으니 이같이 접빈의 예가 극히 간소해 보였다. 술이 몇 순배 돌고나서 그 이상 더 술을 권하지 않았고, 서로 읍하고 절하며 수작을 건네는 절차조차도 없었다.

얼마 뒤에 히데요시가 갑자기 일어나 안으로 들어갔으나 자리에 앉았던 사람들이 모두 아무런 움직임도 보이지 않았다. 갑자기 평복을 입은 어떤 사람이 어린아이를 안고 안에서 나와서는 마루 위를 왔다 갔다 했는데 그쪽을 바라보니 그 사람은 바로 히데요시였다. 자리에 앉았던 사람들이 그를 보고는 엎드려 머리를 숙이는 정도로 예를 표하였다. 이윽고 히데요시가 아이를 안은 채 안에서 나와 난간 밖에 자리하고는 우리나라에서 온 악공들을 불러 여러 곡의 음악을 연주하게 하여 귀 기울여 듣고 있는데, 마침 그 어린아이가 옷에다 오줌을 누었다. 히데요시가 웃으며 시중드는 사람을 부르자 한 여자 시녀가 응대하여 달려 나오니 아이를 그 시녀에게 건네주고는 젖은 옷을 갈아입었다. 그의 이런 행동들이 아무 스스러움이 없어서 마치 옆에 아무도 없는

오사카성

도요토미 히데요시(『繪本朝鮮軍記』의 삽화)

것 같이 자유로워 보였다.

우리 사신 일행들이 그와 하직하고 나온 이후로는 다시는 히데요시를 만나지 못했다. 히데요시는 우리 정사·부사에게는 은 사백 냥을 주었고, 서장관과 통사 이하의 모든 사람들에게는 차등을 두어 선물을 내렸다. 우리 사절단 일행이 조선으로 돌아가려 하는데, 때에 맞춰 답서를 주지 않고는 우선 먼저 떠나라고만 하였다. 김성일이 말하기를 "우리가 사신으로 국서를 받들고 왔는데, 만약 답서를 받아 가지 못한다면 이는 우리의 국명國命을 풀덤불에 던져버리는 거나 마찬가지다"라고 하였다. 그러나 황윤길은 더 머물다 일정이 지체될까 염려되어 서둘러 그곳을 떠나 사카이(堺계, 일본 오사카 서쪽에 있는 도시로 오사카만 바닷가에 접해 있고 야마토강(大和川대화천)을 끼고 있다)의 바닷가에 와서 답서가 오기를 기다렸다. 답서가 그제서야 도착했는데, 그 글의 내용이 도리에 어긋나고 진실하지 못하여 우리가 기대했던 것과는 동떨어져 김성일이 이를 받아들이지 않고 여러 차례 내용 수정을 요구한 뒤에야 답서를 접수하여 길을 떠날 수 있었다. 우리 사신 일행이 지나가는 곳마다 왜인들이 선물을 선사했지만 김성일은 일절 받지 않았다.

황윤길이 돌아와 부산에 배를 대고는 급히 임금께 일본의 정황을 알리는 장계를 올려 "반드시 일본의 침략이 머잖아 있으리라고 생각하옵니다"라고 하였다. 일본에 다녀 온 결과를 보고하는 자리에서 임금께서 그들을 맞이하여 일본의 정세를 물으니, 황윤길의 대답은 부산에서 올린 장계의 내용과 같았다. 그러나 김성일은 "신은 그렇게 보지 않사옵니다"라 아뢰고는 황윤길의 말이 민심을 혼란에 빠뜨릴까 염려스럽다고 하였다. 이에 이 일을 두고 논하는 사람들의 의견이 둘로 갈라져 한 편에서는 황윤길의 말이 맞다고 하고, 또 다른 쪽에서는 김성일의 주장이 옳다고 하였다.

내가 김성일에게 묻기를, “공의 말씀은 황윤길 정사의 말과는 사뭇 다르네요. 만약 일본이 군사 행동을 감행한다면 어쩌시려구요”라고 했다. 김성일이 내 말에 대답하기를 “나 또한 어찌 왜인들이 끝내 전쟁을 일으키지 않으리라고 장담할 수야 있겠소. 다만 황윤길 정사께서 하신 말씀이 너무 엄청난 일이라서 온 나라 사람들이 깜짝 놀라고 크게 당혹해 할까 두려운 나머지 그 충격을 완화시키려고 그렇게 말했을 따름이오”라고 하였다.

04

왜국에서 보낸 국서에 명나라를 치겠다는 말이 들어 있었다

그때 왜국에서 받아 온 답서에는, 군사를 내어 대명大明으로 쳐들어 가겠다는 말이 들어 있었다. 내가 "반드시 전후좌우의 내용을 갖추어서 명나라 조정에 알려야 한다고" 말하니, 영의정 이산해(李山海, 1539-1609)가 "명나라 조정에서 우리 조선이 왜국과 몰래 내통한 것을 알면 우리를 문책할까 두려우니 알리지 않는 것이 나을 듯합니다"고 하였다. 내가 말하기를, "어떤 일로 이웃 나라끼리 서로 왕래하는 것은 어쩔 수 없는 일입니다. 옛날 성화(成化, 1465-1487, 중국 명나라 헌종의 연호이다) 연간에 일본이 중국에 조공을 받치기 위해서 우리나라에 도움을 청했으므로 우리나라에서 곧장 사실 대로 명나라 조정에 알리니 조칙詔勅을 내려 회유回諭한 적이 있습니다. 예전에 그런 일이 있었는데도 오직 지금에 와서 그럴 수 없다고 하여 명나라를 속이고 알리지 않는다면 이는 대의에도 어긋나는 일입니다. 만약 왜국이 순리를 어겨 끔찍한 일을 도모하고 있다는 사실을 명나라 조정이 다른 곳으로부터 전해 듣는다면 우리가 왜국과 공모하여 중국을 속인다고 의심하게 될 터이니 그리 되면 그 죄는 몰래 왜국에 통신사를 보낸 것만으로 끝나지 않을 것입니다"라고 하였다. 조정에서 나의 주장에 동조하는 사람이 많아, 마침내 김응남(金應南, 1546-1598, 조선조의 문신으로 자는 중숙重叔, 호는 두

암斗巖, 본관은 원주이다. 관직은 좌의정을 지냈다. 시호는 충정忠靖이다) 등을 파견하여 빨리 이 사실을 중국 조정에 알리도록 하였다.

이때 중국 복건성 사람인 허의후許儀後와 진신陳申 등이 왜국에 포로로 잡혀 갔다가 이미 몰래 왜국의 정세를 명나라 조정에 알렸고, 유구국(琉球國, 동중국해 서남부에 있던 섬나라로 지금의 오키나와[沖繩]현과 대만 가까운 섬 지역을 아울러 다스리던 중세 왕국. 1429년 독립왕국으로 출발하여 1879년 일본의 침략으로 일본에 합병되기까지 우리나라, 중국, 일본 등과 해상무역을 활발하게 하여 번창하였다)의 세자 상녕尙寧도 잇달아 명나라 조정에 사람을 보내 일본의 정세를 보고했는데도, 오직 우리나라에서만 사신을 보내지 않았으므로 명나라 조정에서는 우리가 두 마음을 가져 일본과 내통한다고 의심하여 의론이 분분하였다. 그러나 당시 명나라 재상으로 있던 허국許國만이 일찍이 우리나라에 사신으로 온 적이 있는 사람이라 "조선은 우리나라를 지성으로 섬기는 나라인지라 왜국과 반역을 도모하지는 않을 것이오. 잠시 기다려 보는 것이 좋을 것 같습니다"라는 의견을 제시하였다. 이 말을 하고 난 지 얼마 지나지 않아 김응남 등이 상주문上奏文을 가지고 중국에 도착하니, 허국이 크게 기뻐하였고, 명나라 조정에서도 우리에 대한 의심의 눈초리를 거두게 되었다.

충청·전라·경상 하삼도에 경비를 강화시키다

왜국의 침략을 염려하던 우리 조정에서 변방의 사정을 잘 아는 고위 관료를 선발하여 충청·전라·경상 하삼도下三道를 순찰하여 만약의 사태에 대비케 하였다.

김수(金睟, 1537-1615, 조선조의 문신으로 자는 자앙子昻, 호는 몽총夢村, 본관은 안동이다. 관직은 영중추부사領中樞府事를 지냈다. 시호는 소의昭懿이다)를 경상감사로, 이광(李洸, 1541-1607, 조선조의 문신으로 자는 사무士武, 호는 우계雨溪, 본관은 덕수이다. 관직은 전라도 관찰사를 지냈다)을 전라감사로, 윤선각(尹先覺, 1543-1611, 조선조의 문신으로 자는 수부粹夫, 호는 은성恩省, 본관은 파평이다. 관직은 공조판서工曹判書를 지냈다)을 충청감사로 임명하고는 각종 병기兵器를 갖추고 성곽과 해자를 보수하게 했다. 특히 경상도에 성을 많이 쌓았는데, 영천·청도·삼가·대구·성주·부산·동래·안동·상주 등과 같은 경상 좌도, 경상 우도 두 병영에 없던 성을 신축하거나 부실한 성을 증축하고 수리하여 방비를 튼튼하게 하였다.

이때는 태평성세가 이미 오랫동안 이어져 온지라 온 나라가 안일함에 빠져 있었다. 따라서 백성들은 노역에 동원되는 것을 꺼려하여 원성이 길을 가득 메울 정도로 시끄러웠다.

나와 같은 해에 급제한 사람으로 전에 전적典籍 벼슬을 지낸 합천

촉석루

출신의 이로(李魯, 조선조의 문신으로 자는 여유汝唯, 호는 송암松巖, 본관은 고성. 임진왜란 때 김성일金誠一의 막하에 있으면서 의병 초모義兵招募를 담당하였으며, 김성일金誠一, 조동도趙東道와 함께 촉석루 삼장사三壯士로 일컬어진다)라는 사람이 나에게 글을 보내어 "성곽을 쌓는 것이 좋은 계책이 아니라고 보오"라 하고, 또 "삼가三嘉 앞을 정암진鼎巖津이 가로막고 있는데 왜적들이 날아서 건넌단 말이오. 어찌 쓸데없는 데 성을 쌓느라 이리도 백성들을 괴롭히시는지요"라고 하였다. 만 리의 넓은 바다를 사이에 두고서도 왜적을 막을 수 없는데, 한 줄기 좁은 강줄기를 방패로 삼아 왜적을 막을 수 있다고 하니 그 사람이 제대로 사세를 판단하고 하는 말인지 의심스러웠다. 그러나 당시 사람들의 여론이 이와 같았으니, 홍문관(조선조에 대궐의 전적典籍과 문서를 관리하고 왕의 국정에 관한 자문에 응하던 관청. 사헌부, 사간헌과 함께 상사三司라고 불렸다)에서도 상소문을 올려 이 문제를 논하였다.

전라도와 경상도에서 성곽을 쌓는데 지세가 고르지 않아 제대로 성을 쌓기가 어려웠으므로 크고 넓게 쌓아올리느라 많은 인력을 동원하였다. 진주성 같은 곳은 본래 험한 지형에 의지하여 적에 대비하였는데, 이때 와서 성이 너무 작다고 하여 동쪽 평지로 옮겨 성을 쌓았으므로 뒤에 왜적이 쳐들어왔을 때 그곳을 집중 공략하는 바람에 성이 쉽게 함락되었다.

원래 성은 견고하고 작은 것을 귀하게 여겼는데, 오히려 성이 넓지 않은 것을 두려워했으니 그 또한 당시의 여론이기도 하였다. 그때 군사 행정체계나, 장수를 선발하는 요령이나, 군대를 조직하고 훈련시키는 방법 등 백 가지 중에 한 가지도 제대로 된 것이 없었으니, 전쟁에 패할 수밖에 다른 도리가 없었다.

06

이순신을 전라좌도 수군절제사로 발탁하다

정읍 현감井邑縣監 이순신(李舜臣, 1545-1598, 조선조의 명장으로 자는 여해汝諧, 본관은 덕수이다. 관직은 삼도수군통제사三道水軍統制使를 지냈다. 임진왜란에 참전하여 옥포해전, 한산도대첩, 당포해전, 명량해전 등에서 혁혁한 공을 세웠고 1598년 12월 노량해전에서 왜적을 대파시켰으나 적이 쏜 유탄에 맞아 전사하였다. 시호는 충무忠武이다)을 전라좌도 수군절제사全羅左道水軍節制使로 발탁하였다. 이순신은 담력과 지략을 겸비하였고, 활을 잘 쏘아서 일찍이 조산造山의 만호(萬戶, 조산은 함경북도의 한 지명이고, 만호는 무관직의 하나로 종4품 벼슬이었다)로 임명되었다. 그때 북쪽의 변방에 자주 사변이 일어났는데, 이순신이 계책을 꾸며 반란을 일으킨 여진족 오랑캐 우을기내于乙其乃를 유인해 들여 그를 묶어 병영에 압송해서 목을 베니, 그제야 오랑캐로 인한 근심이 사라졌다.

순찰사 정언신(鄭彦信, 1527-1591, 조선조의 문신으로 자는 입부立夫, 호는 나암懶庵, 본관은 동래이다. 관직은 우의정을 지냈다)이 이순신으로 하여금 녹둔도鹿屯島의 둔전(屯田, 녹둔도는 함경북도 두만강 하류 부근의 지류인 녹둔강을 끼고 있던 둘레 8km의 섬이고, 둔전은 지방에 주둔하는 군대의 군량이나 관청의 경비를 충당하기 위하여 경작하던 공공 경작지를 말한다. 이곳에 추수하러 갔던 이순신이 추도楸島에 살던 여진족의 갑작스런 공격을 받게 되어 일어난 녹둔도 사건으로도 유명하다)을 지키게 했다. 하루는 안개가 짙게 끼었는데, 군인들이 곡식을 거두는 일에 거의 다 동원되고 성채에는 단지 십여 명의 군인만 남아 지키고 있었다. 갑자기 여진족 오랑캐들이 말을 타고 사방에서 모여드니 이순신이 성채 문을 닫아걸고 몸소 성채 안에서 유엽전(柳葉箭, 화살촉이 가늘지만 뾰족하지 않고 버들잎 모양으로 조금 넓적하면서 둥근 형태이어서 붙여진 이름이다, 주로 무과시험이나 습사習射에 쓰였다)을 연속으로 쏘며 대응하였다. 수십 명의 오랑캐가 이순신이 쏜 화살을 맞고 말에서 굴러 떨어지니 오랑캐들이 놀라서 도망쳤다. 이순신이 성체 문을 열고는 혼자 말을 달려 크게 고함을 치며 쫓아가자 오랑캐들이 급히 달아났고, 노략질 당했던 곡식을 모두 되찾아 돌아왔다.

그러나 조정에서 이순신을 추천해서 올리는 사람이 없어 10여 년 동안 한직에 머물다가 과거에 오른 지 10여 년 만에 비로소 정읍현감이 되었다. 이때 왜인들이 쳐들어온다는 소문이 긴급히 전해지자, 임금께서 비변사(備邊司, 조선 중·후기 의정부를 대신하여 국정 전반을 총괄한 실질적인 최고의 관청으로 비국備局, 묘당廟堂, 주사籌司라고도 불렀다. 임진왜란 때는 국정과 군사를 총괄하는 통합기구가 되었다)에 명을 내려 각자 장수가 될 만한 인재를 추천하라고 하셨다. 내가 이순신을 천기하여 정읍현감에서 수사水使로 품계를 뛰어넘어 특진시키니 사람들이 그의 빠른 진급을 의혹의 눈초리로 보기도 하였다. 그때 조정의 무장 중에는 오직 신립(申砬, 1546-1592, 조선조의 무장으로 자는 입지立之, 본관은 평산이다. 임진왜란이 일어나자 삼도 도순찰사三道都巡察使에 임명되어 출전했으나 충주 탄금대에서 패하여 죽었다. 시호는 충장忠壯이다)과 이일(李鎰, 1538-1601, 조선조의 무장으로 자는 중경重卿, 본관은 용인이다. 관직은 함경남도 병사咸鏡南道兵使를 지냈다. 시호는 장양壯襄이다)만이 널리 알려진 인물이었다. 경상우병사慶尙右兵使 조대곤曹大坤이 있었으나 그는 늙고 용맹이 없어 장수로서의 책임을 제대로 수행하기는 어려웠다.

내가 경연經筵에서 임금께 이일로 하여금 조대곤의 자리를 대신할 것을 요청하니, 병조판서 홍여순(洪汝諄, 1547-1609, 조선조의 문신으로 자는 사신士信, 본관은 남양이다. 관직은 병조판서, 북도순찰사北道巡察使를 지냈다)이 말하기를, "명장은 마땅히 서울에 있어야 하니 이일을 내려보내서는 아니 되옵니다"라고 하였다. 내가 다시 청하여 아뢰기를, "무릇 모든 일에는 미리 준비하는 것이 상책이옵니다. 하물며 군사를 지휘하고 적을 막는 일에 있어서는 더더욱 일을 당하여 갑자기 조치해서는 아니 될 것이옵니다. 하루아침에 변고가 생기면 이일을 파견하지 않을 수 없을 것이온대 어차피 보낼 것이라면 하루라도 빨리 가게 해서 미리 변고에 대비케 하는 것이 유리하다고 생각되옵니다. 그렇지 않고 갑자기 다른 곳에 있던 장수를 내려 보내신다면 그는 그곳의 형세를 알지 못할 뿐더러 수하 군사들이 날쌘지 비겁한지도 알지 못할 것이오니, 이는 병가兵家에서 가장 꺼려 하는 것입니다. 그리 되오면 반드시 후회하시게 될 것이옵니다"라고 했다. 그러나 임금께서 나의 요청에 대답하지 않으셨다.

나는 또 비변사에 등청하여 여러 사람들과 논의를 거친 다음에 역대 임금들께서 사용하셨던 진관의 법(鎭管之法, 조선 전기에 행해졌던 지방 군사조직에 관한 제도로 주로 외침에 대비한 국토방위의 성격을 띤 군사조직법이라고 할 수 있다. 조선조 세조 이전에 있었던 군익도체제軍翼道體制를 보완·발전시킨 제도이다)을 손볼 것을 요청하였는데, 그 주청한 내용은 대략 이러하다.

건국 초에는 각 도의 군대가 모두 진관에 나뉘어 소속되어 있었는데, 유사시에는 진관에서 소속된 고을의 병사들을 질서정연하게 통솔하여 주장主將의 명령을 기다렸사옵니다. 경상도를 예로 들어 말씀드리면, 경상도는 김해·대구·상주·경주·안동·진주 등 여섯 진관으로 구성되어 있으니 설령 적이 쳐들어와서 한 곳을 빼앗기더라도 다른 진관들이 차례로 늘어서 군대를 엄중하게 통솔하여 굳게 방어하니 허무하게 한꺼번에 붕괴되지는 않았사옵니다. 지난 을묘년의 왜변(倭變, 명종 10년(1555, 을미년)에 왜구가 전라도 지역을 침략하여 영암의 달양성達梁城·어란포於蘭浦, 진도의 김갑金甲·남도南桃 이보二堡를 분탕질하고, 이곳을 방어하던 병사 원적元績이 분사한 사변을 이른다) 이후 김수문(金秀文, ?-1568, 조선조의 무신으로 자는 성장成章, 본관은 고령이다. 관직은 한성부 판윤漢城府判尹을 지냈고, 을미사변 때 청주목사로 있으면서 왜구를 격퇴하는 데 무공을 세웠다)이 전라도에 있으면서 처음으로 군대조직에 관한 법률을 개정하였사온데, 전라도 내의 여러 고을을 나누어 순변사巡邊使·방어사防禦使·조방장助防將·도원수都元帥와 본도本道의 병사兵使·수사水使에게 소속시키고는 그 개선안을 제승방략制勝方略이라고 이름 하였사옵니다. 여러 도에서 이 법을 본떴사온데, 이에 진관이라는 이름이 비록 존재하였으나 실제로는 각 진관이 서로 잘 연결되지 않아 위급한 경우가 생기면 먼 곳에 있는 군사와 가까운 곳에 있는 군사가 다 모이기를 기다렸다가 함께 움직여야 되고, 지휘관이 없는 군대를 들판 가운데에 대기시켜 놓은 채 천리 밖에서 오는 장수를 기다려야 하옵니다. 장수가 때맞춰 도착하지 않았는데 적의 칼날이 이미 압박해 들어오면 군사들이 놀라고 두려움에 떨게 되니 이리 되면 싸움에서 패하는 것은 당연한 이치이옵니다. 많은 군사들이 일단 무너지게 되면 다시 원래의 진용을 갖추기는 어렵사온데 이때 장수가 도착하더라도 누구와 함께 힘을 모아 싸울 수 있겠사옵니까. 이러 하오니 역대로 사용하던 진관의 제도를 고쳐 정비하는 게 좋을 듯하옵니다. 이 제도를 시행하면 평상에는 군사를 훈련시키기가 쉽고, 유사시에는 군사들을 적절하게 동원할 수 있을 것이옵니다. 또한 앞과 뒤가 서로 호응하며, 안과 밖이 서로 의지하게 되어 전체가 한꺼번에 무너지는 일을 없을 것이오니, 이리하면 훨씬 효율적으로 외적의 침입에 대응할 수 있을 것이옵니다.

이러한 내용을 경상도 감사 김수에게 내려보냈더니, "제승방략을 이미 오랫동안 시행해 왔으므로 갑자기 바꿀 수 없다"고 하여서 진관에 관한 논의는 없던 것으로 하였다.

임진년 봄에 신립과 이일을 파견하여 변방을 순시하게 하다

임진년 봄에, 신립과 이일을 나누어 파견하여 변방의 수비 상태를 돌아보게 하였는데, 이일은 충청·전라도로 갔고, 신립은 경기·황해도로 갔다. 이들이 한 달에 걸쳐 살펴본 것은 활·화살·창·칼 등 무기의 유무와 그 정비 상태를 점검하는 데에 지나지 않았다. 그들이 돌아다본 여러 군읍郡邑에서는 대개 문서만 갖추어 법망을 피해가려고 할 뿐 달리 적의 침입을 막을 좋은 계책을 내놓지는 못하고 있었다.

신립은 본래 잔인하고 포악한 사람으로 그 이름이 알려져 가는 곳마다 사람을 죽여 위엄을 세우려 하였다. 그러므로 수령들이 그를 두려워하여 그가 지나는 곳이면 백성들을 동원하여 길을 닦고 극히 융숭하게 대접하니, 비록 조정 대신이 행차해도 그렇게까지는 할 수 없을 정도였다.

임금께 순시한 결과를 보고하고 난 사월 초하루에 신립이 나의 사저에 찾아왔었다. 내가 묻기를 "조만간에 무슨 변고가 있으면 공께서 그 일을 감당하셔야 하는데 공께서 생각하시기에 지금 우리의 국방력으로 왜적의 기세를 쉽게 제압할 수 있겠다고 생각하시는지요"라고 하였다. 신립이 왜적을 아주 가볍게 여겨 "우려할 필요가 없을 것입니다"고 대답하였다. 내가 이르기를 "그렇지 않습니다. 옛날에는 왜적이

신립 장군

단지 짧은 창칼만을 사용했으나 지금은 조총 같은 극히 효율적인 무기를 가지고 있으니, 상대를 가볍게만 볼 수 없을 것입니다"라고 하였다. 내 말이 끝나자마자 신립이 "저들이 조총을 가졌다고 하나 어찌 백발백중이야 하겠습니까"라고 황급히 말했다. 내가 "나라가 태평성세를 구가한 지 오래 되어 병사들이 겁이 많고 유약해졌으니 지금 이 시점에서 무슨 급한 변고가 생긴다면 버텨내기가 쉽지 않을 것입니다. 제 생각으로는, 변고를 치르며 몇 년이 지나고 나면 병사들이 전쟁에 익숙해져 혹 사태를 수습할 힘을 지니게 될지 모를까, 일이 터진 초반의 전황에 대해서 저로써는 심히 걱정스럽습니다"라고 하였지만, 신립은 도무지 반성할 기색을 보이지 않은 채 일어서서 나가버렸다.

신립이 계미년(1583)에 온성부사穩城府使로 있을 때 반란을 일으킨 여진족의 오랑캐들이(1583년에 여진족인 이탕개尼湯介가 대군을 이끌고 조선을 공격했던 일을 두고 한 말이다) 종성鍾城을 에워싸자 신립이 이를 구하려고 십여 기의 기마병을 지휘하여 돌격해 들어가니 오랑캐들이 포위망을 풀고 물러갔다. 조정에서 신립의 재주가 대장감이라고 여겨 벼슬을 올려 북병사北兵使, 평안병사平安兵使로 임명하였고, 얼마 있다가 자헌대부(資憲大夫, 조선시대 정2품 동서반東西班 문무관文武官에게 주던 품계品階이다. 정2품의 하계下階로서 정헌대부正憲大夫보다 아랫자리이다)에 올랐다. 심지어 병조판서에 임명하려는 움직임도 있었기에 그의 기세가 하늘을 찌를 듯하여 마치 조괄(趙括, ?-B. C. 260, 중국 전국시대 조나라의 장수로 아버지 조사趙奢에게서 열심히 병법을 배웠으나 변통성이 없고, 장수로서 실전 경험이 없었기 때문에 진나라를 얕잡아 보고 싸우다가 패하여 죽었다)이 진秦나라를 가볍게 여겼던 것과 같은 형세였다. 일에 맞닥뜨려도 조금도 두려워하는 기색이 없었으므로 그를 아는 사람들은 우려를 금치 못하였다.

경상 우병사 조대곤을 교체하고 김성일을 그 자리에 임명하다

경상우병사 조대곤을 교체하고 특지特旨를 내려 승지 김성일로 하여금 그 자리를 대신하게 하였다. 비변사에서 아뢰기를, "김성일은 유신儒臣이라 이렇게 위급한 때에 변방을 지키는 장수로 임명하는 것은 합당하지 않사옵니다"라고 하였으나 임금께서 윤허하지 않으셨다. 김성일이 마침내 임금님께 하직 인사를 드리고 임지로 향하였다.

임진년 4월 13일에 왜군이 우리나라를 침략하다

4월 13일에 왜병이 국경을 침범하여 부산포를 함락시키고, 첨사僉使 정발(鄭撥, 1553-1592, 조선조의 무신으로 자는 자고子固, 호는 백운白雲, 본관은 경주이다. 부산진첨사釜山鎭僉使로 있을 때에 임진왜란이 발발하여 부산에서 적을 맞아 싸우다 전사하였다. 시호는 충장忠壯이다)이 전사하였다.

이에 앞서 왜국의 야나가와 시게노부와 겐소 스님 등이 왜국에서 돌아오는 우리 통신사설단과 함께 와서 동평관에 묵고 있었다. 비변사에서 황윤길·김성일 등이 비밀리에 술자리를 마련하여 조용히 그들에게 일본의 나라 사정을 묻고, 그들의 정세를 살펴서 방어책을 강구하기를 청하니, 임금님께서 허락하셨다.

김성일이 동평관에 도착하니 겐소가 예상했던 대로 은밀하게 말하기를 "중국은 우리나라와 오랫동안 외교관계를 끊어 조공을 보낼 수조차 없습니다. 도요토미 히데요시께서는 이 일을 내심 분하고 부끄럽게 생각하여 군사를 일으키려 하고 있습니다. 그러니 조선에서 먼저 이 사실을 중국에 알려 조공 길을 트게 할 수 있다면 반드시 싸울 일이 없을 것이고 일본의 육십육 주의 백성들 또한 전쟁 준비를 위한 노역에 시달리지도 않을 것이옵니다"라고 하였다 김성일 등이 대의大義로써 그들을 꾸짖기도 하고 타이르기도 하니, 겐소가 또 말하기를, "옛날

부산진순절도釜山鎭殉節圖

에 고려가 중국 원나라를 인도하여 일본을 공격했으니 일본이 이 일로 조선에 원한을 갚고자 하는 것은 일의 형평상 마땅하다고 생각됩니다" 라고 하며 내뱉는 말이 점점 패악스러워졌다. 이 일이 있은 뒤로는 그들에게서 더 염탐해볼 여지가 없었고, 야나가와 시게노부와 겐소는 일본으로 돌아갔다.

신묘년(1591) 여름에 소 요시토시가 또 부산포에 와서 그곳을 지키는 장수에게 이르기를, "일본이 명나라와 소통하고자 하는데, 만약 조선이 그 사실을 명나라에 알려 소통케 한다면 크게 다행스런 일이지만 그렇지 못하다면 두 나라 사이의 화해 분위기를 잃게 될 것이오. 이리되면 우리 두 나라 사이에 돌이킬 수 없는 일이 벌어질 것이므로 이렇게 와서 알리는 것이요"라고 하였다. 그 장수가 그대로 조정에 보고했으나, 당시 조정에서는 전에 통신사를 일본에 파견한 것이 잘못 된 일이라고 후회하고, 또 왜인들의 거칠고 무례한 태도에 분노를 감추지 못하고 있던 터라 그 말에 아무런 대응책도 마련하지 않았다. 요시토시가 십여 일을 배를 대고 기다리다가 대답이 없으니 불쾌한 마음을 품고 떠났다.

그 후로는 외교 목적으로는 왜인들이 우리나라에 오지 않았다. 부산포 왜관에는 항상 수십여 명의 왜인들이 머물고 있었는데, 그들도 조금씩 본국으로 돌아가 왜관이 텅 비다시피 하니 사람들이 괴상하게 생각하였다.

4월 13일에 쓰시마 섬에서 바다를 온통 뒤덮으며 많은 왜선이 밀려 왔는데, 그곳을 바라보니 끝 간 데를 모를 정도로 왜선이 늘어서 있었다. 마침 그때 부산 첨사釜山僉使 정발이 절영도(絶影島, 지금의 부산시 영도구影島區의 옛 이름이다. 영도는 예로부터 말 사육장으로 유명하여 목도牧島라 부르기도 하였는데, 이곳에서 사육된 명마가 빨리 달려 그림자조차 볼 수 없다 하여 절영도絶影島라고 불렸다)에 사냥을 나갔다가 이 광경을 목격하고 낭패스런 얼굴로 성안으로 들어갔다. 왜병이 뒤따라 바닷가에 도착하여 뭍으로 올라 사방에서 구름처럼 모여드니 기다릴 시간도 없이 삽시간에 성이 함락되었다.

동래부순절도東萊府殉節圖

좌수사左水使 박홍(朴泓, 1534-1593, 조선조의 무신으로 자는 청원淸源, 본관은 울산이다. 관직은 우위대장右衛大將을 지냈다)이 적의 위세가 너무나 대단한 것을 목격하고는 감히 군사를 내어 싸울 엄두가 나지 않아 성을 버리고 달아났다. 왜군은 병사를 나누어 서평포와 다대포를 함락시키니, 다대 첨사多大僉使 윤흥신(尹興信, ?-1592, 조선조의 무신으로 다대포 첨사로 있다가 왜적을 맞아 싸우다가 전사하였다)은 힘을 다하여 싸우다가 피살되었다.

좌병사左兵使 이각李珏은 전쟁이 일어났다는 소식을 듣고 병영에서 나와 동래로 들어왔다. 부산이 함락되자 이각은 두려운 나머지 어찌할 바를 모르더니 성 밖에 나가 적을 맞아 싸우겠다는 핑계를 대며 성을 빠져나와 소산역蘇山驛에서 진을 치고자 했다. 부사府使 송상현(宋象賢, 1551-1592, 조선조의 절신節臣으로 자는 덕구德求, 호는 천곡泉谷, 본관은 여산이다. 동래부사로 있다가 임진왜란을 만나 동래성에서 왜적과 맞서 싸우다 전사하였다. 시호는 충렬忠烈이다)이 함께 머물면서 동래성을 지키자고 했으나 이각은 그 말에 따르지 않았다.

4월 15일에 왜군이 동래성을 압박해 들어오니, 송상현이 성 남쪽문에 올라 반나절 동안 군사들을 독려했으나 성이 함락되자 꼿꼿이 앉은 채로 적의 칼날을 받아 죽었다. 왜인들이 그가 죽음으로 성을 지킨 것을 가상하게 여겨 널을 만들고 시체를 수습하여 성 밖에다 묻고는 표지판을 세워 그의 묘지를 알아볼 수 있게 하였다.

이에 왜군이 온다는 풍문을 듣고 여러 군현의 수령들이 달아나 흩어졌다. 밀양부사密陽府使 박진(朴晋, ?-1597, 조선조의 무신으로 자는 명보明甫, 본관은 밀양이다. 경상좌도병사慶尙左道兵使로 있으면서 왜적의 퇴치에 공을 세웠다. 시호는 의열毅烈이다)은 동래에서 서둘러 돌아와 작원鵲院으로 통하는 좁은 길을 막고 적을 방어하고자 했는데, 왜적이 양산을 함락시키고 작원에 이르렀다가 군사들이 좁은 길목을 지키고 있다는 것을 알고는 산 뒤쪽으로부터 개미떼처럼 까맣게 흩어져 높이 올라오니 좁은 길을 지키던 우리 군사들이 왜적 떼를 목격하고는 모두 뿔뿔이 흩어졌다. 박진이 그곳을 버리고 말을 달려 밀양성으로 돌아와서 무기고에 불을 놓고는 성을 버리고 산으로 들어갔다. 이각이 병영으로 바삐 돌아와 맨 먼저 자기 아내를 성에서 피난시키니 민심이 더욱 흉흉해져 군사들이 하룻밤에 네다섯 번이나 놀래어 깨기도 하였다. 이각이 또한 새벽을 틈타 몸을 빼서 달아나자 우리 군사들이 크게 흩어졌다.

왜적이 길을 나누어 거침없이 휘몰아쳐 여러 고을을 연이어 함락시켜나갔으나 감히 그 앞에서 저항하는 자는 아무도 없었다. 김해부사金海府使 서례원(徐禮元, ?-1593, 조선조의 무신으로, 진주목사晉州牧使로 있다가 왜적에게 살해되었다)이 문을 닫고 성을 지키는데 왜적이 성 밖에 자라고 있는 보리를 베어 참호를 메워 올라오니 금방 성 높이와 같아졌다. 왜적이 쌓아놓은 보리 더미를 타고 올라 성에 들어오자 초계군수草溪郡守 이모李某가 먼저 달아나고, 서례원도 이어서 성을 빠져 나가니 성은 마침내 함락되고 말았다.

순찰사 김수는 처음 진주에 있을 때 사변이 났다는 소식을 듣고는 말을 달려 동래로 향하다가 중간쯤에 이르렀을 때 적병이 이미 가까이 접근하여 앞으로 나아갈 수 없다는 소문을 듣고 경상우도慶尙右道로 바삐 돌아와서는 어찌할 바를 몰랐다. 다만 여러 고을에 격문檄文을 보내 백성들에게 적을 피하라고 유시諭示할 수밖에 없었는데, 이로 인하여 경상우도 지역이 텅 비게 되어 달리 조치를 취할 방도가 없었다.

용궁현감龍宮縣監 우복룡(禹伏龍, 1547-1613, 조선조의 문신으로 자는 견길見吉, 호는 구암懼庵, 본관은 단양이다. 관직은 성천부사成川府使를 지냈다)은 고을 군사를 거느리고 병영으로 가다가 영천의 어느 길가에서 밥을 먹고 있는데, 그때 하양의 군사 수백 명이 방어사防禦使에 소속되어 상도上道로 향해 가다가 마침 그 앞을 지나게 되었다. 우복룡이 그들이 말에 올라탄 채 자신의 앞을 지나가는 것을 보고 격노하여 그들을 붙잡아 놓고 반란을 꾀하려는 자들이 아니냐고 다그쳤다. 하양의 군사들이 병사兵使가 발부한 공문을 내보이며 변명하려 하자 우복룡이 자신의 병사들에게 눈짓으로 그들을 포위하게 하여 다 죽이니 시체가 들을 가득 메웠다. 순찰사가 그것을 전공으로 조정에 보고하여 올리니 우복룡은 통정通政으로 승진되고, 이어서 정희적(鄭熙績, 조선조의 문신으로 자는 사훈士勳, 본관은 하동이다. 관직은 감사監司를 지냈다)을 대신하여 안동부사安東府使에까지 올랐다. 뒤에 하양의 고아와 과부들이 사신이 내려올 때마다 말머리를 막아서며 억울함을 호소했으나 이때 우복룡의 명성이 높았으므로 아무도 그 억울함을 풀어주는 사람이 없었다고 한다.

4월 17일에 일본의 침략을 알리는 제1보가 조정에 도착하다

사월 열이렛날 이른 아침에 변방에서 일본의 침략을 알리는 보고가 처음으로 도착하였는데, 곧 좌수사 박홍이 올린 장계(狀啓, 왕명을 받고 지방에 나가 있는 신하가 자기 관할 지역의 중요한 일을 왕에게 보고하던 일. 또는 그런 문서를 말한다)였다. 조정 대신들과 비변사의 당상관들이 빈청(賓廳, 조선조에 대궐 안에 설치했던 고위관료들의 회의실. 3정승과 비변사 당상관(정2품 이상의 고위 관료로 구성되었음) 등의 정부 고위 관료들이 정기적으로 회의를 하거나 변란이나 국상을 당했을 때 임시로 모여서 현안을 논의하던 곳이다)에 모여 임금을 알현하고자 했으나 윤허하지 않으셨다. 곧바로 글을 올려 주청하기를, 이일을 순변사巡邊使로 임명하여 중로中路로 내려보내고, 성응길(成應吉, 조선조의 무신으로 본관은 창녕이다. 서산군수를 거쳐 임진왜란 중에 화양수사華陽水使로 임명되어 왜적과 맞서 싸우다 전사했다)을 좌방어사左防禦使로 삼아 좌도左道로 내려보내고, 조경(趙儆, 1541-1609, 조선조의 무신으로 자는 사척士惕, 본관은 풍양이다. 임진왜란 때 행주산성 전투에서 큰 공을 세웠고, 훈련대장訓練大將을 지냈다. 시호는 장의壯毅다)을 우방어사右防禦使로 삼아 서로西路로 내려보내며, 유극량(劉克良, ?-1592, 조선조의 무장으로 자는 중무仲武, 본관은 백천이다. 관직은 전라수사全羅水使를 지내고, 임진왜란 때 임진강에서 왜군을 맞아 싸우다 전사했다)을 조방어사助防禦使로 삼아 죽령竹嶺을 지키게 하고, 변기邊璣를 조방장助防將으로 삼아 조령鳥嶺을 지키게 하며, 경주부윤慶州府尹으로 있던 윤인함(尹仁涵, 1531-1597, 조선조의 문신으로 자는 양숙養叔, 호는 죽재竹齋, 본관은 파평이다. 임진왜란 때 경주가 왜군에게 점령되자 의병을 모집하여 적군에게 큰 타격을 입혔다. 관직은 형조참판을 지냈다)은 유신儒臣으로 나약하고 용맹하지 못하다고 하여 상중에 있던 전 강계부사江界府使 변응성(邊應星, 조선조의 무신으로 본관은 원주이다. 임진년(1592)에 경주부윤이 되었으나 왜적이 경주성을 함락시켜 부임하지 못하고 이천부사가 되어 왜적을 무찌르는 데 공을 세웠다)을 불러 그 자리를 대신하게 하였다. 그리고 이번에 임명된 모든 관료들에게는 스스로 군관을 뽑아 데려가도록 하였다.

바로 이어서 부산이 왜군에게 함락되었다는 보고가 들어왔다. 그때 부산이 왜군들에게 포위되어 사람들이 왕래할 수 없었는데, 박홍이 올린 장계에는 "높은 곳에 올라가 바라보니 붉은 깃발이 성 안에 가득하였으므로 그제야 부산성이 함락된 것을 알 수 있었습니다"라고 하였다.

이일이 서울에 있는 정예병 삼백 명을 뽑아서 데려가려고 하여 병조에서 선발한 병사의 명단을 보니, 모두가 시중 여염집 출신의 전혀 훈련이 안 된 사람들이고, 게다가 서리와 유생들이 반수 이상을 차지하였다. 임시로 군사들을 점검해보니, 유생들은 갓을 쓰고 도포를 입은 채 과거시험 답안지를 들고 있었으며, 서리들은 관아에서 근무할 때 쓰는 두건을 그대로 쓰고 있었는데, 이들은 너나없이 모병에서 제외시켜 달라고 아우성이었다. 연병장을 가득 메운 이들 신병들 가운데 전쟁터로 보낼 만한 사람은 아무도 없었다. 이일이 임지로 떠나라는 명을 받고도 사흘이 지났으나 출발하지 못하자 조정에서는 하는 수 없이 이일을 먼저 떠나게 하고, 별장 유옥兪沃이 남아 있다가 병사들 문제가 해결되면 그 병사들을 데리고 뒤따라가도록 조치하였다.

내가 임금에게 "병조판서 홍여순洪汝諄은 주어진 임무를 제대로 수행할 수 없고 또 군사들의 원성이 자자하니 다른 사람으로 교체하는

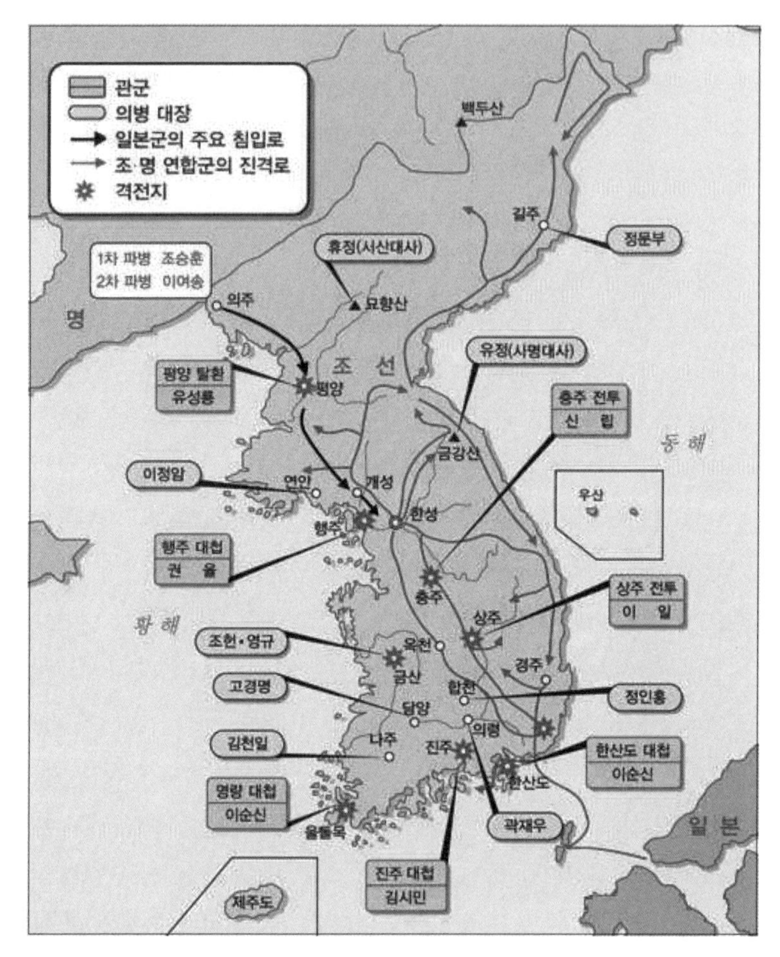

임진왜란 때 관군과 의병의 활동

것이 좋겠사옵니다"라고 아뢰니, 바로 김응남을 대신하여 판서에 임명하고 심충겸(沈忠謙, 1545-1594, 조선조의 문신으로 자는 공직公直, 호는 사양당四養堂, 본관은 청송이다. 관직은 병도판서를 지냈다. 시호는 충익忠翼이다)을 참판으로 삼았다. 또 대간(臺諫, 조선조에서 관료를 감찰 탄핵하는 임무를 가진 대관臺官과 왕이 하는 일에 대해서 간쟁諫諍·봉박封駁하는 임무를 가진 간관

諫官을 합쳐 부른 말이다)에서 아뢰기를, "대신을 체찰사體察使로 보내 여러 장수들을 감독하게 함이 마땅하옵니다"라고 하니, 영의정(이때 영의정은 이산해李山海였다)이 나를 지목하여 체찰사의 일을 맡도록 하였으므로, 내가 김응남을 부체찰사로 삼겠다고 하니 그대로 되었다.

전에 의주목사로 있던 김여물(金汝岉, 1548-1592, 조선조의 문신으로 자는 사수士秀, 호는 피구자披裘子, 본관은 순천이다. 임진왜란이 일어나기 전 해인 1591년에 의주목사로 있다가 서인 정철鄭澈의 당黨으로 몰려 파직 당하고 의금부에 투옥되었다. 임진왜란 때 신립 장군과 충주 달천을 배수진으로 삼고 왜적들과 대회전을 치르다가 신립과 함께 강물에 투신자살하였다. 시호는 장의壯毅다)이 무예와 지략이 있었는데, 그때 김여물이 어떤 일에 연루되어 감옥살이를 하고 있었다. 내가 임금께 그의 사면을 요청하여 뜻대로 되었으므로 그로 하여금 나를 따르도록 하였다. 아울러 비장裨將의 임무를 수행할 만한 무사 80여 명을 뽑기도 하였다.

얼마 있다가 전황에 대한 급보가 계속해서 올라왔다. 왜적이 이미 밀양과 대구를 지나 머잖아 조령 아래까지 압박해 들어올 것이라는 소식이 들리자 내가 병조판서 김응남과 신립 장군에게 이르기를, "왜구의 노략질이 갈수록 심하여 사태가 걷잡을 수 없게 되었으니 앞으로 이 일을 어쩌면 좋겠소"라고 하니, 신립이 대답하기를, "이일 장군은 고립무원의 처지로 최전선에 나가 싸우고 있으나 후원군을 보내지 못하고 있습니다. 이런 상황 아래에서 장수가 아니신 체찰사께서 내려가시더라도 그를 도울 방도가 있겠습니까. 그런데 어찌 용맹한 장수를 먼저 급히 내려보내 이일 장군을 도우는 방책을 강구하지 않으시는지요"라고 하였다. 신립 장군의 말을 들으니, 자신이 내려가 이일 장군을 도우겠다는 생각이 있다는 것을 알아차리고는 김응남과 함께 임금을 뵙고 신립이 말한 대로 주청하였다. 임금께서 바로 신립 장군을 불러 그의 의향을 물어보시고는 신립 장군을 도순변사都巡邊使로 임명하셨다.

신립 장군이 대궐 문 밖을 나가 직접 군사를 모집하였으나 자원하여 따라가려는 병사가 없었다. 그때 나는 중추부中樞府에서 체찰사로서 장수들의 근무상태를 살피러 가는 일을 준비하고 있었는데, 신립 장군이 내가 있는 곳에 와서 병사들이 계단과 뜰을 가득 메울 정도로 많이 모여 있는 것을 보고는 크게 노한 표정을 지었다. 그가 김응남을 가리키면서 나에게 말하기를, “김 공 같은 분을 대감께서 데리고 가신들 무슨 소용이 있겠습니까. 소인이 부사副使로 공을 모셨으면 합니다”라고 하였다. 나는 신립 장군이 자기를 따르는 무사들이 없어 저렇게 노여워한다는 사실을 눈치 채고는 이르기를 “이 모든 것은 나라를 위한 일인데 어찌 내 것 남의 것을 따질 수 있겠소. 공께서 급히 떠나야 하시니 제가 뽑아 놓은 군사들을 데리고 먼저 가시면 저는 다시 군사들을 모아서 따라가는 것이 좋겠구려”라고 하고는, 병사들의 신상이 적힌 명부를 건네주니 신립 장군이 뜰 안에 있는 병사들을 둘러보고는 가자고 하며 그들을 데리고 나갔다. 따라가는 병사들이 모두 실망하는 표정을 짓고 있었고, 김여물도 그와 함께 갔는데, 결코 즐겁지 않은 표정이었다.

신립 장군이 떠나게 되었을 때 임금께서 그를 불러 보시고 보검寶劍을 내리시며 말씀하시기를, “이일 이하로 누구든지 그대의 명을 거스르는 자가 있으면 이 칼로 목을 베시오”라고 하셨다.

신립 장군이 임금에게 작별하고 나와 빈청에 들러 여러 대신들을 뵈러 갔다. 인사를 마치고 계단을 내려오려 하는데 머리에 쓴 사모紗帽가 갑자기 땅 위에 떨어져 이 광경을 본 사람들이 아연실색했다.

신립 장군이 용인에 이르러 임금에게 올린 장계狀啓에 자신의 이름을 빠뜨리고 적지 않았으므로 사람들이 “저 이가 심란해서 그런가” 하고 못미더워하였다.

김성일이 체포되어 압송되어 오다가 도중에 사면을 받고 초유사에 임명되다

경상우병사慶尙右兵使 김성일이 체포되어 감옥에 갇히게 되었는데, 체포되어 오는 도중에 사면을 받아 도리어 초유사(招諭使, 나라에 난리가 일어났을 때, 백성을 타일러 경계하거나 모병募兵에 응하도록 설득하는 일을 맡아 하던 임시 관직이다)에 임명되었고, 함안군수 유숭인(柳崇仁, ?-1592, 조선조의 무신으로 임진왜란에 무공을 세워 경상우도병사慶尙右道兵使가 발탁되었는데, 진주성 싸움에서 전사하였다)을 병사兵使로 삼았다.

처음에 김성일이 상주에 이르렀을 때에 왜적이 이미 국경을 침범했다는 소식을 듣고 주야로 말을 달려 경상우도 본영本營에 다다랐다. 가는 도중에 조대곤曹大坤을 만나 경상우병사의 인절(印節, 조선조에 조정에서 지방 장관에게 주던 인장印章과 병부兵符이다)을 교환하였다. 그때 왜적이 이미 김해를 함락시키고 군대를 나누어 경상우도의 여러 고을을 노략질하고 있었던 터라 김성일의 군대가 앞으로 진격하여 막상 왜적과 맞닥뜨리게 되자 장수와 사졸들이 달아나려고 하였다. 이에 김성일이 말에서 내려 호상(胡床, 옛날에 관료가 바깥 활동을 할 때 아무데서나 앉을 수 있게 만든 등받이가 있는 접이식 의자를 가리킨다)에 걸터앉아 미동도 하지 않은 채 군관 이종인(李宗仁, ?-1593, 조선조의 무신으로 자는 인언仁彦, 본관은 전주이다. 임진왜란이 일어난 이듬해(1593)에 김해부사로 있을 때 진주성 싸움에 참여하여 끝까지 싸우다가 진주성이 함락되자 양팔에 왜군들을 껴안고 남강에 투신하여 순절했다)을 불러, "너는 용감한 군사이다. 적을 보고 먼저 물러나서는 안 될 것이야"라고 하였다. 그때 쇠로 만든 가면을 쓴 한 적병이 칼을 휘두르며 돌진해오자 이종인이 말을 타고 달려 나가 활을 쏘아 단번에 그 적군을 거꾸러뜨리니 모든 적군들이 머뭇거리다 달아나서는 감히 앞으로 나올 생각을 못하였다.

김성일이 흩어진 군사들을 불러 모으고는 각 고을에 격문을 보내 민심을 수습하고 전열을 가다듬을 묘책을 궁리하고 있는데, 임금께서 김성일이 전에 일본 통신사 부사로 갔다 와서 일본이 쉽게 조선에 쳐들어오지 않을 것이라고 보고한 것이 결국 민심을 해이하게 하고 국사를 그르쳤다고 생각하여 의금부도사에게 그를 붙잡아 들이라는 명을 내렸으므로, 일이 장차 어떻게 전개될지 헤아리기 어려운 국면에 처해 있었다.

감사監司 김수가 김성일이 체포되어 간다는 소문을 듣고 길에 나와 서로 이별하는데, 김성일의 언사와 의기가 강개하고 자신의 신상에 관한 말은 한마디도 하지 않은 채 오직 김수에게 힘을 다해 왜적을 토벌하는데 힘써 달라고만 하였다. 늙은 아전 하자용河自溶이 감탄하여 "자신의 죽음에 대해서는 아랑곳 하지 않고 오직 나라 일을 걱정하고 계시니, 이는 참으로 충신이로다"라고 하였다. 김성일이 직산稷山에 이르렀을 무렵에 임금님의 노기가 진정되고, 또 김성일이 경상우도의 지식인들과 백성들에게 인심을 얻은 것을 알고 계셨기 때문에 그의 죄를 사면하라고 명하셨다. 그리고 경상우도 초유사에 임명하시고는 도내 백성들을 잘 깨우쳐 그들로 하여금 군사를 일으켜 왜적을 토벌케 하라는 임무를 내리셨다.

그때 유숭인柳崇仁이 왜적과의 싸움에서 전공을 세웠기 때문에, 여러 등급을 뛰어넘어 병사에 임명되었다(유숭인, ?-1592, 임진왜란이 일어나던 1592년에 함안군수로 있으면서 곽재우의 의병에게 진로를 차단 당한 왜적을 진해까지 추격한 끝에 이순신과 합세하여 왜군을 크게 무찔러 아군에게 용기를 불어넣어 주었기 때문에 선조가 그를 병사로 특진시켰다).

김륵을 경상좌도 안집사로 임명하다

첨지僉知 김륵(金玏, 1540-1616, 조선조의 문신으로 자는 희옥希玉, 호는 백암柏巖, 본관은 예안이다. 관직은 충청감사, 안동부사를 지냈다. 시호는 민절敏節이다)을 경상좌도 안집사(安集使, 어려움에 처한 백성을 위로하고 어루만져 주기 위하여 나라에서 수시로 파견하던 관료를 말한다)로 임명하였다. 그때 감사 김수는 경상우도에 근무하고 있었는데, 왜군이 중로中路를 세로로 관통하고 있어 경상좌도와는 소통할 길이 없었으므로 고을을 지키던 수령들이 모두 관직을 버리고 달아나는 바람에 민심이 의지할 데가 없었다. 조정에서 그 사실을 듣고는 김륵이 영주 사람이므로 경상좌도의 민정을 상세히 알고 백성들을 안심시키고 결집시킬 수 있으리라고 생각하여 그를 바로 그곳으로 파견하였다.

김륵이 임지에 이르니 경상좌도의 백성들이 비로소 조정의 명령을 듣게 되어 차츰차츰 마을로 모여들었는데, 영주와 풍기 두 고을에는 다행히도 왜적이 이르지 않았으므로 의병을 일으킬 수 있었다고 했다.

이일이 상주전투에서 패하다

왜적이 상주를 함락시키고 순변사 이일의 군대가 패하여 충주로 바삐 돌아왔다.

처음에 경상도 순찰사 김수가 왜적이 쳐들어왔다는 말을 듣고 곧바로 제승방략制勝方略에 따라 군사를 나누어 배치하고 여러 고을에 격문을 보내 각기 소속된 군사를 이끌고 약속된 장소에 모여 서울에서 지휘할 장수를 기다리기로 하였다.

문경 이남의 수령들은 모두 자신의 군사들을 이끌고 대구로 가서 천변川邊에서 노숙하며 순변사가 오기만을 기다렸다. 이미 여러 날이 지났으나 순변사는 오지 않고 왜적은 점점 가까이 접근하고 있었으므로 모여 있던 많은 군사들이 동요하기 시작하였다. 마침 큰비를 맞아 병사들의 옷가지들이 다 젖고 군량도 원활하게 보급되지 않자 군사들이 이를 참지 못하고 야음을 틈타 모두 달아나고, 수령들도 모두 한 필의 말에 의지하여 자기 고을로 돌아갔다.

순변사가 문경에 들어오니 고을은 휑하니 비어 있고 사람이라고는 찾아볼 수 없었다. 직접 창고의 곡식을 풀어서 데리고 온 군사들을 먹이고는 함창을 거쳐 상주에 이르니, 상주목사 김해(金澥, 조선조의 문신으로 자는 사회士悔, 호는 설송雪松이며 본관은 예안이다)는 역참驛站에 나가서 순변사를 기다리겠다고 속이고는 산속으로 달아났고 오직 판관判官 권길(權吉, ?-1592, 조선조의 문신으로 자는 응선應善, 본관은 안동이다)만이 고을을 지키고 있었다. 순변사 이일이 군사들이 없다는 이유로 권길을 문책하고는 그를 동원 뜰에 끌어내어 목을 베려 하자 권길이 자신이 직접 나가서 군사를 불러 모으겠다고 애원하므로 놓아 주었다. 권길이 밤새도록 마을을 뒤지고 다닌 끝에 다음날 아침에 수백 명의 사람을 데리고 왔는데 그나마 모두 농민들이었다.

이일이 상주에서 하루를 머물면서 창고를 열어 곡식을 꺼내어 흩어진 백성들을 꾀어 나오게 하니 산속에서 하나둘 나와 모인 사람이 수백여 명에 달했다. 갑자기 그들로 군대를 편성하였으나 그 중에 싸울 만한 사람은 아무도 없었다.

그때 왜적이 이미 선산까지 밀고 올라왔는데 저물녘에 어느 개녕현 사람이 찾아와서 왜적이 가까이 왔다고 알렸다. 이일이 군사들을 현혹시키는 말이라고 그를 목 베려 하자 그 사람이 호소하기를, "저의 말을 믿을 수 없으시다면 저를 가두어 두셨다가 내일 아침에 왜적이 쳐들어오지 않으면 그때 저를 목 베어도 늦지 않을 것이옵니다"라고 하였다. 이날 밤에 왜적이 장천長川에 주둔하고 있었는데 상주와는 20리 거리인데도 이일의 군대에는 척후병이 없었으므로 적군이 턱밑에까지 와도 모르고 있었다. 다음날 아침에 이일이 왜적의 침입이 없었다고 하며 옥에서 그 개녕 사람을 끌어내어 목을 베어서는 군사들에게 돌려 보게 하였다.

상주에서 임시로 편성한 민군民軍과 서울에서 데리고 온 군사들을 합치니 근 팔구백 명이 되었다. 상주의 북천北川 가에서 진陣 치는 법을 훈련시키는데 산에 기대어 진을 치고 진 안에는 대장기를 세워놓았다. 이일이 갑옷을 입고 말을 탄 채 대장기 아래에 서고, 종사관從事官

윤섬(尹暹, 1561-1592, 조선조의 문신으로 자는 여진汝進, 호는 과재果齋, 본관은 남원이다. 임진왜란 때 이일의 막하에서 종사관으로 상주성에서 싸우다 전사하였는데, 그때 함께 전사한 박지朴篪, 이경류李慶流 등 세 사람을 삼종사三從事라고 불렀다. 시호는 문렬文烈이다)·박지(朴篪, 1567-1592, 조선조의 문신으로 자는 대건大建, 본관은 밀양이다. 교리校理 벼슬을 하다 이일의 종사관이 되어 임진왜란에 참여하여 상주 전투에서 분전하다 죽었다)와 판관 권길과 사근찰방沙斤察訪 김종무(金宗武, ?-1592, 조선조의 문신으로 자는 의백毅伯이다. 임진왜란 때 이일의 막하에서 종사관으로 상주성에서 싸우다 전사하였다) 등에게는 말에서 내려 이일이 탄 말 뒤에 서 있게 하였다.

얼마 뒤에 몇 사람이 숲 속에서 나와 어슬렁거리며 동정을 살피다가 돌아갔다. 그 광경을 본 여러 사람들이 왜적의 척후병이 아닌가 의심을 품었지만 개녕 사람이 당한 일을 생각하여 감히 고할 수 없었다. 조금 있다가 성안을 바라보니 여러 곳에서 연기가 솟아올랐으므로 이일이 그제야 군관 한 사람을 보내어 살펴보라고 하였다. 군관은 말을 타고 두 역졸이 고삐를 잡고 천천히 가는데 미리 다리 아래에 매복해 있던 왜군이 쏜 조총에 군관이 맞아 말에서 떨어지니 왜군이 그 군관의 목을 베어 갔다. 멀리서 그 광경을 바라보던 우리 군사들은 기가 꺾였다.

잠시 후에 왜적이 대거 몰려와 조총 십여 자루로 쏘아대니 그 총에 맞은 아군들이 그 자리에서 즉사하였다. 이일이 급히 아군들에게 활을 쏘라고 하였으나 화살이 수십 보를 날아가다 갑자기 땅에 떨어지니 적군을 어떻게 해볼 도리가 없었다. 적군이 이미 좌·우익으로 나뉘어 깃발을 들고 아군의 배후를 돌아 포위망을 좁혀 들어오고 있었다.

이일이 사태가 위급함을 알고는 말머리를 돌려 북쪽으로 달아나니 군대 안에 일대 소동이 벌어졌다. 각자 도망을 쳐 목숨을 보전하고자 했으나 거기에서 벗어난 사람은 거의 없었다. 종사관을 비롯하여 말을 타지 못한 사람은 모두 적의 칼날에 희생되었다.

적군이 이일을 급하게 추격하니, 이일은 급한 나머지 타고 가던 말을 버리고 입었던 옷도 벗어버린 채 머리를 풀어 헤친 알몸으로 달아났다. 문경에 이르러 붓과 종이를 찾아 패전한 사실을 적어 조정에 올리고는, 거기에서 물러나 조령을 지키려고 했으나 마침 신립 장군이 충주에 있다는 소식을 듣고 그리로 달려갔다.

우의정 이양원이 수성대장이 되다

우의정 이양원(李陽元, 1533-1592, 조선조의 문신으로 자는 백춘伯春, 호는 노저鷺渚, 본관은 전주다. 관직은 영의정을 지냈고, 시호는 문헌文憲이다)이 수성대장守城大將이 되고, 이진李戩과 변언수邊彦琇가 각각 경성 좌위장京城左衛將과 경성 우위장京城右衛將이 되었으며, 상산군商山君 박충간(朴忠侃, ?-1601, 조선조의 문신으로 자는 숙정叔精, 본관은 상주다. 관직은 선공감제조繕工監提調를 지냈다)에게 경성 순검사京城巡檢使를 맡겨 도성을 수축修築하게 하였고, 상중에 있는 김명원(金命元, 1534-1602, 조선조의 문신으로 자는 응순應順, 호는 주은酒隱, 본관은 경주다. 관직은 좌의정을 지냈으며, 시호는 충익忠翼이다)을 불러들여 도원수都元帥로 임명하여 한강을 지키게 하였다.

그때 이일의 패했다는 보고가 이미 도착하였으므로 인심이 흉흉해지고 궁중에서는 서울을 버리고 떠나야 한다는 생각도 가지고 있었지만 궁궐 밖에서는 이 사실을 눈치 채지 못했다. 이마(理馬, 조선조 사복시司僕寺에 소속된 정6품의 잡직으로 왕의 마필馬匹에 관한 업무를 관장하였다) 김응수金應壽가 빈청에 와서 영의정과 귓속말을 나누고 갔다가 다시 오는 것을 본 사람들이 미심쩍게 여겼으나 김응수와 영의정이 애기를 나눈 것은 영의정이 당시 사복시司僕寺의 제조(提調, 사복시는 궁중의 가마와 마필 등의 일을 조관하던 관청으로 제조는 사복시를 대표하던 직책이다)를 맡고 있었기 때문이었다.

도승지 이항복(李恒福, 1556-1618, 조선조의 문신으로 자는 자상子常, 호는 백사白沙, 본관은 경주이다. 임진왜란을 맞아 다섯 번이나 병조판서를 맡아 나라를 보전하는 데 큰 역할을 했으며, 관직은 영의정을 지냈다. 시호는 문충文忠이다)이 손바닥에 "영강문永康門 안에 말을 세우다[立馬永康門內]"(이 말은 왕이 서울을 포기하고 말을 타고 피난 갈 준비를 하고 있다는 뜻으로, 이 사실을 눈치 챘던 종친과 사간헌의 대관들이 왕에게 도성을 버린다는 것은 불가능한 일이라고 간언하게 된 것이다. 여기에는 영의정으로 있던 이산해가 주도하여 선조의 피난을 도모한다는 뜻이 숨어 있어 여러 기관에서 이산해의 파직을 주장하였다고 하겠다)라고 써서 나에게 보였다. 대간에서 영의정이 나라를 그르쳤으니 탄핵하여 파직하기를 청했으나 임금께서 허락하지 않으셨다. 왕실 종친들이 합문(閤門, 조회朝會나 의례儀禮 등 국가의식을 맡아보던 관청으로 각문閣門이라고도 하였다) 밖에 모여 통곡하며 도성을 포기하시지 마시라고 요청하였고, 영부사領府事 김귀영(金貴榮, 1519-1593, 조선조의 문신으로 자는 현경顯卿, 호는 동원東園, 본관은 상주다. 관직은 우의정을 지냈다. 임진왜란을 맞아 왕자 임해군과 함께 피난 가다가 회령會寧에서 왕자와 함께 왜적에게 사로잡혔으나 가토 기요마사에 의해 풀려났다)은 분노를 삭이지 못한 채 여러 대신들과 임금을 만난 자리에서 서울을 굳게 지키시라고 청하였다. 그가 또 말하기를, "도성을 버리자고 나서서 주장하는 사람이 있다면, 그는 소인배에 지나지 않습니다"라고 하였다. 이런 소용돌이가 가라앉지 않자 임금께서 교지를 내려 "종묘와 사직이 여기에 있는데 내가 장차 어디로 간단 말이오"라고 하였으므로 모두가 물러났으나 이미 기울어진 사세를 되돌릴 수는 없었다.

서울 각 마을 백성들과 공노비, 사노비, 서리는 물론이고 내의원內醫院·전의감典醫監·혜민서惠民署 등 삼의사(三醫司,조선조의 대표적인 의

료기관 세 곳을 통틀어 이르는 말이다. 내의원에서는 왕의 약을 조제調劑하던 곳이고, 전의감은 왕실과 조정의 대소 신료들을 진찰하고 약을 조제했으며 약에 관한 행정을 총괄하던 기관이었다. 혜민서는 일반 백성을 지료하고 투약하던 의료기관이었다)에 소속된 관료들 가운데서 군사를 뽑아 성가퀴(城堞성첩, 성벽 위에 덧쌓은 낮은 담으로, 전투시 병사들은 이곳에 몸을 숨기고 활을 쏘거나 다른 무기를 사용하여 적을 격퇴하였다)를 각각 나누어 지키게 하였는데, 지켜야 할 성가퀴는 3만여 곳이지만 실제 성을 지킬 수 있는 인원은 겨우 7천 명에 지나지 않았다. 그것도 대개 어중이떠중이들이 모여든 오합지졸烏合之卒이라 모두 기회만 있으면 성벽을 넘어 달아날 궁리만 하고 있었다. 지방에서 뽑혀 올라온 군사들은 비록 병조에 소속되었으나 병조의 하급 관료들과 서로 농간을 부려 관료들이 뇌물을 받아먹고 몰래 그들을 탈영케 한 경우가 비일비재하였다. 관원들은 그들이 가버렸는지 아니면 남아 있는지 전혀 점호를 취하지 않아 화급한 사태에 이르렀을 경우 전혀 쓸모가 없었으니 군정의 해이함이 이 지경에 이르렀었다.

조정 대신들이 세자를 세우자고 청하다

조정 대신들이 세자를 세워 민심을 안정시키자고 청하니, 임금께서 그 청을 받아들이셨다.

이덕형을 왜군 진영에 사신으로 보내다

동지사同知事 이덕형(李德馨, 1561-1613, 조선조의 문신으로 자는 명보明甫, 호는 한음漢陰, 본관은 광주廣州이다. 관직은 영의정을 지냈다. 시호는 문익文翼이다)을 왜군 진영에 사신으로 보냈다.

이일의 부대가 상주 전투에서 패했을 때 왜학통사(倭學通事, 일본어 통역관을 뜻하는 말이다) 경응순景應舜이 왜적에게 사로잡혔다. 왜군 장수 고니시 유키나가[平行長평행장]가 이덕형이 온다는 소식을 듣고 도요토미 히데요시의 서신과 우리나라 예조에 보내는 공문 한 통을 경응순에게 주어 보내면서 이르기를, "내가 동래성에 있을 때 울산 군수를 생포하여 도요토미 히데요시의 서신을 주어 보냈는데, 지금까지 아무런 소식이 없다(울산군수는 곧 이언함李彦諴인데, 적에게 잡혔다 살아 돌아왔으나 벌을 받을까 두려워서 변명하기를, 붙잡혔다가 스스로 도망쳐 나왔다고 하고는 그 서신을 숨기고 전하지 않았으므로 조정에서는 그 사실을 몰랐다). 조선이 만약 우리와 강화할 뜻이 있다면 이덕형을 이번 달 스무여드렛날에 보내 우리와 충주에서 만나게 했으면 한다"라고 했다. 이덕형이 예전에 선위사宣慰使로 왜국의 사신을 만난 적이 있었기 때문에 아마도 유키나가가 그를 보고자 했을 것이다.

경응순이 서울에 당도하여 그대로 보고하였으나 당시의 사태가 너

이덕형

무 급하게 돌아가 마땅히 내놓을 만한 뾰족한 계책이 없었다. 그러나 혹시라도 이 일로 인하여 전쟁의 속도를 늦출 수 있을까 하는 생각에 이덕형이 가기를 자청하였다.

예조에 왜적이 보낸 서신에 대한 답서를 쓰게 하고는 이덕형이 경응순을 데리고 출발하였다. 이덕형이 충주로 내려가는 도중에 충주가 이미 함락됐다는 소식을 듣고는 먼저 경응순에게 충주로 가서 적의 동태를 살펴보게 했으나 경응순이 도리어 왜군 장수 가토 기요마사[加藤淸正가등청정]에게 붙잡혀 죽었다. 어쩔 수 없이 이덕형이 중도에서 가던 발걸음을 돌려 서울로 향했는데, 결국에는 임금께서 피난 와서 임시로 거처하시던 평양에서 다녀온 결과를 보고 드려야 하였다.

17

형혹이 남두성을 침범하는 흉조가 나타나다

형혹(熒惑, 화성火星의 옛 이름이다. 옛날부터 이 별이 나타나면 전쟁, 기근, 역병 등이 일어난다고 하였다)이 남두성(南斗星, 궁수자리에 있는 국자 모양의 여섯 개의 별로 북두칠성의 모양을 닮은 데서 이름이 유래한다. 남두육성南斗六星이라고도 한다. 제왕의 수명을 주관하는 별로 전해진다)을 침범하였다.

경기·강원·황해·평안·함경 등 각 도의 군사를 징발하여 서울에 들어와 구원하도록 하였다.

이조판서 이원익(李元翼, 1547-1634, 조선조의 문신으로 자는 공려功勵, 호는 오리梧里, 본관은 전주이다. 영의정을 두 번에 걸쳐 지냈으며, 시호는 문충文忠이다)을 평안도 도순찰사平安道都巡察使로, 지사 최흥원(崔興源, 1529-1603, 조선조의 문신으로 자는 복초復初, 호는 송천松泉, 본관은 삭녕이다. 관직은 영의정을 지냈으며, 시호는 충정忠貞이다)을 황해도 도순찰사黃海道都巡察使로 임명하고는 바로 그날로 출발하게 하였다.

이에 앞서 임금께서 서쪽으로 피난 가시는 문제를 두고 조정에서 의논하였는데, 전에 이원익이 안주목사安州牧使로, 최흥원이 황해도 감사黃海道監司로 있으면서 두 사람이 다 어진 정치를 베풀어 백성들이 그들을 좋아했기 때문에 그 두 사람을 먼저 그곳으로 보내 군사와 백성들을 위로하고 타일러 임금의 피난길에 대비하도록 하게 한 것이다.

충주전투에서 신립이 전사하다

왜적이 충주에 들어오자 신립이 맞서 싸우다 패전하여 죽고, 아군들이 뿔뿔이 흩어졌다.

신립이 충주에 왔을 때 충청도 여러 고을에서 모여든 군사가 8천여 명이었다. 신립이 조령을 지키려고 했는데 마침 이일이 상주에서 패했다는 소식을 듣고 간담이 서늘하여 충주로 돌아왔다. 그리고 이일·변기 등을 불러 함께 충주로 오게 하였다. 신립이 지세가 험한 요새를 버리고 지키지 아니 하였으며 군사들에게 내리는 명령이 일사불란하지 않았으므로 이를 목격한 사람들은 그가 반드시 패하리라는 것을 알고 있었다.

신립과 가까운 어느 군관이 가만히 와서 왜적이 이미 조령을 넘었다고 보고하였는데, 그때가 스무이렛날 초저녁이었다. 그 보고를 받자 신립이 갑자기 성 밖으로 뛰쳐나가니 부대 안은 온통 뒤숭숭해졌다. 신립이 간 곳을 아무도 몰라 궁금해 하였는데 밤이 깊어서야 몰래 객사客舍로 돌아왔다. 신립이 다음날 아침에 그 군관이 허위 보고를 했다고 하여 그를 끌어내어 목을 베었다. 그러고는 조정에 장계狀啓를 올려, "왜적이 아직 상주를 떠나지 않았다"고 보고했는데, 이러한 엉터리 보고는 왜적이 이미 십 리 가까이 접근하고 있는 것을 모르고 있었기 때문이었다.

태평스럽게 군사를 이끌고 나가 탄금대 앞, 물이 두 갈래로 나뉘어 흐르는 지점에 진을 쳤는데, 그곳의 좌우에는 벼논이 많고 수초가 어지럽게 자라고 있어 말을 달리기에는 불편한 곳이었다.

조금 있다가 왜적이 단월역에서부터 두 갈래로 길을 나누어 압박해 들어오니 그 기세가 마치 비바람이 몰아치듯 했다. 한쪽 부대는 산을 돌아서 동쪽으로 향했고, 다른 쪽 부대는 강물을 따라 내려왔다. 왜적의 총소리는 땅을 진동시키고 그들이 일으키는 먼지가 하늘에 닿을 듯이 일어나니 신립이 어찌할 바를 몰라 말에 채찍을 가하며 직접 적진으로 두 번이나 돌진해 들어갔으나 결국 적진을 뚫지 못하자 강가로 되돌아와 강물에 몸을 던져 죽었다. 많은 군사들도 강물에 뛰어들어 죽으니 그 시체가 강물을 뒤덮은 채 떠내려갔다. 김여물은 왜적이 휘두르는 칼날에 맞아 죽었고, 이일은 동쪽 가 산골짜기 사이로 빠져나와 달아났다.

처음 조정에서는 왜적의 군대가 강성하다는 얘기를 듣고 이일이 혼자 힘으로 버티기가 어렵다고 우려하였다. 그래서 신립은 한때 명장이라 병사들이 두려워 복종하니 그로 하여금 많은 군사를 이끌고 이일의 뒤를 따르게 하여 두 장수가 힘을 합치면, 왜적을 물리칠 수 있으리라고 기대하였다. 조정의 그러한 계책이 잘못된 것은 아니었다. 불행하게도 경상도의 수군과 육군을 통솔하던 장수들이 너나없이 겁쟁이였기 때문에 그런 결과를 낳고 말았다.

해상에서는 좌수사 박홍이 한 명의 군사도 출전시키지 않았고, 우수사 원균元均은 비록 주둔하던 곳과 부산 사이는 뱃길이 멀었지만 자신이 거느리고 있는 함선이 이미 많았고 또 왜적이 하루에 한꺼번에 몰려온 것이 아니었기 때문에 휘하의 모든 군사들을 동원하여 앞으로 나아가 위용을 뽐내며 버티고 있다가 다행히 한 번이라도 이겨줬으면 왜적들이 자신의 후미를 조심하여 살피느라 이렇게 빨리 내륙 깊숙이 진격해 들어오지는 않았을 것이다. 그러나 우리 수군들은 적군의 등등한 기세를 바라보며 멀리 달아나기에 바빠 적군과 한 번도 칼날을 겨뤄보지 못했다. 왜적이 육지에 오르자 좌병사 이각과 우병사 조대곤이 달아나거나 교체되었으므로 왜적들이 북을 치면서 수백 리를 휩쓸고 올라오는 동안에 대적하는 사람이라곤 찾아볼 수 없는 무인지경이었다.

왜적이 밤낮을 가리지 않고 북으로 올라오는 도중에 어느 곳에서도 감히 악착같이 맞서 싸워 조금이라도 그들의 기세를 누그러뜨리려는 시도가 없었으므로 왜적이 채 열흘도 되지 않아 상주에까지 진출하였다.

이일은 서울에서 온 객장客將으로 수하에 거느리는 군사도 없는데다가 갑자기 왜적을 만나 싸우게 되었으니 그들과 맞서 싸울 형편이 못되었다. 신립이 충주에 도착하기도 전에 이일이 먼저 패배하는 바람에 우리 군사들이 작전을 펼 수 있는 근거지를 상실해버려 일이 더 크게 어긋나게 되었다.

아, 원통하도다! 뒤에 들으니, 왜적이 상주에 들어와서는 오히려 앞으로 지나갈 길이 험난하여 진격하기를 꺼려했다고 한다. 문경현 십여 리에 오래된 성이 있는데 그 성을 고모姑母라고 한다. 경상우도와 경상좌도가 여기에서 서로 만나고 양쪽 협곡이 한데 묶어 놓은 듯 바짝 다가서 있는데, 큰 냇물이 그 가운데를 돌아 흐르고 그 아래로 길이 나 있는 천혜의 요새지였다. 왜적이 그곳을 지키는 군사가 있을까 두려워하여 사람을 시켜 두 번, 세 번 살펴보게 했으나 지키는 병사가 없다는 것을 확인하고는 기뻐서 어쩔 줄 몰라 하며 노래 부르고 춤추면서 그곳을 통과하였다고 한다.

대명 제독 이여송(일본에서 발간된 『繪本朝鮮征伐記』에 실린 삽화)

뒤에 명나라 장수 이여송(李如松, 중국 명나라의 장수로 자는 자무子茂이다. 임진왜란 때 명나라 지원군의 제독으로 참전하여 평양성을 회복시키는 등 크게 기여하였다. 일설에는 이여송의 증조부가 우리나라 평안북도 초산군 사람이었는데 살인죄를 지어 요동으로 피신하여 대대로 거기에서 살았다고 한다) 제독提督이 왜적을 추격하여 조령을 지나가며 탄식하기를, "지경이 이같이 험난한데 이곳을 지킬 줄 몰랐다니 신립 총병總兵이 무모했도다"라고 했다. 이는 대개 신립이 비록 날래고 용맹하여 한때 이름을 얻었지만 책략과 지모가 모자랐음을 암시하는 말이었다. 옛사람이 말하기를, "장수가 군사를 부릴 줄 모르면, 나라를 적에게 바치게 된다"(이 말의 원문은 '장수가 군사를 부릴 줄 모르면 그 임금을 적에게 바칠 수 있고, 임금이 훌륭한 장수를 선택할 줄 모르면 그 나라를 적에게 바칠 수 있다[將不知兵, 以其主與敵也; 君不擇將, 以其國與敵也.]'라는 말이 『한서漢書』 조조전晁錯傳에 나온다. 저자가 이 두 가지를 혼동하여 사용한 것 같다)라고 했다. 지난 일을 아무리 후회해도 지금에 와서 돌이킬 수 없으나 뒷날의 경계로 삼을 수 있기에 여기에 상세하게 적어 둔다.

4월 30일 새벽을 틈타 선조가 서쪽으로 피난길에 오르다

사월 서른날 새벽을 틈타 임금께서 타신 어가御駕가 서쪽으로 피난길에 올랐다.

신립이 서울을 떠난 뒤에 도성의 백성들은 승전보가 들려오기만을 기다렸다. 임금께서 피난을 떠나기 전날 밤에 전립(氈笠, 조선조에 군영軍營과 관아에서 죄인을 다루던 군졸인 군뢰軍牢가 군장軍裝을 할 때에 쓰던 갓으로, 품등이 높은 무관이 군복에 갖추어 착용하기도 하였다. 전립戰笠·모립毛笠이라고도 불렀다)을 쓴 세 사람이 말을 달려 숭인문으로 들어오니 도성 안 사람들이 다투어 전선의 소식을 물었다. 그 사람들이 대답하기를, "우리는 순변사 신립 장군의 노복이오. 어제 순변사께서 충주 싸움에서 패하여 돌아가시고 모든 군사들이 크게 무너져서 우리는 간신히 몸만 빠져 나오는 길이오. 이 길로 집으로 가서 가족들을 피난시키려고 하오"라고 하였다. 그 말을 듣고 있던 사람들이 크게 놀래어 길을 헤매다 만나는 사람들에게 이 말을 전하니, 그 후로 시간이 얼마 되지도 않았는데 온 도성 안 사람들이 혼란의 도가니에 빠졌다.

초저녁께에 임금께서 재상들을 불러 피난에 대해 논의하셨다. 임금께서 동쪽 바깥채에 납시어 앉아 계시는데, 종실인 하원군河源君, 하릉군河陵君 두 사람이 등촉을 밝혀 놓고 옆에서 모시고 앉아 있었다. 대신이 아뢰기를, "사세가 이 지경에 이르렀으니 어가가 잠시 뒤에 평양으로 떠나게 되었사옵니다. 명나라에 구원병을 요청하시어 수복을 도모하소서"라고 하였다. 장령掌令 권협(權悏, 1542-1618, 조선조의 문신으로 자는 사성思省, 호는 석당石塘, 본관은 안동이다. 정유재란(1597) 때 명나라에 파견되어 구원병을 요청하였다. 시호는 충정忠貞이다)이 알현을 청하며 임금의 무릎 가까이 바짝 다가와서는 큰소리로 부르짖으며, "서울을 지켜야 하옵니다"라고 했는데, 그 소리가 심히 듣기 괴로웠다. 내가 "비록 위급한 전란 중이라도 군신의 예로는 이럴 수 없으니 조금 물러나서 아뢰는 게 좋겠소"라고 하니, 권협이 이어서 이르기를 "좌상께서 그런 말씀을 하시다니요. 그럼 서울을 포기하자는 말씀이시오"라고 하였다.

내가 임금께 아뢰기를 "권협의 말은 심히 충성에서 우러나온 말이오나 다만 사세가 급하여 그렇게 격하지 않을 수가 없었을 것이옵니다"라 하고는, 왕자들을 여러 도道로 나누어 파견하여 근왕병勤王兵을 불러 모으게 하고, 세자는 어가를 따라갈 것을 청하니, 의논이 그대로 정해졌다.

대신들이 합문 밖에 나와 교지를 받았는데 그 내용은 이러했다.

임해군臨海君은 함경도로 가고, 영부사 김귀영과 칠계군漆溪君 윤탁연(尹卓然, 1538-1594, 조선조의 문신으로 자는 상중尙中, 호는 중호重湖, 본관은 칠원이다. 임진왜란을 맞아 함경도 관찰사로 임해군을 따랐으며, 왜군과 싸우던 중에 병사했다. 시호는 헌민憲敏이다)이 수행한다. 순화군順和君은 강원도로 가고, 장계군長溪君 황정욱(黃廷彧, 1532-1607, 조선조의 문신으로 자는 경문景文, 호는 지천芝川, 본관은 장수이다. 관직은 대제학, 예조·병조판서를 지냈고 임진왜란 때 손서인 왕자 순화군을 따랐다. 시호는 문정文貞이다)과 호군護軍 황혁(黃赫, 1551-1612, 조선조의 문신으로 자는 회지晦之, 호는 독석獨石, 본관은 장수이다. 황정욱의 아들로 임진왜란 때 사위인 왕자 순화군과 함께 왜군에게 인질로 잡혀 적장 가토 기요마사로부터 선조에게 항복 권유문을 올리라는 압박에 못 이겨 아버지를 대신하여 썼다)과 동지중추부사冬至中樞府使 이기(李墍, 1522-1600, 조선조의 문신으로 자는 가의可依, 호는 송와松窩, 본관은 한산이다. 관직은 대사헌, 이조판서를 지냈으며, 시호는 장정莊貞이다)가 수행한다.

황혁의 따님이 순화군의 부인이고, 이기는 강원도 원주 출신이므로 두 사람이 함께 순화군을 수행하게 됐을 것이다.

그때 우상右相 이양원은 유도대장(留都大將, 임금이 대궐을 떠나 도성을 비우게 될 때 도성 안을 지키던 대장을 말한다)이 되었고, 영의정 이산해와 재신(宰臣, 정3품 이상의 당상관으로 조정의 중요 업무를 관장하던 고위 관료를 말한다) 수십 명이 호종대신으로 지목되었으나 나는 부름을 받지 못하였다. 승정원承政院에서 임금께 아뢰기를, "호종대신扈從大臣으로 유 아무개가 제외될 수 없사옵니다"라고 하니, 나에게도 호종하라는 어명이 내렸다.

내의(內醫, 임금의 병을 진찰하고 약을 제조하던 내의원內醫院에 소속된 의원을 말한다) 조영서趙英瑞, 승정원의 이속吏屬 신덕린申德潾 등 십여 명이 큰소리로 서울은 버릴 수 없다며 부르짖었다.

조금 뒤에 이일이 보낸 장계가 도착했을 즈음에는 대궐을 지키던 위사衛士들이 다 흩어져버렸고 시각을 알리는 물시계조차 멈춰선 형국이었다. 선전관청에서 횃불을 얻어 장계를 뜯어 읽어보니 그 안에, "왜적이 오늘 내일 사이에 도성으로 진격해 들어갈 것 같사옵니다"라고 쓰여 있었다.

장계가 접수되고 한참 뒤에 임금께서 타신 어가가 출발했는데, 삼청(三廳, 조선 시대 국왕의 친위군이었던 내금위內禁衛 · 겸사복兼司僕 · 우림위羽

林衛 세 곳을 합쳐서 부르는 말이다)의 금군禁軍들이 달아나 숨느라 어둠 속에서 서로 부딪치며 아수라장이 되었다. 마침 우림위(羽林衛, 조선조에 정3품아문正三品衙門으로 궁중을 지키고 임금을 호위하는 일을 주관하였다) 지귀수池貴壽가 지나가길래 내가 그를 알아보고 어가를 호종하라고 질책하니, 지귀수가 말하기를, "감히 힘을 다해 분부 받들겠사옵니다" 하고는 같은 무리에 속한 두 사람을 불러 왔다.

어가가 경복궁 앞을 지나가는데, 시가지 양편에서 시민들의 통곡소리가 들렸다. 승문원承文院 서원書員 이수겸李守謙이 내 말고삐를 잡고 묻기를, "승정원 안에 있는 문서는 어떻게 하면 좋겠습니까"라고 하기에 내가 문서 중에 긴급하거나 중요한 것만을 추려 가지고 따라오라고 하니 이수겸이 통곡하며 사라졌다.

어가가 돈의문을 나와 사현沙峴에 이르자 동쪽이 환해져 머리를 돌려 도성 안을 바라보니 남대문 안에 있는 큰 창고에서 불이 나 연기와 불길이 이미 공중에 치솟고 있었다.

사현을 넘어 석교石橋에 이르니, 경기감사京畿監司 권징(權徵, 1538-1598, 조선조의 문신으로 자는 이원而遠, 호는 송암松庵, 본관은 안동이다. 관직은 황해도 관찰사를 지냈고, 시호는 충정忠定이다)이 따라와 호종하였다.

벽제역碧蹄驛에 이르렀을 때에는 비가 너무 세차게 내려 일행들의 옷이 다 젖었다. 임금께서 역에 드시어 조금 쉬셨다가 바로 출발하였는데 그 사이에 많은 관료들이 도성으로 돌아갔고, 시종이나 대간들 중에 뒤처져서 오지 못하는 자도 있었다.

혜음령을 지나는데 비가 마치 물동이를 들어붓듯이 쏟아져 내리니 나약한 말을 탄 궁인宮人들이 수건으로 얼굴을 가리고는 대성통곡하며 따랐다.

마산역을 지날 때 밭에 있던 어떤 농부 하나가 어가 행렬을 바라보고는 통곡하며 이르기를, "나라가 우리를 버리고 가니 우리 같은 백성들은 무엇에 의지하여 살아갈꼬"라고 하였다.

임진강 나루에 이르러도 비는 여전히 내리고 있었다. 임금께서 배 안에 드시어 영의정 이산해와 나를 불러들여 현안을 논의하셨다. 강을 건너고 나니 이미 해는 기울어 서로의 얼굴도 알아보지 못할 정도로 어두웠다.

임진강 나루 남쪽 기슭에 오래 된 승청(丞廳, 임진강 나루의 책임자인 도승渡丞의 사무실이자 거주하는 주택으로 사용된 건물이다)이 있었는데, 왜적이 승청의 재목을 헐어서 뗏목을 만들어 강을 건널까 저어해서 그 승관을 불태우라고 명령하였다. 그 불빛이 강 북쪽을 환하게 비추어 길을 찾아 떠날 수 있었다.

초저녁인 초경에 동파역에 도착하니 파주목사坡州牧使 허진許晉과 장단부사長湍府使 구효연具孝淵이 지대차사원(支待差使員, 지대는 공적인 일로 지방에 나간 고관의 먹을 것과 쓸 물품을 그 지방 관아에서 뒷바라지하던 일을 말하고, 차사원은 조선시대 각종 특수임무의 수행을 위하여 임시로 차출, 임명되는 관원을 뜻하는 말로 여기서 지원차사원은 피난 가는 선조 임금을 접대하기 위하여 임시로 임명된 관원을 말한다)으로 그곳에 와 있으면서 약식으로나마 임금의 수라간을 마련하였다. 그러나 어가를 호위하는 장정들이 하루 종일 굶었으므로 부엌 안으로 난입하여 음식을 빼앗아 먹는 바람에 임금께 수라상을 올릴 수 없게 되자 허진과 구효연이 두려운 나머지 달아나버렸다.

오월 초하룻날 아침에 임금께서 대신들을 맞이하여 접견하시는 자리에서, 남쪽 지방에 있는 순찰사 가운데서 근왕勤王할 만한 자가 있는지 물으셨다.

해가 저문 저녁에 어가가 개성으로 출발하려 했으나 경기도의 이졸

吏卒들이 달아나서 호위할 군사가 없었다. 마침 황해도 감사 조인득(趙仁得, ?-1598, 조선조의 문신으로 자는 덕보德輔, 호는 창주滄洲, 본관은 평양이다. 관직은 공조참판, 길주목사를 지냈다)이 황해도의 병사들을 인솔해 와서 어가를 호위하는 일을 도우려 하였다. 그러나 서흥부사瑞興府使 남억南嶷이 먼저 도착하였는데, 군사가 수백 명에 말이 오륙십 필이나 데리고 왔으므로 비로소 출발하게 되었다.

출발하기에 이르러 사약(司鑰, 조선조에 액정서掖庭署에 속했던 관료(정6품직)로 대전大殿의 열쇠나 궁궐 각 문의 열쇠를 보관하는 일을 주관하였다) 최언준崔彦俊이 앞으로 나서며 말하기를, "궁인들께서 어제 아무 것도 드시지 못하셨는데 오늘도 굶고 계십니다. 적은 양식이라도 얻을 수 있다면 요기를 하고 떠나는 것이 좋을 듯합니다"라고 하였다. 남의의 군인들이 지니고 온 군량미를 뒤져 두서너 말의 쌀과 좁쌀을 얻었다.

정오쯤에 초현참招賢站에 도착하였다. 조인득이 임금을 뵈러 와서 길 가운데에 장막을 치고 사람들을 맞이하니, 어가를 수행하던 많은 대소 관료들이 비로소 음식을 얻어먹을 수 있었다.

저녁에 개성부開城府에 도착하여 임금께서 남문 밖에 있는 관아에 머무시게 되셨다. 대간에서 번갈아 글을 올려 영의정 이산해가 궁인들과 결탁하여 나라 일을 그르친 죄를 탄핵했으나 임금께서 윤허하지 않으셨다.

오월 초이튿날에 대간에서 글을 올려 영의정 이산해가 파직 당하고 그 자리에 내가 임명되었다. 최흥원이 좌의정이 되고 윤두수(尹斗壽, 1533-1601, 조선조의 문신으로 자는 자앙子仰, 호는 오음梧陰, 본관은 해평이다. 관직은 영의정을 지냈으며, 시호는 문정文靖이다)가 우의정이 되었다. 그리고 함경북도 병사兵使 신할(申硈, 1548-1592, 조선조의 무신으로 본관은 평산이다. 관직은 경상도 좌병사를 지냈으며 임진왜란 때 왜적과의 임진강 전투에서 전사하였다. 신립申砬이 그의 형이다)을 교체하여 오게 하였다. 이날 정오에 임금께서 남문루에 나시어 백성들을 위로하고 타이르시고는 할 말이 있는 사람이 있으면 말해 보라고 하셨다. 어느 한 사람이 걸어 나와 엎드렸다. 임금께서 무슨 말을 하려느냐고 물으니 그 사람이 대답하기를, "원하옵기는 정철(鄭澈, 1535-1593, 조선조의 문신으로 자는 계함季涵, 호는 송강松江, 본관은 연일이다. 기대승의 제자이다. 관직은 좌의정을 지냈다. 서인西人의 영수로서 동인을 철저하게 응징하였다. 그는 우리나라 가사 작가로 유명하며 「사미인곡思美人曲」, 「속미인곡續美人曲」 등의 작품을 남겼다. 시호는 문청文淸이다) 대감을 부르시옵소서"라고 하였다. 아마 정철이 당시 강계에 유배되어 있었기 때문에 그런 말을 하였을 것이다. 임금께서 잘 알겠다고 하시고는 바로 정철을 불러 임금께서 계시는 행재소로 오게 하였다.

저녁에 임금께서 행궁行宮으로 돌아오셨다. 나는 죄가 있어 영의정에서 파직 당하고, 유홍兪泓이 우의정이 되고 최흥원, 윤두수 등이 차례에 따라 승진하였다.

왜적이 아직 서울에 이르지 않았다는 소식을 듣고 여러 사람들이 모두 서울을 포기한 것이 잘못이라고 탓을 했으므로, 승지 신잡申磼을 시켜 서울로 가서 형세를 살펴보게 하였다.

오월 초사흗날에 왜적이 서울에 들어왔다. 유도대장 이양원과 원수 김명원 두 사람은 모두 달아났다.

처음 왜적이 동래에서 세 갈래로 길을 나누어 진격해 왔다. 고니시 유키나가의 제1군은 양산·밀양·청도·대구·인동·선산을 거쳐 상주에 이르러 이일의 군대를 패배시켰다. 또 가토 기요마사의 제2군은 경상 좌도의 장기·기장을 거쳐 좌병영左兵營에 속하는 울산·경주·영천·신녕·의흥·군위·비안을 차례로 무너뜨리고는 용궁, 하풍진을 건너 문경까지 진출하여 중로中路의 병사들과 합세하여 조령을 넘어 충주에 입성하였다. 충주에서 다시 두 길로 나뉘어 한 갈래(제1군)는 여주로 와서 강을 건너서는 양근(陽根, 지금의 경기도 양평의 옛 이름이다)을 지나 용진을 건너 서울 동쪽에 진입했다. 또 한 갈래(제2군)는 죽산과 용인을 넘어 한강 남쪽에 이르렀다. 또 구로다 나가마사의 제3군은 김해에서 시작하여 성주 무계현에서 강을 건너 지례, 금산을 거쳐 충청도 영동으로 나와 청주를 무너뜨리고는 경기로 향해 진격해 들어왔는데, 나부끼는 깃발과 칼과 창을 든 군사들의 행렬이 천 리에 걸쳐 줄을 이었고 조총을 쉼 없이 쏘아댔다. 그들이 지나간 곳에는 10리 혹은 5, 60리마다 지형이 험한 지점을 찾아 보루堡壘를 세우고 병사들을 주둔시켜 지키게 하고는, 밤이면 횃불을 들어 올려 서로 호응하도록 하였다.

도원수 김명원이 제천정濟川亭에 있다가 왜적이 밀려오는 것을 보고는 감히 싸울 엄두가 나지 않아 부대가 가지고 있던 무기, 화포와 각종 기계器械를 모두 강물에 던져버리고는 옷을 바꿔 입고 달아나려 하자 그를 보좌하던 종사관 심우정沈友正이 적극적으로 만류했지만 소용없었다.

이양원은 서울 도성 안에 있다가 한강을 지키던 김명원의 군사가 이미 흩어졌다는 소식을 듣고는 도성을 지킬 수 없다고 판단하여 그 또한 도성을 나와 양주로 달아났다.

강원도 조방장助防將 원호元豪가 처음에는 군사 수백 명을 거느리고 여주 북쪽 언덕을 지키며 왜적과 팽팽히 맞서고 있었으므로 여러 날 동안 왜적이 강을 건널 수 없었다. 그러는 중에 강원도 순찰사 유영길柳永吉이 원호를 강원도로 불러들이자 왜적이 그제야 민간인 집들과 관청 건물을 허물어 목재를 가져다가 뗏목을 만들어 타고 강을 건넜다. 강 가운데서 표류하다 많은 병사들이 익사하기도 하였으나 원호가 이미 그곳을 떠나 강가를 지키는 아군이 한 사람도 없었으므로 왜군들이 여러 날에 걸친 수송작전 끝에 모두 강을 건널 수 있었다. 이리하여 세 갈래로 길을 나누어 진군하던 왜적들이 모두 서울로 들어왔으나 도성 안 사람들은 먼저 이미 뿔뿔이 흩어져 사람은 그림자조차도 찾아볼 수 없었다.

김명원이 한강을 빼앗기고는 행재소로 가려고 임진강에 이르러 임금에게 전황을 알리는 장계를 올렸다. 그러나 임금께서 다시 경기도와 황해도의 군사들을 징발하여 임진강을 지키게 하시고, 신할에게도 김명원과 함께 임진강을 지켜 왜적이 서쪽으로 내려오지 못하게 막는데 최선을 다할 것을 당부하셨다. 이날 어가가 개성을 떠나 금교역에 머물렀다. 나는 비록 파직되어 관직이 없는 몸이었지만 감히 뒤에 남을 수 없어 그대로 어가를 따라갔다.

오월 초나흗날에 어가가 흥의・금암・평상을 지나 보산역에서 머물렀다.

어가가 개성을 빠져나올 때 바삐 서두르느라 목청전(穆淸殿, 개성에 있었던 태조 이성계의 옛집으로, 여기에 태조의 어진御眞을 모셔놓고 제사를 지냈다)에 종묘의 신주神主를 두고 온 것을 몰랐다. 이 사실을 확인한 종실의 어느 한 사람이 울면서 아뢰기를 "종묘의 신주를 왜적에게 맡길 수는 없사옵니다"라고 하니, 이에 밤을 도와 말을 달려 개성에 이르러서는 무사히 신주를 모셔왔다.

오월 초다샛날에 어가가 안성・용천・검수역을 지나 봉산군에 머물렀다.

오월 초이렛날에 어가가 중화를 지나 평양에 입성하였다.

삼도 순찰사의 군대가 용인전투에서 패하다

삼도 순찰사의 군대가 용인에서 궤멸되었다. 처음 전라도 순찰사 이광李洸이 전라도의 군사들을 이끌고 도우려 왔으나 임금께서 서쪽으로 피난 가시고 서울이 이미 왜적에게 함락됐다는 소식을 듣고는 병사들을 거두어 전라도로 돌아갔다. 그러자 많은 전라도 사람들이 이광이 싸워보지도 않고 돌아온 것을 나무라며 화를 내기도 하였다. 이광은 이 일로 마음이 편치 않아 다시 군사들을 징발하여 충청도 순찰사 윤국형尹國馨의 부대와 연대하여 나아갔다. 경상도 순찰사 김수도 자신의 도에서 군관 수십여 명을 데리고 와서 함께 모였는데, 세 곳의 병력을 합치니 그 수효가 모두 5만여 명에 달했다.

그들 연합군이 용인에 이르러 북두문산北斗門山 위를 바라보니 왜적이 쌓은 보루가 보였다. 이광이 대수롭잖게 생각하여 먼저 용사勇士 백광언(白光彦, ?-1592, 조선조의 무신으로 호는 풍암楓巖, 본관은 해미다. 관직은 북청 판관을 지냈으며, 임진왜란 때 용인전투에서 죽었다. 시호는 충민忠愍이다)과 이시례李時禮를 시켜 적을 시험해 보게 했다. 백광언 등이 선봉대를 이끌고 산에 올라 적의 보루와 십여 보 떨어진 곳에까지 다가가 말에서 내려 활을 쏘아댔으나 왜적이 꿈쩍하지도 않았다. 해가 저물 무렵에 왜적이 이광언의 무리가 긴장이 풀어진 것을 알고는 시퍼런 칼을 빼들고 갑자기 크게 고함지르며 뛰쳐나오니 이광언의 무리가 당황하여 말을 찾아 달아나려고 했으나 다급한 나머지 말에 오르지도 못하고 허둥대다가 모두 적의 칼날에 쓰러졌다. 아군들이 이 소식을 듣고는 두려움에 떨었다.

이때 삼도의 순찰사들이 모두 문신이라 군대를 운영하는데 익숙하지 못하였으므로 군사의 숫자는 비록 많으나 명령이 한결같지 않았고, 또 지세가 험한 곳에 의지하여 진을 칠 줄도 몰랐으니, 이야말로 옛사람이 "군사 행동을 봄놀이 하듯 한다면, 어찌 패하지 않으리오"(이 말은 중국 남송과 운명을 같이한 정치가 문천상文天祥의 수하였던 김시상金時賞이 "군사 행동을 봄놀이 하듯 한다면, 어찌 나라를 구제할 수 있으리오(軍行如春遊, 其能濟乎?)"라고 한 말을 원용한 것이다)라고 한 말의 뜻을 알 수 있었다.

다음날 왜적이 아군들이 겁에 질려 있다는 것을 알고는 몇 사람이 칼을 휘두르며 용기백배하여 앞으로 뛰쳐나가자 삼도의 군사들이 그들의 모습을 보고는 놀래어 크게 흩어지니 그 소리가 요란해서 마치 산이 무너지는 듯하였다. 그때 버린 군량과 무기들이 길을 가득 메워 사람들이 다니지 못할 정도로 많았는데, 왜적들이 다 끌어 모아 불에 태워버렸다. 이광언은 전라도로, 윤국형은 공주公州로, 김수는 경상우도로 돌아갔다.

신각이 양주전투에서 승리했으나 도리어 참수되다

부원수副元首 신각(申恪, ?-1592, 조선조의 무신으로 본관은 평산이다. 관직은 경상도 방어사를 지냈으며, 임진왜란에 양주 전투에서 임란 발발 이후 첫 승리를 거두었으나 명령 위반죄로 처형되었다. 부인 정鄭씨도 그의 장례를 치른 뒤에 자결하였다)이 양주에서 왜적과 싸워 승리하고 60여 급의 목을 벴으나, 조정에서 선전관(宣傳官, 조선조에 선전관청宣傳官廳에 두었던 무관직으로 정3품에서 종9품까지의 관원을 두었다. 왕의 시위侍衛·전령傳令·부신符信의 출납 업무 등을 주관하여 일종의 무직승지武職丞知라고 할 수 있다)을 보내 바로 군중에서 신각을 처형하였다.

신각이 처음에 김명원의 휘하에서 부원수로 있었는데, 한강에서 싸워보지도 않고 우리 군사들이 뿔뿔이 흩어졌을 때 신각은 자신의 상관인 김명원을 따르지 않고 유도대장이었던 이양원을 따라 양주로 갔다. 마침 그때 함경남도 병사 이혼李渾도 군사를 이끌고 그리로 왔으므로 신각의 군사와 합류하였다. 신각의 연합군이 점령지인 서울 도성에서 나와 이리저리 휩쓸고 돌아다니며 민가를 노략질하던 왜적들을 맞아 여지없이 무찔렀는데, 이는 왜적이 우리나라에 쳐들어온 이후로 아군이 최초로 거둔 값진 승리였으므로 백성들이 모두 기뻐서 어찌할 바를 몰랐다.

김명원은 그때 임진강에 진을 치고 있으면서 신각이 자신의 명령을 어기고 제 마음대로 다른 곳으로 가버렸다는 장계를 조정에 올렸다. 우의정 유홍이 이 말을 듣자마자 임금께 신각의 처형을 요청하여 재가를 받아 사형을 집행할 선전관이 이미 양주로 떠난 시점에 영주에서 승리했다는 첩보가 올라왔다. 조정에서 급히 사람을 보내 사형집행을 정지시키려고 했으나 시간은 신각을 위하여 기다려 주지 않았다.

신각은 비록 무인이지만 본래 성품이 청렴하고 신중하였다. 일찍이 연안부사延安府使로 있을 때 성곽을 새로 보수하고 해자를 깊이 준설하였으며 많은 수의 군사 양성은 물론이고 무기도 잘 갖춰 놓았다. 뒤에 이정암(李廷馣, 1541-1600, 조선조의 문신으로 자는 중훈仲薰, 호는 사류재四留齋, 본관은 경주이다. 관직은 대사간을 지내고, 임진왜란에 무공을 세웠다. 시호는 충목忠穆이다)이 연안성을 굳게 지켜 온전히 보전할 수 있었던 것을 두고 사람들은 모두 신각의 공이 크다고 하였다. 죄도 없는데 죽은 것은 물론이고, 더욱이 구순의 늙은 노모가 살아 있는데 그런 억울한 일을 당했다는 소식을 듣고 사람들은 통분을 금하지 못하였다.

22 한응인에게 정예병 삼천을 주며 임진강을 사수하라고 명하다

한응인

조정에서 지사知事 한응인(韓應寅, 1554-1614, 조선조의 문신으로 자는 춘경春卿, 호는 백졸재百拙齋, 본관은 청주이다. 관직은 6판서를 다 지내고 우의정에 올랐으며, 임진왜란 때 외교관으로 명나라에 파견되어 구원병 지원을 성사시키는 데 크게 기여하였다. 시호는 충정忠靖이다)에게 평안도 강변江邊에서 온 정예병 3천 명을 데리고 임진강으로 가서 왜적을 격퇴하라 명하고는, 아울러 절제사 김명원의 지휘를 받지 말라고 하였다. 그때 한응인은 명나라에 사신으로 갔다가 막 돌아왔었다. 좌의정 윤두수가 여러 사람들에게 말하기를 "이 사람은 생긴 모습이 넉넉해 보여 반드시 큰일을 해낼 수 있을 것입니다"라고 하였다. 마침내 한응인이 임진강으로 떠났다.

한응인과 김명원의 연합군이 패하고 왜적이 임진강을 건너다.

한응인과 김명원의 군대가 임진강 전투에서 크게 패해 물러갔으므로 왜적이 임진강을 건널 수 있었다.

처음에 김명원이 임진강 북쪽에 진을 치고 있으면서 군사들에게 줄을 지어 얕은 강여울 쪽을 지키라고 당부하였다. 그리고 강 위에 떠 있는 배는 모두 거두어 강 북쪽에 매어두었으므로 강 남쪽에 진을 치고 있던 왜적이 강을 건너려 하였으나 그럴 수 없었다. 다만 강을 사이에 두고 양쪽이 유격병을 출전시켜 교전하며 십여 일을 대치상태로 지내야만 했다

하루는 왜적이 강가에 임시로 거처하기 위하여 세웠던 집을 불태우고는 장막을 걷고 무기들을 수레에 실어 마치 병력을 철수하여 후퇴하는 척하며 아군을 유혹하는 꼼수를 부렸다.

신할은 본래 활발하고 민첩하나 지모가 없는 사람이라 왜적의 그런 모습을 보고 그들이 실제로 물러가는 줄 알고 강을 건너서 왜적을 추격하고자 하였다. 경기도 감사 권징이 신할의 의견에 동조하였고 김명원도 이들의 행동을 만류하지 않았다.

이 날 한응인이 여기에 도착하여 자기 휘하의 모든 군사들을 지휘하여 적을 추격하려고 하였다. 그가 데리고 온 군사들은 모두 평안도

강변에서 온 막강한 병사들로 그들은 북쪽의 오랑캐들과 가까이 접하여 전쟁에 익숙해 있었으므로 적진의 형세를 잘 파악할 수 있었다. 그들이 한응인에게 고하기를 "우리 군사들이 먼 곳에서 이동하여 지금은 피곤하고, 게다가 아직 허기를 달래지도 못했습니다. 그리고 전쟁에 사용할 무기가 제대로 정비되지 않았고, 더군다나 우리를 뒤따르던 군사들도 다 도착하지 못했습니다. 또 왜적이 위장전술을 펴고 있는지 아직 파악이 되고 있지 않으니 조금 휴식을 취하였다가 내일 적군의 형세를 살핀 뒤에 나가 싸우는 것이 좋을 듯합니다"라고 하였다. 한응인은 그들이 싸우기 싫어서 머뭇거리는 줄 알고 몇 사람의 목을 벴다.

한편 김명원은 한응인이 지금 바로 조정에서 파견되어 왔고, 자신의 통제를 받지 말라는 명령을 받고 온 사람이라 한응인의 작전이 옳지 않다는 것을 알았지만 감히 발설할 수 없었다.

별장別將 유극량劉克良은 전쟁터에서 늙은 몸이라 사세를 잘 판단하고 있었으므로 가볍게 진격해서는 안 된다고 강하게 주장하기도 하였다 이 말을 듣고 있던 신할이 그의 목을 베려 하자 유극량이 말하기를 "저는 상투를 틀기 시작한 젊은 시절부터 지금까지 군대에서 세월을 다 보냈습니다. 그러니 어찌 죽기가 두려워서 그런 말을 했겠습니까. 다만 국사를 그르칠까 염려스러워서 그렇게 말한 것뿐이오"라고 하면서, 분을 못 이겨 씩씩거리며 밖으로 나와 자기 휘하의 군사들을 이끌고 먼저 강을 건넜다.

우리 군사가 이미 위험한 곳에 들어가니 짐작했던 대로 왜적이 산 뒤쪽에 정예병을 매복시켜 놓았었다. 그들이 일시에 우르르 뛰쳐나오자 우리 군사들이 달아나 흩어졌다. 유극량이 말에서 내려 땅에 주저앉아서 말하기를, "여기가 내가 죽을 곳이다" 하고는 활시위를 당겨 여러 명의 왜적을 향해 쏘아대다가 적에게 죽임을 당하였다. 신할도 전사하였다.

아군들이 왜적의 칼날을 피해 강 언덕으로 달려갔으나 강을 건널 수 없자 스스로 바위 위에서 강물에 몸을 던졌는데, 물 위로 떨어지는 그들의 모습이 마치 바람에 휘날리는 나뭇잎 같아 보였다. 미처 강물에 몸을 던지지 못한 군사들은 적이 뒤쫓아와서 긴 칼을 휘둘러 목을 베니 모두 엎드려 칼을 맞을 뿐 감히 저항하는 자는 없었다.

강 북쪽에서 그 광경을 바라보던 김명원과 한응인은 그만 기가 꺾였다. 상산군 박충간朴忠侃이 그때 부대 안에 있었는데, 말을 타고 먼저 달아났다. 군인들이 그 달아나는 사람이 김명원인 줄 잘못 알고는 모두 외치기를, "원수가 달아난다"라고 하니, 강여울을 지키고 있던 병사들이 함께 소리 지르며 흩어졌다.

김명원과 한응인이 임금이 계시는 행재소로 돌아왔으나 조정에서 그들의 패전에 대해 잘못을 묻지 않았다.

그나마 경기도 감사 권징마저도 가평군으로 피신해 들어가 버렸으므로 왜적이 임진강을 건너 승승장구 서쪽으로 내려갔지만 누구도 그들의 발걸음을 멈추게 할 수 없었다.

함경도에서 두 왕자가 왜적에게 사로잡히다.

왜적이 함경도에 들어왔다. 두 왕자가 적의 수중에 들어갔고, 그를 따르던 신하 김귀영, 황정욱·황혁 부자, 함경도 감사 유영립(柳永立, 1537-1599, 조선조의 문신으로 자는 입지立之, 본관은 문화다. 관직은 함경 감사를 지냈다), 북병사北兵使 한극함(韓克諴, ?-1593, 조선조의 무신으로 관직은 경원 부사를 지냈다) 등이 모두 붙잡혔다. 남병사南兵使 이혼은 갑산으로 달아났다가 우리 백성에게 살해되었다. 또한 함경남북도의 여러 고을이 모두 왜적에게 점령당하였다.

왜학통사 함정호咸廷虎는 서울에 있다가 왜장 가토 기요마사에게 붙잡혀서 그를 따라 함경북도에 들어갔는데, 왜적이 그곳에서 퇴각하자 도망쳐 서울로 돌아왔다. 나를 만나 함경북도의 그때 상황을 자세하게 말해 줬다. 그의 이야기는 이러했다.

> 가토 기요마사는 적장 중에서도 용맹하고 사나워 싸움을 잘했다. 고니시 유키나가와 함께 임진강을 건넜다. 황해도 안성역安城驛에 이르러 평안도와 함경도로 나누어 점령할 계획을 논의하는데 각자의 의견이 달라 결정하지 못 하여 두 사람이 제비뽑기로 결정하기로 한 결과 고니시 유키나가는 평안도로 향하고 가토 기요마사는 함경도로 가게 되었다. 이에 기요마사가 안성에 사는 주민 두 사람을 붙잡아 길잡이로 삼았다. 이 두 사람이 자기들은 이

곳에서 나고 자랐기 때문에 북쪽 길을 잘 모르다고 하자 기요마사가 그 중 한 사람의 목을 베니, 다른 한 사람이 두려움에 떨며 앞장서서 길을 안내하였다. 이리하여 기요마사 부대는 곡산에서 시작하여 노리현을 넘어 철령 북쪽으로 나왔는데, 하루에 수백 리를 달리니 그 기세가 대단하여 마치 비바람이 몰아치는 듯하였다. 북도 병사 한극함은 6진(六鎭, 우리나라 최북단인 함경도 종성鐘城・온성穩城・회령會寧・부령富寧・경원慶源・경흥慶興의 6군에 설치했던 국방 요새이다. 세종이 여진족의 침입을 막기 위하여 설치하였다)의 군사를 이끌고 와서 왜적과 해정창에서 맞닥뜨렸다. 북방의 병사들은 말을 잘 타고 활쏘기에 능하였다. 더욱이 그곳의 지형이 평평하고 넓어서 좌우로 번갈아 나와 말을 달리며 활을 쏘아대니 적이 버티지 못하고 퇴각하여 창고 안으로 들어갔다. 날은 이미 저물었으므로 군사들이 잠시 휴식을 취하며 적이 나오기를 기다렸다가 내일 다시 싸우자고 하였다. 그러나 한극함이 그 말을 듣지 않고 군사들을 지휘하여 창고를 포위했다. 왜적이 창고 안에 있던 곡식 섬을 꺼내어 줄을 지어 성과 같은 높이로 쌓아올려 화살과 돌을 피하면서 그 안에서 연속적으로 조총을 쏘아댔다. 우리 군사들이 좁은 곳에서 빗살처럼 촘촘히 늘어서고 겹겹이 줄을 지어 있어 마치 나뭇단을 묶어놓은 형색이라 그 가운데를 총알이 관통하면 탄환 한 발에 서너 명이 한꺼번에 죽어 넘어지니, 아군들이 마침내 놀래어 흩어졌다. 그러자 한극함은 군사를 철수하여 날이 밝으면 다시 싸울 요량으로 고개 위에 진을 쳤다. 그런데 밤에 왜적이 몰래 창고에서 빠져나와 그곳으로 와 아군 부대를 에워싸고 풀숲에 흩어져 매복하고 있었다. 아침에 일어나니 안개가 짙게 끼었으므로 아군들은 당연히 왜적이 산 아래에 그대로 있을 것이 라고 생각하였다. 그러나 갑자기 한 발의 총소리를 신호로 하여 사방에서 크게 고함을 치며 돌진해 나왔는데 이는 모두 왜적의 군사들이었다. 아군들이 놀래어 흩어지니 장수와 병사들이 왜적이 없는 곳으로 달아나느라 허둥대다가 모두가 진흙 구덩이에 빠져 허우적거리자, 왜적들이 뒤따라와 아군들을 삼 베듯이 목을 베니 죽은 사람이 수없이 많았다. 그때 한극함이 경성鏡城으로 숨어들었다가 왜적에게 사로잡혔다.

임해군과 순화군 두 왕자가 함께 회령부로 갔었다. 순화군은 처음에 강원도에 있었으나 왜적이 강원도에 들어오자 방향을 바꾸어 북도北道로 향했으므로 두 왕자가 서로 회령부에서 만나게 되었던 것이다. 이때 왜적이 왕자들을 끝까지 추격하고 있었는데, 회령의 아전인 국경인(鞠景仁, ?-1592, 조선조의 반란자로 그가 전주에 살다가 죄를 짓고 회령으로 귀양 가서 그 고을의 아전이 되었다. 임진왜란 때 회령으로 피난 온 왕자와 그 신하들이 왜적에게 쫓기는 입장인 것을 알고 그들을 붙잡아 일본군에게 넘겨줬다. 그 뒤에 얼마 있지 않아 회령의 유생 신세준, 오원석 등에게 붙잡혀 참살되었다)이 무리들을 이끌고 모반하여 먼저 두 왕자와 왕자를 시종하던 신하들을 포박하고는 왜적을 맞이하였다. 적장 기요마사가 그들의 포박을 풀어주고 군대 안에 머물게 하고는 함흥으로 돌아와 주둔하였다.

칠계군 윤탁연만은 오는 도중에 병을 핑계로 다른 길로 접어들어 별해보로 깊숙이 들어갔고, 동지중추부사 이기는 왕자를 시종하지 않고 강원도에 머물렀기 때문에 두 사람은 왜적에게 사로잡히지 않았다. 유영립은 적중에 여러 날을 구금되어 있었는데, 왜적이 그가 문관 출신인 것을 알고 감시를 소홀히 한 틈을 타 그곳에서 탈출하여 임금이 계시는 행재소로 돌아왔다.

이일이 폐의파립을 하고 평양 행재소를 찾아오다

이일이 평양에 이르렀다.

이일이 충주 전투에서 패하고는 한강을 건너 강원도 경계 지점까지 들어가 여러 곳을 헤매고 다니다 임금이 계시는 행재소를 찾아왔다. 그때 서울에서 남쪽으로 내려간 많은 장수들 가운데 어떤 사람은 전쟁을 피하여 달아나고 어떤 사람은 왜적과 싸우다 죽었으므로 그들 중에 어가를 호종하고 있는 사람은 없었다. 왜적이 가까이 온다는 소식을 듣고 사람들이 더욱 두려움에 떨고 있던 차에 이일은 무장 중에서도 본래 명망이 높아서 그가 비록 싸움에 패하여 달아난 패장이긴 하지만 그가 온다는 애기를 듣고 다들 기뻐하였다.

이일이 여러 번 전쟁에 패하여 가시덤불 속에 숨어 살 수밖에 없었던 터수였으므로 머리에는 패랭이[平凉子평량자]를 쓰고 흰 베적삼에 짚신을 신은 채 나타났는데 형색이 초췌하여 그를 본 사람들이 탄식해 마지않았다.

내가 그에게 말하기를, "여기 사람들은 장차 그대에게 크게 의지하고자 하는데 이같이 비쩍 말랐으니 어찌 많은 사람들을 달랠 수 있겠소"라고 하고는 내가 가지고 다니는 자루를 뒤져 남색 비단 철릭(첩리帖裏, 상의와 하의를 따로 구성하여 허리에 연결시킨 포(袍)로 임진왜란을 전후로 하여 무인들의 옷으로 사용되었고, 특히 난중에는 공복公服의 구실까지 했다. 한자어로는 첩리帖裏, 貼裏·천익天益, 天翼, 千翼·철익綴翼, 裰翼 등으로 표기한다)을 꺼내어 그에게 주었다. 그러자 여러 대신들 가운데 총립驄笠[말총으로 만든 갓을 말한다]을 주는 사람이 있는가 하면, 은정자(銀頂子, 전립氈笠 같은 모자의 꼭대기에 꼭지처럼 만든 장식으로, 품계에 따라 금·은·옥·석으로 구분해서 만들었다)와 채색 갓끈을 주는 사람도 있어 바로 그 자리에서 바꿔 입어 의복은 새로워졌지만 오직 신발을 벗어주는 사람이 없어 아직 짚신을 신은 채였다. 내가 웃으며 말하기를, "비단 옷에 짚신이라. 그 참 어울리지 않는구려"라고 하니, 좌우의 사람들이 모두 웃었다.

조금 있다가 벽동碧潼의 토병(土兵, 그 지역 출신 중에서 뽑힌 병사를 말한다)인 임욱경任旭景이 왜적이 이미 봉산鳳山에 이르렀다고 보고하였다. 내가 좌의정 윤두수에게 말하기를, "왜적의 척후병은 이미 강 건너편에까지 와 있을 겁니다. 영귀루 아래에 강물이 갈라져서 두 줄기로 흐르는데 물이 얕아 걸어서도 건널 수 있습니다. 만약 왜적이 우리 백성을 앞잡이로 삼아 몰래 얕은 여울을 따라 강을 건너 갑자기 쳐들어오면 평양성이 위태롭게 될 터인데 어찌 빨리 이일을 보내어 여울을 감시하여 만일의 사태에 대비하지 않으시는지요"라고 하니, 윤 공이 "예 그러지요" 하고는 바로 이일을 보냈다. 그때 이일이 거느리고 있던 강원도 군사 수가 겨우 십여 명에 지나지 않았으므로 다른 군사를 더 증원시켜 주었다.

그런데 이일이 함구문에 앉아 군사만 점고하며 출발할 기미를 보이지 않자 내가 사세가 급하다고 생각하여 사람을 보내 살펴보게 하니 아직도 이일이 거기에서 머뭇거리고 있다고 하였다. 내가 잇달아 윤 공에게 이일이 떠나도록 재촉하게 했더니, 그제서야 출발하였다.

이일이 성을 나왔으나 길을 안내하는 사람이 없어 대동강 서쪽으로 길을 잘못 들었다. 그때 밖에서 오고 있던 평양 좌수座首 김내윤金乃胤을 만나 앞을 인도하게 해서 말을 달려 만경대 아래에 도착했는데 성에서 겨우 십여 리에 지나지 않는 가까운 곳이었다. 대동강 남쪽 언덕을 바라보니 왜적이 이미 수백 명이나 모여 있었고, 강 가운데 있는 작은 섬 주민들이 놀래서 부르짖으며 허둥지둥 달아나고 있는 형국이었다.

이일이 무사 십여 명에게 섬 안에 들어가서 적을 향해 활을 쏘게 하니, 군사들이 두려워 가기를 주저하므로 이일이 칼을 휘두르며 목을 베려 하니 그제서야 앞으로 나아갔다. 왜적은 이미 강물에 들어와 있었는데, 이쪽 강 언덕에 가까이 접근하고 있어 아군이 급히 강궁强弓을 쏘아 연달아 예닐곱 명의 왜적을 거꾸러뜨리자 적이 물러났다. 이일은 그대로 머물며 강나루를 지켰다.

26

요동에서 임세록을 보내 왜적의 동태를 살피게 하다

요동도사(遼東都司, 중국 명나라 요동성의 군무軍務를 주관하는 관직으로, 총병總兵이라고도 불렀다)가 진무鎭撫 임세록林世祿으로 하여금 조선에 가서 왜적의 동태를 살피게 하였다. 임금께서 그를 대동관에서 맞아 접견하셨다. 나는 오월에 파직되었었는데 유월 초하루에 복직되어 이날 임금의 명을 받아 명나라에서 온 장수를 접대하였다.

이때 요동에서는 왜적이 우리나라를 침범했다는 첩보를 받은 지 얼마 되지 않아 서울 도성이 함락되어 어가가 서쪽으로 피난을 간다고 하더니 좀 있다가 왜병이 이미 평양에 들어왔다는 소식이 전해지자 크게 의아해 하였다. 명나라 조정에서는 왜적과의 전쟁이 아무리 급박하게 진행되고 있을지라도 이같이 조선이 형편없이 밀릴 수 없다고 생각하여 혹시 우리나라가 일본의 앞잡이 노릇을 하고 있지는 않은지 의심하고 있었다.

내가 임세록과 연광정에 올라 그곳의 형세를 살펴보고 있는데, 한 일본군 병사가 대동강 동쪽 숲에서 나와 언뜻언뜻 모습을 보이는가 하더니, 얼마 뒤에는 두세 명의 병사가 연이어 나와 앉기도 하고 서기도 했는데, 그 모습이 무척 편안하고 한가로워 보여서 마치 길을 가다가 쉬고 있는 것 같았다.

내가 그곳을 가리키며 임세록에게 말하기를, "저들이 왜군의 척후병입니다"라고 하니, 임세록이 기둥에 기대어 바라보고는 딱히 믿을 수 없다는 표정을 지으며, "왜군의 병사 수가 왜 저렇게 적을까요"라고 하였다. 그 말을 듣고 내가 "왜적들은 간교하고 속임수에 능해서 비록 대군이 뒤에 있어도 먼저 나와 정탐하는 자는 소수에 불과합니다. 만약 그 적은 수의 군사를 보고 소홀히 저들을 대한다면 반드시 왜적의 전술에 휘말리게 될 것입니다"라고 하였다. 임세록이 내 말에 건성으로 "예 예" 하고는, 우리에게 답신을 바삐 요구하여 그것을 받아들고 요동으로 달려갔다.

좌의정 윤두수가 평양성을 사수하라는 명을 받다

좌의정 윤두수에게 원수 김명원과 순찰사 이원익 등을 거느리고 평양성을 지키라는 임금의 명령이 내렸다. 며칠 전에 평양성 안 사람들이 어가가 평양성을 나가 피난길에 오른다는 소문을 듣고 각자 살길을 찾아 도망가 흩어지니 마을 전체가 거의 비었다. 임금께서 세자에게 명하여 대동관 문에 나가 성안의 늙은이들을 모아놓고 성을 굳게 지키겠다는 의사를 알아듣게 얘기하라고 하셨다. 세자의 말을 듣던 어느 노인이 앞으로 나오며 말하기를, "다만 동궁마마의 말씀만으로는 백성들이 믿으려고 하지 않습니다. 그러니 상감마마께서 친히 나오셔서 유시諭示가 계셔야 될 줄 아옵니다"라고 하였다.

그 다음날 임금께서 어쩔 수 없어 대동관 문앞에 나시어 승지로 하여금 어제 세자가 했던 말 그대로 유시하게 하니, 수십 명의 노인들이 절하여 엎드려 통곡하고는 어명을 받들어 물러났다. 그들이 임금의 말을 믿고 각자 나뉘어서 성 밖으로 나가 산속에 숨어 있는, 늙고 병약한 사람들이나 아녀자들과 어린아이들을 다 불러내어 성으로 들어오니 성안이 사람으로 가득 찼다.

왜적이 대동강 강변에 모습을 드러내자 재신宰臣 노직(盧稷, 1545-1618, 조선조의 문신으로 사형士馨, 본관은 교하다. 임진왜란에 병조참판으로 피난 가던 선조를 호종하였고, 병조판서에 올랐다) 등이 종묘사직의 위패를 받들고 아울러 궁인들을 호위하며 평양성을 나와 먼저 북쪽으로 출발하였다. 이때 성안의 이속吏屬과 백성들이 들고일어나 칼을 빼어 들고 길을 가로막으며 닥치는 대로 내리치니 종묘사직의 위패가 땅바닥에 나뒹굴어지기도 하였다. 그리고 그 행차를 따라가던 재신들을 손가락질하며 크게 꾸짖기를, "너희들은 평소에 국록을 도둑질하였고, 지금은 나라를 그르치고 백성을 기만하기를 이렇게까지 한단 말인가"라고 하였다.

내가 연광정에서 임금께서 계시는 행궁으로 오는데 길바닥에서 부녀자들과 어린아이들이 모두 성이 난 얼굴을 하고 머리카락을 곤두세운 채 "이미 성을 버리고 떠났는데 무엇 때문에 다시 성으로 끌어들여 애꿎은 우리를 왜적의 밥이 되게 한단 말인가"라고 서로 고함을 지르며 괴로워하는 장면을 목격하였다.

행궁 문 앞에 도착하니 난동을 부리는 백성들이 길을 가득 메우고 있었다. 그들은 모두 팔을 걷어붙인 채 무기와 방망이를 들고 만나는 사람들을 갑자기 후려치니 그 소란스럽고 요란한 행위를 어떻게 제지할 수 없었다. 행궁 문 안의 조당朝堂에 모여 있던 여러 재신들도 제 얼굴빛을 잃고 뜰 가운데 서 있었다.

나는 바깥에서 난동을 부리는 백성들이 행궁으로 난입할까 두려워서 문밖 계단 위에 나가 서 있었는데, 중년의 나이에 수염이 덥수룩한 한 사람을 발견하고는 손짓하여 부르니 그 사람이 바로 왔는데 그는 이곳 출신의 군졸이었다. 내가 그를 타일러 말하기를, "너희들이 힘을 다해 성을 지키며 어가가 여기에서 떠나지 않기를 바라는 것을 보니 너희들의 나라에 대한 충성심이 대단함을 알 수 있다. 다만 이같이 난동을 부려 행궁을 소란스럽게 한다면 이는 정말 놀라운 일이 아닐 수 없다. 이런 일이 있을까 염려되어 조정에서 성을 굳게 지키는 문제를 상감마마께 아뢰어 허락하셨는데, 너희들이 무슨 일로 이렇게 소란을 피우느냐. 너의 모습을 보니 식자인 것 같은데 나의 이 뜻을 여러 사람들에게 알려 물러가도록 해라. 그렇지 않으면 너희들은 장차 큰 죄를 지어 용서받지 못할 것이야"라고 하니, 그 병사가 바로 방망이를 놓고 두 손을 모아 이르기를, "저희 하찮은 백성들이 성을 버리려고 한다는 소문을 듣고 분한 마음을 이기지 못하여 이같이 잘못되게 굴었습니다. 지금 말씀을 듣고 보니 소인이 비록 어리석은 사람이지만 가슴속이 환하게 트이는 것 같사옵니다"라고 하고는 마침내 군중들을 지휘하여 해산시켰다.

이 일이 있기 전에, 조정의 신하들이 적병이 가까이 왔다는 소식을 듣고 모두 평양성을 떠나 피난 가기를 주장하였으며, 사헌부와 사간원 양사兩司와 홍문관에서도 연일 합문에 엎드려 어가가 피난 갈 것을 강하게 요청하였다. 인성부원군 정철 또한 평양성을 떠나 피난해야 한다고 주장하였다. 내가 말하기를, "오늘의 사세는 전에 서울에 있을 때와는 다릅니다. 서울에서는 우리 군대와 백성들이 붕괴되고 흩어져서 비록 서울을 지키려고 해도 어찌할 도리가 없었습니다. 그러나 여기 평양성은 앞에 강물이 막고 있고 민심은 흔들리지 않고 있습니다. 또 이곳은 중국과 가까워 만약 며칠 만 버텨서 지켜낸다면 명나라의 군대가 와서 반드시 우리를 구원해 줄 것이고, 또 그들의 힘을 빌려서 왜적을 물리칠 수 있을 것입니다. 그렇게 하지 않고 평양성을 떠난다면 여기에서 의주에 이르기까지에는 의지할 만한 곳이 없으니 결국에는 나라를 잃게 될 것입니다"라고 하였다. 좌의정 윤두수는 나와 생각을 같이 하였다.

내가 또 정철에게 말하기를, "내가 생각하기로는 평상시에 공께서 비분강개한 성품이시라 어렵거나 쉬운 일을 피하신 적이 없으셨는데,

오늘 공께서 이런 말씀을 하실 줄은 전혀 몰랐습니다"라고 하였다. 좌의정 윤두수가 문산(文山(1236-1282), 중국 남송 말기의 정치인이자 시인이었던 문천상文天祥의 호. 자는 송서松瑞이다. 남송과 운명을 같이한 충신으로, 송나라가 망하고 원나라가 세워져 그의 재주와 절의를 높이 산 원나라 세조가 그에게 전향을 권했으나 끝까지 거부하다 투옥되어 처형되었다)의 시를 읊다가 '나는 칼을 빌려 간신의 목을 베려 한다[我欲借劍斬佞臣아욕차검참녕신]'(이 시구는 문천상의 문집인 『문천집文天集』 전19권에 실려 있는 "二月六日 海上大戰 國事不濟 孤臣某 坐北舟中 向南痛哭 爲之詩"(2월 6일에 해상전투에서 패하여 나라를 지킬 수 없게 되어 외로운 신하 아무개가 북쪽 지역의 배 안에 앉아 남쪽을 향해 통곡하고 시를 짓다)라는 제목의 시 42행 21연의 장편시에서 마지막 21번째 연에 나오는 시구이다. 그 마지막 연을 소개하면, "我欲借劍斬佞臣, 黃金橫帶爲何人"(나는 칼을 빌려 간신의 목을 베려 하노니, 황금의 띠는 누구를 위해 두르겠는가)이다. 이 시구에서 조국 남송을 붙잡기 위해 혼신의 힘을 기울였지만 나라를 팔아먹은 간신배들에 의해서 나라를 잃게 된 것을 통곡하며 자신의 장렬한 의지를 시로 형상화 한 문천상의 충절을 엿볼 수 있다)라는 구절이 나오니, 인성부원군 정철이 소맷자락을 떨치며 일어나 가버렸다.

평양 사람들도 내가 평양성을 지키려는 생각을 가지고 있다는 것을 알고 있었으므로 이날 소란을 피우던 백성들이 내 말을 듣고 순순히 물러갔던 것이다. 저녁에 감사 송언신(宋言慎, 1542-1612, 조선조의 문신으로 자는 과우寡尤, 호는 호봉壺峰, 본관은 여산이다. 관직은 이조판서를 지냈으며, 시호는 영양榮襄이다)을 불러 난동을 부리는 백성을 진정시키지 못한 것을 문책하였다. 송언신이 난동을 주동한 세 사람을 적발하여 대동문 안에서 목을 베니 나머지 사람들이 모두 흩어져 갔다.

이때 이미 평양성을 떠나기로 결정했으나 갈 곳은 알 수 없었는데, 조정 대신들 대부분이 북도는 땅이 궁벽지고 길이 험준해서 왜적을 피할 수는 있을 것이라고 하였다. 그러나 이 무렵에 왜적이 이미 함경도를 침범했지만 도로가 막혀 변고를 알려주는 사람이 없었으므로 조정에서는 그 사실을 모르고 있었다.

이에 동지중추부사同知中樞府使 이희득(李希得, 1525-1604, 조선조의 문신으로 자는 덕부德夫, 호는 하담荷潭, 본관은 전주이다. 관직은 대사헌, 지중추부사를 지냈다)이 일찍이 영흥 부사永興府使로 있을 때 어진 정치를 펼쳐 민심을 얻었으므로 그를 함경도 순찰사로 임명하고, 병조좌랑兵曹佐郞 김의원金義元을 종사관으로 하여 함께 함경도로 출발하게 하였다. 내전(內殿, 왕비가 거처하는 궁전을 말하는 것으로 여기에서는 왕비를 가리킨다)과 궁빈宮嬪 이하의 사람들이 먼저 북쪽으로 떠났다.

나는 굳이 반대하여 말하기를 "전하께옵서 서쪽으로 피난하시면서 본래 중국의 구원병에 의지하여 국토의 회복을 도모하려 하셨습니다. 지금 이미 명나라에 구원병을 요청하였사온데 도리어 전하께옵서 북도로 깊이 들어가셨다가 중간에 왜적이 길을 가로막아버리면 명나라와 소통할 길이 없게 되오니 그리되면 국토의 회복을 기대할 수 있겠사옵니까. 또 왜적이 여러 도로 흩어져 있으니 어찌 북도라고 해서 반드시 왜적이 없다고 할 수 있겠습니까. 만약 불행하게도 왜적이 그곳에 이미 들어가 있어 그들이 어가를 따라온다면 달리 갈 길이 없사옵고 단지 북쪽 오랑캐 땅이 있을 뿐이니 어디에 의지하시겠사옵니까. 그 위험하고 급박함은 말로 다할 수 없을 것이옵니다. 지금 조정 신하들의 가족이 다 북도에 피난 와 있으므로 각자 사사로운 정으로 모두 북쪽을 향해야 한다고 말하고 있사옵니다. 신에게는 늙은 어미가 있어 난리를 피해 동쪽으로 피난 가셨다는 얘기를 들었사오나 비록 계신 곳을 모르지만 반드시 강원도와 함경도 사이에 흘러들어와 계실 것이옵니다. 신 또한 사사로운 정으로 말한다면 어찌 북쪽으로 향하려는 마음이 없겠사옵니까마는 국가의 큰 계획이 신의 사사로운 사정에 견줄 바가 아니기에 감히 이렇게 간절히 아뢰옵나이다"라 하고는 흐느끼며 눈물을 흘리니, 임금께서 측은히 여기시여, "경의 어머니는 어디에 계신가. 다 내 탓이로다"라고 하셨다.

내가 물러난 뒤에 지사 한준(韓準, 1542-1601, 조선조의 문신으로 자는 공칙公則, 호는 남강南岡, 본관은 청주다. 관직은 한성부판윤을 지냈으며, 시호는 정익靖翼이다)이 또 임금을 뵙고 북쪽으로 떠나시는 것이 옳다고 힘주어 말하였다. 이에 중전께서 함경도로 향하셨다.

그때 왜적이 대동강에 이르러 사흘을 머물고 있었다. 우리들이 연광정에서 강변 너머로 왜인 한 명이 나무막대 끝에 작은 종이를 매달아 강가 모래톱에 꽂고 있는 것을 보았다. 화포장火炮匠 김생려金生麗에게 작은 배를 타고 가서 그 막대기를 뽑아오게 하였다. 몸에 아무런 무기도 휴대하지 않은 그 병사는 김생려와 악수를 하고 등을 두드리며 아주 친밀함을 표시하고는 서신을 부쳐 보냈다. 서신을 가져왔으나 좌의정 윤두수가 열어보려고 하지 않자 내가 말하기를, "열어본다고 해서 무슨 해되는 일 있겠소"라고 하여 그 편지를 열어 보니, 거기에 '조선국 예조판서 이공 합하閤下께 올립니다'라고 쓰여 있었다. 그 편지는 이덕형에게 보내는 것이었는데, 이는 아마 야나가와 시게노부와 겐소 스님이 보낸 것으로 이덕형을 만나서 강화 문제를 논의해보자는 의도가 엿보였다.

이덕형이 작은 배를 타고 가서 강 가운데서 야나가와 시게노부와 겐소를 만났는데 서로 안부를 묻는 것이 마치 평일에 인사를 나누던 모습 그대로였다. 겐소가 말하기를, "일본이 조선에게 길을 빌려 중국에 조공을 바치려 하는데 조선이 우리의 청을 들어주지 않아서 사태가 이 지경에까지 오게 되었습니다. 지금이라도 길을 내주어 일본이 중국과 통하게 해 주신다면 아무 일도 없을 것입니다"라고 하였다. 이에 유덕형이 일본이 우리와의 약속을 어긴 것을 나무라며 병력을 철수한 뒤에 강화를 논의하자고 하니. 시게노부 일행들의 말투가 불손해져 마침내 아무런 소득도 없이 각자 자리를 떠났다.

그날 저녁에 왜적 수천 명이 대동강 언덕 위에 집결하여 진을 쳤다.

6월 11일에 선조의 어가가 평양성을 나와 영변으로 향하다

유월 열하룻날에 어가가 평양성을 나와 영변으로 향하였다. 대신 최흥원・유홍・정철 등이 어가를 호종하였다. 좌의정 윤두수・원수 김명원・순찰 이원익은 평양성에 남아 지키게 했고, 나도 명나라 장수를 접대한다는 명목으로 평양에 남게 되었다.

이날 왜적이 평양성을 공격하였다. 좌의정・원수・순찰과 내가 연광정에 있었고, 본도 감사 송언신은 대동성의 문루를 지켰으며, 병사兵使 이윤덕李潤德은 부벽루 상류 쪽의 강여울을 지켰고, 자산 군수慈山郡守 윤유후尹裕後 등은 장경문을 지켰다.

성 안에는 사졸들과 민간인 장정들을 합쳐 모두 3, 4천 명이었는데, 그들을 모두 성가퀴에 나누어 배치했으나 곳곳마다 사람 수를 일정하게 배치하지 못하였다. 이는 어떤 성 위에는 사람을 너무 많이 배치하여 사람 위에 사람이 겹쳐져 있어 어깨와 등이 서로 부딪칠 정도였으며, 어떤 데에는 그렇지 않기도 하여 들쑥날쑥 한데다가 혹은 서너 곳의 살받이가 이어져 있는데도 배치된 사람이 아무도 없기도 하여 사람 숫자가 일정하지 않았기 때문이었다. 을밀대 근처의 소나무 사이로 이리저리 옷을 걸어놓기도 하였는데, 그것을 의병(疑兵, 적을 의혹시키는 군사라는 뜻으로, 마치 군사가 있는 것처럼 거짓으로 꾸며서 보이는 것을 말한다.

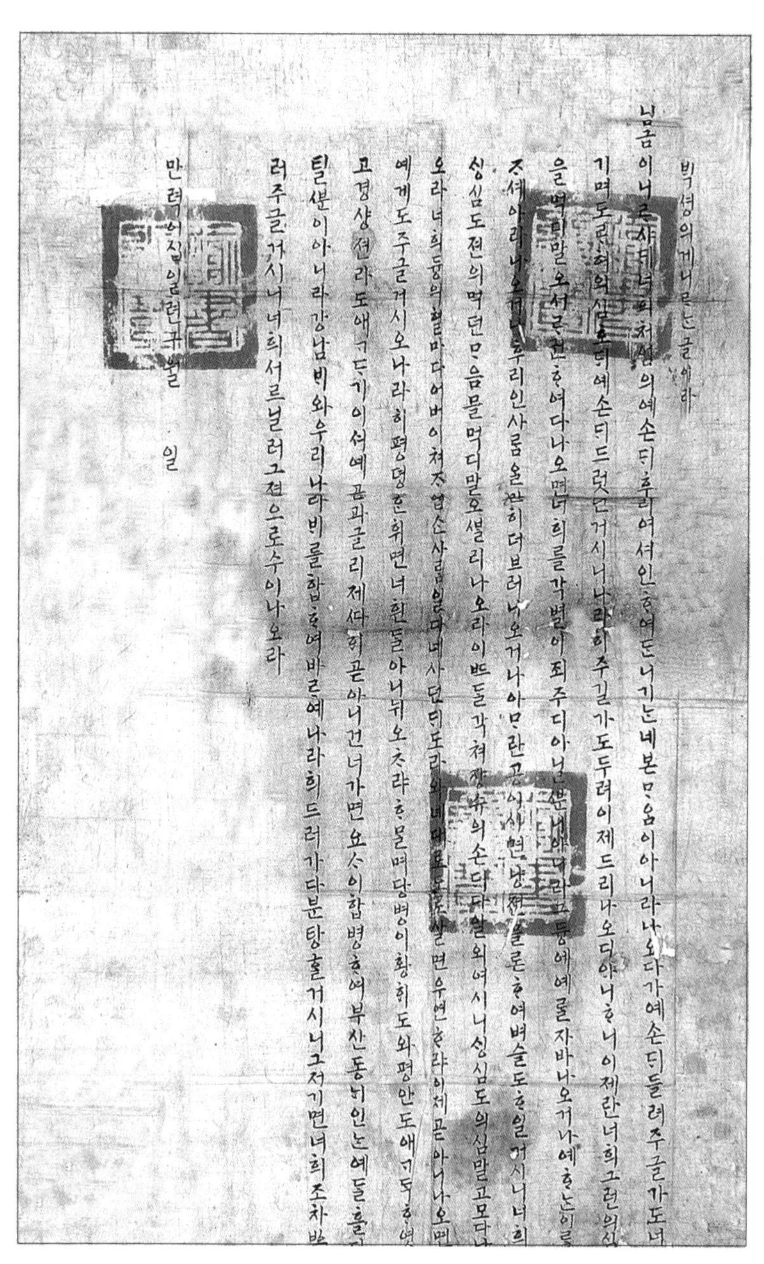

빅셩의게 니르는 글이라

님금이 니르샤ᄃᆡ 너희 처엄의 예손ᄃᆡ 후리여셔 인ᄒᆞ여 ᄃᆞᆫ니기는 네 본ᄆᆞ음이 아니라 나오다가 예손ᄃᆡ 들려 주글가도 너기며 도로혀 의심ᄒᆞ되 예손ᄃᆡ 드럿던 거시니 나라히 주길가도 두려 이제 드리 나오디 아니ᄒᆞ니 이제란 너희 그런 의심을 먹디 말오 서로 권ᄒᆞ여 다 나오면 너희를 각별이 죄 주디 아닐 ᄲᅮᆫ 아니라 그 듕에 예를 자바 나오거나 예ᄒᆞ논 이를 조셰 아라 나오거나 후리인 사ᄅᆞᆷ을 만히 더브러 나오거나 아ᄆᆞ란 공 이시면 냥쳔 믈론ᄒᆞ여 벼슬도 ᄒᆞ일 거시니 너희 싱심도 젼의 먹던 ᄆᆞ음믈 먹디 말오 ᄲᆞᆯ리 나오라 이 ᄠᅳᆮ을 각쳐 쟝슈의 손ᄃᆡ 다 닐러 시니 싱심도 의심 말고 모다 나오라 너희 ᄃᆞᆯ히 설마 다 어버이 쳐ᄌᆞ 업슨 사ᄅᆞᆷ일다 네 사던 ᄃᆡ 도라와 녜대로 살면 우연ᄒᆞ랴 이제 곧 아니 나오면 예게도 주글 거시오 나라히 평뎡ᄒᆞᆫ 휘면 너흰ᄃᆞᆯ 아니 뉘오ᄎᆞ랴 ᄒᆞ믈며 당병이 황히도와 평안도애 ᄀᆞ독ᄒᆞ엿고 경샹 젼라도애 ᄀᆞ둑기 이셔 예 곰픠 글리 제 ᄯᅡ희 곧 아니 건너가면 요ᄉᆞ이 합병ᄒᆞ여 부산 동ᄂᆡ 인ᄂᆞᆫ 예ᄃᆞᆯ흘 틸 ᄲᅮᆫ 이 아니라 강남 비와 우리 나라 비를 합ᄒᆞ여 바ᄅᆞ 예 나라ᄒᆡ 드러가 다 분탕ᄒᆞᆯ 거시니 그저기면 너희 조차 ᄡᆞ러 주글 거시니 너희 서르 닐러 그저 으로 수이 나오라

만력 이십일년 구월 일

선조대왕 국문교서宣祖大王國文教書

의병擬兵이라고도 한다)이라고 하였다.

대동강을 사이에 두고 적병을 보니 그들의 숫자도 많지 않았다. 동대원이 있는 강언덕 위에 일자一字로 진을 치고 붉고 흰 깃발을 줄을 지어 세워 두었는데, 이는 마치 우리나라에서 장례를 치를 때 만장挽章을 늘어 세워놓은 모양과 같았다. 적군이 십여 기의 말을 내어 양각도羊角島를 향하여 강물 속으로 들어가는데, 물이 말의 배에까지 차올랐다. 기수들이 모두 말고삐를 잡고 나란히 서서 강을 건너오려는 시늉을 하고 있었다. 강가를 왔다 갔다 하는 나머지 병사들은 한두 명씩 혹은 서너 명씩 짝을 지어 큰 칼을 어깨에 메고 있었는데 그 칼이 햇빛을 받아 번개가 치듯이 번쩍거렸다. 어떤 사람의 말로는 "그 칼이 진짜 쇠로 만든 것이 아니라 나무로 칼을 만들고 그 위에다 백랍白蠟을 칠해 사람들의 눈을 속이고 있다"고 하였다. 그러나 거리가 너무 멀어서 그 진위는 가릴 수가 없었다.

또 적병 예닐곱 명이 조총을 가지고 강변에 와서 성을 향해 쏘아댔는데, 그 소리가 아주 크게 들렸다. 총탄이 강을 넘어 성안에까지 다다랐고, 멀리 간 것은 대동관 지붕 기왓장 위에 어지럽게 떨어지니 거의 천여 보나 날아온 셈이었다. 총알이 혹 성루의 기둥을 맞혀 총알이 두서너 치 정도로 깊게 박히기도 하였다. 붉은 옷을 입은 왜적이 연광정 위에 여러 명의 관료들이 앉아 있는 것을 발견하고 우리 모두가 장수인 줄 알고는 조총을 끼고 고약하게 흘겨보면서 점점 물가 모래톱 위로 다가오다가 총을 쏘아 연광정에 있던 두 사람을 명중시켰다. 그러나 사정거리가 너무 멀었으므로 중상을 입지는 않았다.

내가 군관 강사익姜士益에게 방패로 몸을 가리고 편전(片箭, 우리나라에서 사용하던 화살로 그 모양은 짧고 작은 것이 특징이다. 갑옷과 투구를 뚫을 수 있어 임진왜란 때 일본이 가장 두려워했던 화살이었다. 중국에서는 고려전高

麗箭이라고 불렀다)으로 응사하게 하니 화살이 모래톱 위에 떨어졌다. 그러자 왜적이 머뭇거리다 돌아갔다.

원수가 활 잘 쏘는 병사를 뽑아 날쌘 배를 타고 강 중류에서 적에게 활을 쏘며 배를 동쪽 강 언덕 가까이로 몰아가자 왜적도 물러나 피하였다.

우리 군사가 배 위에서 현자총(玄字銃, 조선조 태종 때 만들어진 것으로 불화살을 쏘는 대포의 한 종류다)을 쏘아 서까래같이 큰 불화살이 강을 넘어가니 적군들이 쳐다보고는 고함을 치며 흩어졌다가 대포알이 떨어진 지점에 모여들어 자세히 살펴보았다.

이날 병선兵船을 곧장 정비하지 않았다고 공방工房의 아전 한 사람을 목 베었다.

그때 오랫동안 비가 내리지 않아 강물이 날로 줄어들었다. 그래서 진즉에 재신들을 단군묘·기자묘·동명왕릉 등으로 나누어 보내 기우제를 올리기도 했으나 여전히 비는 내리지 않았다. 내가 좌의정 윤두수에게 "연광정 앞은 수심이 깊고 물을 건널 수 있는 배가 없어 왜적이 건너오기는 어렵습니다만 상류에는 얕은 여울이 많아서 조만간에 왜적이 그곳으로 강을 넘어오게 되면 평양성을 지키기가 어려울 것입니다. 사정이 이러한데 어째서 얕은 여울 쪽의 수비를 강화시키지 않으시는지요"라고 말하였다. 원수 김명원은 성질이 느려터진 사람이라 단지 "이미 이덕윤에게 그곳을 지키라고 했습니다"라는 한마디로 대꾸했다. 내가 다시 말하기를, "이덕윤 같은 자에게 우리의 모든 것을 맡길 수 있겠소"라고 하고는 순찰 이원익을 가리키며 "공들께서 마치 잔치자리를 벌이는 것처럼 함께 모여 웅성거리고 있는 것은 사태 해결에 아무런 도움도 되지 못합니다. 그러니 빨리 가서 강여울을 지키는 것이 좋을 듯합니다"라고 하니, 이 공이 "저더러 가서 지키라고 하시면 어찌 저의 온 힘을 다 바치지 않겠습니까"라고 하였다. 이에 좌의정 윤두수가 이 공에게 "공이 그리로 가는 것이 좋겠소"라고 하니, 그가 자리에서 바로 일어나 나갔다.

내가 그때 임금의 명을 받들어 오직 명나라 장수를 영접하는 일에만 전념했으므로 군무에는 참여하지 않았다. 가만히 생각하니, 우리 군사들이 일본과 싸워 이길 승산은 없으니까 내가 미리 명나라 군대가 오는 길목에 나가 있다가 명나라 장수를 맞이하여 그들로 하여금 한 걸음이라도 빨리 우리를 구원해 주도록 조치하는 것이 최선의 방법일 것 같았다. 해가 저물자 종사관 홍종록(洪宗祿, 1546-1593, 조선조의 문신으로 자는 연길延吉, 호는 유촌柳村, 본관은 남양이다. 관직은 직제학을 지냈다)・신경진(辛慶晉, 1554-15619, 조선조의 문신으로 자는 용석用錫, 호는 아호丫湖, 본관은 영월이다. 관직은 경상도 관찰사를 지냈고, 청백리에 녹선錄選되었다)과 함께 성을 나가 한밤중에 순안에 도착하였는데, 가는 도중에 회양淮陽에서 오고 있던 이양원의 종사관 김정목(金廷睦, ?-1614, 조선조의 문신으로 자는 이경而敬, 본관은 언양이다. 관직은 성천 부사를 지냈다)을 만나 왜적이 철령까지 친출하였다는 소식을 들었다.

다음날 숙천을 지나 안주에 도착하니 전에 만났던 요동성 진무 임세록이 또 와 있었다. 그에게서 자문咨文을 접수하여 임금이 계시는 행재소로 보냈다.

이튿날 어가가 이미 영변을 떠나 박천에서 묵고 계신다는 소식을 듣고 내가 말을 달려 그곳에 이르니, 임금께서 동헌으로 나시어 나를 맞이하시고는 평양성을 지킬 수 있겠느냐고 물으셨다. 내가 대답하기를, "그곳의 민심은 자못 안정되어 있어 성을 지킬 수는 있을 것 같사오나 다만 구원군이 빨리 오지 않으면 오래 버티기 어려울 것 같사옵니다. 그래서 제가 그 일로 여기까지 와서 명나라 군사를 맞이하여 빨리 가서 구원해 주기를 요청하려고 하는데, 지금까지도 구원군이 오지 않아 걱정하고 있사옵니다"라고 하였다.

임금께서 좌의정 윤두수가 보낸 장계를 가져다가 나에게 보여 주시며 "어제 이미 노약자들에게 성을 떠나라고 했다는데, 그렇다면 민심이 동요하게 될 것이니 어찌 성을 지켜낼 수 있단 말이요"라고 하셨다. 내가 그 말씀에 대답하여 "참으로 전하께서 염려하심과 같사옵니다. 신이 거기에 있을 때는 사태가 이 지경에까지 이르지는 않았사옵니다. 아마 지금에 처한 형세를 살펴보건대, 왜적이 반드시 얕은 여울을 건너올 것 같사오니 물속에 마름쇠(능철菱鐵, 도둑이나 적을 막기 위하여 땅이나 물속에 흩뿌리는 마름 모양의 무쇳덩이를 말한다. 끝이 뾰족하며 어떠한 상태로 놓여도 한쪽 끝은 위로 향하게 되어 있어 전시에는 무기로 사용되었다)를 흩뿌려서 왜적의 도강에 대비하셔야 하옵니다"라고 하니 임금께서 이 고을에도 마름쇠가 있느냐고 물으시니, 수천 개가 준비되어 있다고 하여 임금께서 "급히 사람을 모집하여 마름쇠를 평양으로 보내라"고 하셨다.

내가 또 임금께 아뢰기를 "평양 서쪽으로 강서·용강·증산·함종 등의 여러 고을에는 창고에 곡식이 많이 쌓여 있고 백성의 수도 많사온데, 이미 왜적이 가까이 와 있다는 소식이 들리면 저들이 놀래어 뿔뿔이 흩어지고 말 것이옵니다. 그러하오니 빨리 시종 한 사람을 보내셔서 그들을 진정시키고 어루만져 주시옵고, 또 병사를 모아 평양을 꾸준히 도와주시면 좋을 듯하옵니다"라고 하니, 임금께서 "그럼 누구를 보내면 좋겠소" 하시기에, 내가 대답하기를 "병조정랑兵曹正郎 이유징(李幼澄, 1562-1593, 조선조의 문신으로 자는 징원澄源, 본관은 전주다. 관직은 의주목사를 지냈으며, 시호는 정민貞敏이다)이 계략이 있고 생각이 깊은 사람이라 그 일을 감당할 만하옵니다"라고 하였다. 이어서 또 내가 아뢰기를 "신은 일이 급하여 오래 지체할 수 없사옵니다. 밤을 도와 달려가 명나라 장수를 만나봐야 하옵니다"라 하고는 임금과 작별하고 물러나와 이유징을 만나 조금 전에 임금 앞에서 아뢴 말을 해주었다. 그 말을 듣던 이유징이 깜작 놀라며 말하기를 "제가 가야 할 이곳은 왜적으로 뒤덮여 있는데, 어찌 그리로 간단 말입니까"라고 하였다. 그 말을 듣고 내가 꾸짖으며 이르기를 "국록을 먹는 사람으로서 나라의 어려운 일을 마다하지 않는 것은 신하로서의 의리이다. 지금 나라 일이 이같이 위급하여 비록 화탕지옥이라도 뛰어들어야 할 판국인데도 이번의 이 일을 가지고 어렵다고 하는가"라고 하니 이유징이 입을 다물고 뉘우치는 기색을 보였다.

내가 임금과 작별하고 나와 대정강 가에 이르니 날이 벌써 저물었는데, 광통원을 돌아보니 들판에 병졸들이 흩어져서 끊임없이 오고 있어 평양이 버티지 못하고 왜적의 손에 들어갔는가 의심하였다. 그래서 군관 서너 명을 보내 그들을 데리고 오라고 했더니 병졸 19명을 데리고 왔는데, 알고 보니 그들은 의주·용천 등의 고을에 소속된 군사로 대동강의 얕은 여울을 지키려 갔던 병사들이었다. 그들이 "어제 왜적이 왕성탄을 건너자 강가에 있던 아군들이 흩어져 버렸고, 병사 이윤덕도 달아났습니다"라고 하는 말을 듣고는 대경실색하여 바로 길에서 서장書狀을 써서 군관 최윤원崔允元에게 말을 달려 임금이 계시는 행재소에 보고하라고 하였다.

밤에 가산군에 들어갔다.

이날 저녁에 내전께서 박천에 이르셨는데, 길에서 적병이 이미 북도에 들어왔다는 소문을 들었으므로 앞으로 더 나아가지 못하고 발걸음을 돌려서 다시 박천으로 돌아오신 것이었다.

통천 군수 정구(鄭逑, 1543-1620, 조선조의 문신으로 자는 도가道可, 호는 한강寒江, 본관은 청주다. 관직은 통천군수를 지냈고, 향리에 돌아와 후진양성에 힘을 기울였다. 시호는 문목文穆이다)가 사람을 시켜 음식물을 보냈다.

29 평양성이 왜적에게 함락되다

평양이 함락됐다.

어가가 가산에서 머물렀다.

동궁은 종묘사직의 신주를 모시고 박천에서 더 깊은 산골로 들어갔다.

처음에 적병이 무리를 나누어 대동강 모래톱 위에 주둔하며 십여 개의 진陣을 만들고는 풀을 묶어 장막을 쳤다. 이미 여러 날을 보내며 강을 건너지 못하자 경비가 다소 느슨해졌는데 원수 김명원 등이 성위에 올라가 적의 진지를 보니 야음을 타 기습을 시도해 볼 만하다고 여겼다. 정예 병사를 가려 뽑아 고언백高彦伯 등으로 하여금 그들을 거느리고 부벽루 아래 능라도에서 배로 군사들을 태우고 가서 적진에 투입시키기로 하였다. 애초에는 삼경쯤에 거사하기로 약속이 되었으나 시간을 맞추지 못하여 강을 건너고 나니 날이 이미 환히 밝았다. 그러나 왜적이 머물고 있는 막사를 보니 아직 그들이 일어나지 않았으므로 마침내 제1진이 앞으로 뛰쳐나가니 적이 놀라 갈피를 못 잡고 우왕좌왕하였으므로 아군들이 활을 쏘아 많은 적군을 죽였다. 토병 임욱경은 제일 먼저 적진에 뛰어들어 용감하게 싸우다가 적에게 죽임을 당했고, 왜적의 말 3백여 필을 빼앗았다. 조금 뒤에 진을 치고 있던 적군들이 한꺼번에 일어나 덮치니 아군이 모두 달아났다. 왜적이 배를 타고 쫓아왔는데 배 위에 있던 아군들이 왜적의 배가 이미 뒤에 바짝 다가온 것을 보았으나 강물 중간이라 배를 댈 수 없었으므로 물에 빠져 죽은 군사가 수없이 많았다. 나머지 군사들도 왕성탄을 따라 물을 건너니 왜적이 그제서야 그곳의 수심이 깊지 않아 걸어서 건널 수 있다는 것을 알게 되었다.

이날 저녁에 왜적들이 단 한 발의 화살도 쏘아보지 못하고 달아났다. 이는 왜적이 이미 강을 건넜으나 성안에 무슨 대비책이 있으리라고 생각하여 더 이상 앞으로 나오지 않았기 때문이다.

이날 밤에 좌의정 윤두수와 원수 김명원이 성문을 열어 성 안에 있는 사람들을 모두 나가게 하고서는 무기와 화포를 풍월루 연못 속에 빠뜨렸다. 그리고 나서 윤두수 등은 보통문을 빠져나와 순안에 이르렀는데 그들을 뒤따르는 적군은 없었다. 종사관 김신원은 혼자 대동문을 나와 배를 타고 물살을 따라 강서로 향했다.

다음날에 왜적이 성 밖에 도착하여 모란봉에 올라 한참 동안 관망한 끝에 성안에 사람이 아무도 없다는 것을 알고 바로 성안으로 진입하였다.

처음 어가가 평양에 도착하였을 때 조정 회의에서 군량미 부족을 걱정하여 여러 고을에서 농토에 부과하여 거두어들이는 곡식을 다 가져오게 하여 평양으로 실어왔었는데, 왜적이 평양성을 차지하면서 창고에 쌓아 두었던 십여 만 섬의 곡식도 모두 그들의 차지가 되고 말았다.

그때 내가 올린 장계가 임금이 계시는 박천에 이르렀고, 또 순찰사 이원익의 종사관이었던 이호민李好閔도 평양에서 박천으로 와서 왜적이 대동강을 건넌 상황을 말씀드렸다. 밤에 어가와 내전이 가산을 향해 출발하였다. 그리고 세자에게는 종묘사직의 신주를 받들고 다른 길로 가서 사방의 군사를 불러 모아 국토 회복을 꾀하게 하였고, 신료들도 나뉘어 따르게 하였다. 영의정 최흥원에게는 세자를 따르게 하였고, 우의정 유홍도 자청하여 세자를 따르겠다고 나섰으나 임금께서 허락하시지 않으셨다. 어가가 이미 떠나는데 유홍이 길가에 엎드려 하직 인사를 드리고 떠나려 하자 내관이 여러 번 우의정이 작별 인사를 드리기를 청한다고 하였으나 임금께서 끝내 응하지 않으셨다. 유홍이 마침내 세자를 따라갔다.

그때 좌의정 윤두수가 평양에서 아직 돌아오지 않아 임금이 계시는 행재소에는 대신이 없었는데, 오직 정철이 전에 재상을 지낸 사람으로 어가를 따라 가산에 이르렀다. 그때 시간은 이미 오경(五更, 새벽 3~5시)에 접어들었었다.

선조가 정주까지 피난 왔는데 민심이 몹시 흉흉하였다

어가가 정주에서 묵었다. 어가가 평양을 출발하면서부터 민심이 극도로 악화되어 지나가는 곳마다 난민들이 갑자기 관공서의 창고에 들이닥쳐 곡식을 노략질하니, 순안·숙천·안주·영변·박천 등의 여러 고을이 차례로 그들에 의해 약탈당하였다.

이날 어가가 가산을 출발하는데, 그곳의 군수 심신겸沈信謙이 나에게 말하기를 "이 고을의 곡식 사정은 자못 넉넉하고 관청에도 백미 1천 섬이 쌓여 있어 명나라 군사들이 오면 군량미로 사용할까 했습니다. 불행하게도 사정이 이 지경에 이르게 되었으니, 공께서 만약 이곳에 잠깐 머무시면서 백성들의 마음을 진정시켜 주신다면 고을 사람들이 감히 난동을 부리지는 않을 것입니다. 그렇지 못하여 백성들이 계속 난동을 부리면 소인으로서도 감히 이곳에 머물러 있기가 어려우므로 바닷가로 몸을 피할까 합니다"라고 하였다.

그때 심신겸의 명령이 자기 아랫사람에게 통하지 않았다. 오직 나는 여섯 명의 군관을 데리고 있었고, 길에서 만나 거두었던 패잔병 열아홉 명이 나를 따르기로 약속하고는 그들이 활과 화살을 가지고 내 옆을 호위하고 있었다. 심신겸이 이런 나에게 의지하여 자신을 보호받을 수 있다고 생각하여 그런 말을 했던 것이다.

내가 그 말을 듣고 갑자기 떠날 수가 없어 잠깐 대문에 앉아 있으니 해는 이미 정오를 넘어서고 있었다. 다시 생각해보니, 임금의 명령도 없는데 내 마음대로 여기에 머물겠다고 어가를 따라가지 않는다면 이는 군신의 의리에 맞지 않은 일인지라, 마침내 심신겸과 아쉬운 작별을 나누었다. 길을 떠나 효성령을 오르면서 가산을 돌아보니, 고을 안에는 이미 난동이 일어났었다. 그러니 아마 심신겸은 곡식 창고를 다 털리고 바닷가로 달아났을 것이다.

다음날 어가가 정주를 나와 선천으로 향하고 있는데, 임금께서 나를 정주에 머물러 있으라는 명을 내리셨다.

정주 고을 사람들은 이미 사방으로 흩어져 피난을 갔고 오직 늙은 아전인 백학송 등 몇 사람만이 성안에 남아 있을 뿐이었다. 내가 길가에 엎드려 성을 나서는 어가를 보내고는 정훈루 아래에 앉아 얼굴을 가리고 울고 있는데 군관 몇 사람이 좌우 계단에 앉았고, 내가 거두어 들인 패잔병 열아홉 명은 아직 떠나지 않고 길가 버드나무에 말을 매어 두고 서로 빙 둘러앉아 있었다. 날이 저물려 하는데, 남문 쪽을 보니 몽둥이를 쥔 사람들이 밖에서 연이어서 들어오다가 왼쪽으로 가고 있었다. 군관에게 가서 보게 하니, 창고 아래에 이미 수백 명의 사람들이 모여 있었다. 생각해보니 내가 거느린 군사들은 숫자가 적고 나약한데 만약 난동을 일으킨 사람들의 숫자가 많아 그들과 어우러져 싸우게 되면 제어하기가 어려울 것 같으니 그렇다면 먼저 그 중에 허약한 사람을 공격함으로써 수백 명의 난동꾼들이 놀라서 흩어지게 하는 방법밖에 다른 도리가 없었다.

이에 성문을 보니 또 이어서 십여 명의 사람이 오고 있었다. 내가 급히 군관을 불러 열아홉 명의 병졸을 데리고 달려가서 저 사람들을 체포하라고 하였다. 그 사람들이 우리가 하는 행동을 보고 달아나기에 뒤쫓아 가서 아홉 명을 붙잡아 왔다. 곧바로 그들의 머리를 풀어헤치게 하고는 두 팔을 뒤로 묶은 채 발가벗겨서 창고 옆의 길에서 조리돌렸다. 십여 명의 병졸이 그들의 뒤를 따르며 "관청 창고의 곡식을 약탈하는 자는 사로잡아 그 목을 베어 저잣거리에 매달 것이다"라고 크게 외쳐댔다. 성안 사람들이 이 광경을 목격하고, 이미 창고 아래에 모였던 사람들도 그들을 보고는 놀래어 모두 서문 쪽으로 흩어져 갔다. 이로 인해서 정주 관아의 창고를 온전하게 지킬 수 있었고, 용천·선천·철산 등의 고을에도 관아의 창고를 약탈하는 자들이 사라졌다.

정주 판관 김영일金榮一은 무인으로 평양에서 도망쳐 나왔는데, 자신의 아내와 자식을 바닷가에 머물게 하고는 관아 창고의 곡식을 훔쳐내어 식구들에게 보내려고 하였다. 내가 그 사실을 듣고 그의 죄목을 따지며 말하기를 "너는 무장인 몸으로 전쟁에서 패하고도 죽지 않았으니 그 죄가 커서 목을 벨만하다. 그러고도 또 감히 관아의 창고에서 곡식을 훔치기까지 한단 말인가. 이 곡식은 장차 명나라 군사의 군량미로 쓰일 것으로 네가 개인적으로 착복할 것은 아니다"라고 하고는, 곤장 육십 대를 쳤다.

얼마 있다가 좌의정 윤두수, 원수 김명원, 무장 이빈(李薲, 1537-1603, 조선조의 무신으로 자는 문원聞遠, 본관은 전주다. 임진왜란 때 순변사巡邊使가 되어 남쪽 지방을 지켰다) 등이 평양에서 정주로 돌아왔다. 임금께서 정주를 떠나시며 좌의정이 돌아오면 정주에 머물게 하라는 명령을 내리셨기에 윤두수가 오자마자 내가 임금의 명령을 전하니 그는 내 말에 아무런 대꾸도 없이 곧장 임금이 계시는 행재소로 향하였다. 나도 김명원과 이빈에게 정주를 지키게 하고는 용천으로 어가를 쫓아갔다.

그때 각 고을의 백성들이 평양이 함락됐다는 소식을 듣고는 왜적이 곧 들이닥칠 것이라고 생각하여 모두 산으로 도망쳐 숨었으므로 길에는 사람 그림자조차도 볼 수 없었다. 내가 듣기로는 강계처럼 압록강 가에 있는 여러 고을도 사정은 마찬가지였다. 내가 곽산의 산성 아래에 이르니 두 갈래 길이 나타나기에 내가 병졸에게 "이쪽 길은 어디로 가는 길인가"라고 물으니 "이 길은 귀성으로 가는 길입니다"라고 대답하였다. 내가 말을 멈추고는 종사관 홍종록을 불러 말하기를 "길 가에 있는 창고마다 텅텅 비어 있으니 명나라 군사가 온다면 무엇으로 군량미를 댈 수 있겠는가. 여러 고을들 가운데 오직 귀성 고을만이 넉넉하게 곡식을 쌓아 놓고 있다고 하나 듣기로는 거기도 아전과 백성들이 다 흩어졌다고 하니 군량미를 실어 나를 방도가 없을 것이네. 자네는 오랫동안 귀성에 있었으니 그 고을에 사는 사람들이 그대가 왔다는 소문을 들으면 비록 산속에 숨어 지내는 사람일지라도 반드시 그대를 찾아와 왜적의 동향을 물어보려고 할 것이네. 그대는 이 길로 빨리 귀성으로 가서 그곳의 백성들에게 '왜적이 평양성에 들어갔으나 아직 그들이 거기에서 나오지 않고 있다. 그러나 머잖아 명나라 구원군이 대거 몰려오면 우리의 국토를 수복할 수 있을 것이다. 그런데 다만 걱정되는 것은 군량미가 부족하다는 것이다. 여러분들이 신분의 귀천을 가리지 않고 힘을 모아 곡식을 운반해 군량미를 충분히 댈 수 있다면 훗날에 반드시 큰 상이 주어질 것이다'라고 타이르게. 우리 말 대로 된다면, 그들이 한마음으로 힘을 합쳐 정주·가산까지 곡식을 운반하여 일을 성공적으로 끝낼 수 있을 것이네"라고 하였다. 내 말을 들은 홍종록이 강개하여 "예"라고 응답하고는, 길을 나누어 그는 귀성으로 가고 나는 용천으로 향하였다.

홍종록은 기축옥사(己丑獄事, 선조 22년(1589) 10월에 정여립鄭汝立이 모반을 꽤했다는 고변이 있어 3년에 걸친 취조 끝에 1,000명에 가까운 사람이 화를 당했던 사건이다)에 연루되어 귀주로 귀양 갔었는데, 어가가 평양으로 들어온 뒤에 비로소 사면되어 사옹정(司饔正, 조선조에 궁중의 음식을 주관하던 사옹원司饔院의 장관으로 정3품직이었다)에 임명되었다 그는 사람됨이 충성되고 건실하여 나라를 위해 자기 몸을 돌보지 않으며 아무리 어려운 일이라도 피하려고 하지 않았다.

선조의 어가가 의주에 도착하다

어가가 의주에 이르렀다. 명나라 장수 참장參將 대모戴某와 유격장군遊擊將軍 사유(史儒, 중국 명나라 장수로 요동총병遼東總兵 조승훈祖承訓의 휘하에서 유격대장을 지냈다)가 각각 부대를 인솔하여 평양을 향하는 길에 임반역에 이르러 평양이 이미 함락됐다는 소식을 듣고 의주로 돌아와 주둔하였다. 명나라 조정에서 군사들을 먹일 요량으로 하사한 은이만 냥을 명나라 관리가 가지고 의주에 도착하였다.

이에 앞서 요동성에서는 조선에 왜적이 쳐들어왔다는 소식을 듣고 바로 명나라 조정에 보고하였다. 이 보고를 접한 조정의 의견은 엇갈렸고, 대부분의 정부 관계자들이 우리나라가 왜구의 앞잡이가 되어 그들을 명나라로 인도하고 있다고 의심의 눈초리를 거두지 않고 있었다. 그러나 유일하게도 병부상서兵部尙書 석성(石星, 1537-1599, 중국 명나라의 문신으로 자는 공신拱宸, 호는 동천東泉이고 관직은 병부상서를 지냈다. 명나라 사신으로 조선에 와서 조선을 좋아하게 되었으므로 임진왜란 발발 이후 많은 대신들의 반대에도 불구하고 명나라 구원군을 파견시키는데 절대적인 기여를 하였다)만이 우리나라를 구원해야 한다고 앞장서서 주장하였다.

그때 우리나라 사신 신점(申點, 1530-?, 조선조의 문신으로 자는 성여聖與, 호는 척재惕齋, 본관은 평산이다. 관직은 판의금부사判義禁府使를 지냈으며,

시호는 충경忠景이다)이 옥하관(玉河館, 조선에서 중국 북경으로 간 사신 일행들이 묵었던 집이다)에 머물고 있었는데, 병부상서 석성이 그를 조정으로 부르기에 찾아가니 요동에서 왜적이 조선을 침범했다고 보고한 문서를 내보였다. 신점이 그 자리에서 울음을 터뜨리고는 같이 온 사신 일행들과 아침저녁으로 마치 임금의 죽음을 당한 것처럼 슬피 울며 석성에게 구원병을 요청하였다. 석 상서가 황제에게 아뢰어 2개 부대를 내어 조선의 국왕을 호위하게 하였고, 아울러 군대 운영에 필요한 자금인 은을 황제에게 요청하였다.

신점이 귀국하여 통주에 이르렀을 때 고급사告急使 정곤수(鄭崑壽, 1538-1602, 조선조의 문신으로 자는 여인汝仁, 호는 백곡柏谷, 본관은 청주이다. 관직은 지돈녕부사知敦寧府使를 지냈으며, 청병진주사請兵陳奏使로 명나라에 요동부총병 조승훈이 군사 5천을 이끌고 임진왜란 때에 참여하였는데 크게 기여하였다. 시호는 충익忠翼이다)가 그를 이어서 명나라에 들어갔는데, 석상서가 그를 따뜻한 골방으로 안내하고는 직접 조선의 사정을 물으며 간혹 눈물을 보이기도 했다고 하였다.

이때에 잇달아 사신을 요동으로 보내어 급히 구원병을 요청하기도 하고, 심지어는 명나라의 속국이 되게 해달라고 애걸하기까지도 하는 절박한 상황이 전개되었다. 왜적이 평양을 함락해버리자 그 기세는 마치 병을 거꾸로 세워 물을 쏟는 것처럼 거침이 없었으므로, 사람들은 왜적이 머잖아서 압록강까지 밀고 올라오리라고 생각하였다. 사태가 이같이 심각했으므로 심지어는 명나라의 속국이 되는 게 좋겠다는 극단적인 생각을 갖게 된 것이었다.

다행히 왜적이 평양성에 들어와서는 성안에 틀어박혀 몇 개월을 머뭇거리고 있어 비록 순안과 영유永柔 땅이 평양과 가까운 거리에 있는데도 왜적의 침범을 받지 않았다. 이리하여 민심이 조금 안정되어 흐

트러진 전열을 재정비할 수 있었고 명나라 구원군을 맞이하여 국토를 회복하였으니, 이는 하늘이 도와서 된 것이지 사람의 힘으로는 될 수 없는 일이었다.

7월에 요동 부총병 조승훈이 군사 5천을 거느리고 조선에 오다

칠월에 요동 부총병遼東副總兵 조승훈祖承訓이 군사 오천 명을 이끌고 우리를 구원하러 왔다. 이들이 우리나라에 들어오기 전에 먼저 언제 도착한다는 소식을 전해왔으나 내가 그때 치질로 크게 고생하고 있던 터라 자리에서 일어날 수가 없는 처지였다. 그래서 임금께서 좌의정 윤두수에게 이곳을 떠나 군대가 오는 길에다 그들이 먹을 양식을 마련하라고 하셨다. 나는 종사관 신경진을 시켜 임금에게 글을 올렸는데, 그 글에 "행재소에는 지금 대신으로는 단지 좌의정 윤두수 한 사람 뿐이라 밖으로 내보낼 수는 없사옵니다. 신이 이미 명나라 장수를 접대하라는 명을 받았사오니 비록 병중에 있는 몸이오나 나가서 그들을 영접하도록 하겠사옵나이다"라고 했는데, 임금께서 윤허하셨다.

칠월 초이렛날 아픈 몸을 겨우 추스려 행궁에 나아가 임금께 하직 인사를 드리려 하는데, 임금께서 나를 보고자 하시기에 불편한 몸이라 두 무릎으로 엉금엉금 기어들어가서 아뢰기를 "명나라 군사가 평양으로 가는 길에 소곶[所串] 이남으로 정주・가산까지는 오천 명의 군사가 지나가도 하루 이틀 정도는 식량을 댈 수가 있을 것이옵니다. 그러나 안주・숙천・순안 세 고을에는 비축해 놓은 곡식이 없어 명나라 군사가 이곳을 지나갈 때는 사흘 동안 먹을 양식을 가지고 가서 안주 이

남의 식량 보급에 대비해야 하옵니다. 만약 군사가 평양에 이르러 그 날로 평양성을 수복한다면 성안에 곡식이 많아 아무 어려움이 없겠사오나 여러 날 평양성을 포위하여 시일이 지체될 경우에는 평양 서쪽에 있는 강서·용강·함종 세 고을에서 모든 수단을 다 동원하여 군부대까지 곡식을 실어 나를 수 있다면 식량이 모자라지는 않을 것이옵니다. 그러하오니 이 같은 어려운 입장을 이곳에 있는 여러 신료들이 명나라 장수들과 상의하고 조율하여 원만하게 일이 진행될 수 있도록 하시옵소서"라고 하니, 임금께서 그렇게 하겠노라고 답을 주셨다. 내가 행궁에서 나오는데 임금께서 웅담과 납약(臘藥, 납제臘劑라고도 하였다. 조선조 세시풍속의 하나로 동지 뒤로 첫 미일未日인 납일臘日에 임금의 치료를 전담하는 내의원內醫院에서 환약丸藥을 지어 올리면 임금이 이 약을 신하들에게 나누어 주었는데, 이를 납약이라 하고, 이 약으로는 청심환淸心丸·안심환安心丸·소합환蘇合丸 둥이 있었다)을 내려 주셨다. 그 약을 가지고 온 내의원의 하인인 용운이라는 자가 나를 성문 밖 5리까지 따라 나와 전송하며 통곡하였는데, 내가 전문령箭門嶺을 오를 때까지도 그 통곡소리가 들렸다.

저녁에 소곶에 도착하니 고을 아전과 나졸들이 모두 달아나버려 그 그림자조차도 볼 수 없었다. 군관을 시켜 마을로 가서 그들을 찾아보게 했더니 아전과 나졸 몇 명을 찾아서 데리고 왔다. 내가 진정으로 그들을 타일러 "나라에서 평소에 너희들을 돌보고 기른 것은 오늘 같은 어려운 시기에 도움을 받고자 한 것인데 어찌 차마 달아나 숨을 수 있단 말인가. 지금 명나라 군사들이 우리나라에 도착해서 온 나라가 정말 급박하게 돌아가고 있으니 이때야말로 너희들이 있는 힘을 다해 나라를 위해 공을 세워야 할 것이 아닌가"라고 하고는, 빈 공책 한 권을 꺼내어 먼저 온 순서대로 성명을 쓰게 하였다. 그 공책을 내보이며 말하기를 "훗날에 여기에 이름이 적힌 사람으로 그 공로를 차례로 매겨 임금께 아뢰어 상을 내리시도록 할 것이야. 그 이름이 여기에 기록되지 않은 자는 왜란이 진정된 뒤에 일일이 조사하여 반드시 벌을 내릴 것이니 한 사람도 그것에서 벗어날 수 없을 게다"라고 하였다.

그런 뒤에 조금 있으니 아전과 나졸들이 줄을 이어 나타나서 하는 말이 "소인들은 일 때문에 잠깐 출타했을 따름이온데 어찌 감히 힘든 일이라고 피할 수 있겠사옵니까"라고 하며 그 공책에 자신들의 성명을 쓰고자 하였다. 나는 이 방법으로 민심을 수습할 수 있다는 사실을 알고 바로 각 고을에 공문을 보내 개인의 공적을 참고할 수 있는 고공책考功冊을 비치하여 공적의 적고 많음을 기록하였다가 나중에 포상을 시행할 때 근거 자료로 삼도록 하였다. 이리하여 나의 명령을 들은 사람들이 앞다투어 나와 땔감으로 사용할 풀을 운반하고 가옥을 짓고 가마와 솥을 설치하는 등 모든 것들이 조금씩 제 모습을 갖추어 가고 있었다.

나는 난리를 만난 백성을 급하게 채근하여 부리는 것이 옳지 않다는 것을 알았으므로 다만 정성을 다 기울여 그들을 타일렀을 뿐이지 한 사람에게도 매질을 가한 적이 없었다.

정주에 나아가니 홍종록이 귀성 고을 사람들을 다 동원하여 말 먹일 콩과 군량미로 사용할 좁쌀을 정주와 가산에 이미 2천 섬을 운반해 놓았었다. 그러나 나는 오히려 안주 이후 지역의 군량을 공급하는 문제가 염려되었다. 그때 마침 충청도 아산에서 세금으로 거둬들인 쌀 1천 2백 섬을 실은 배가 임금이 계시는 행재소로 가는 길에 정주 입암에 정박하고 있었다. 내가 너무 기뻐서 급히 임금께 장계를 올려 "먼 곳에서 마치 약속이나 한 듯이 이곳까지 곡식을 실어 보냈사오니, 이는 하늘이 우리를 도와서 우리에게 중흥할 운세를 주신 것이옵니다. 청하옵기는 이 곡식을 명나라 군사를 먹일 군량미로 사용하면 어떻겠사옵니까"라고 하였다. 그러고는 수문장 강사웅姜士雄에게 말을 달려 입암으로 가서, 배에 싣고 온 곡식 가운데 2백 섬을 정주에, 또 2백 섬을 가산에, 나머지 8백 섬을 안주로 나누어 보내도록 하였다. 특히 안주는 왜적이 있는 곳과 거리가 가까우므로 임시로 배를 바다 가운데 정박시켜 적당한 때를 기다리라고 지시하였다.

선사포 첨사宣沙浦僉使 장우성張佑成은 대정강에 부교浮橋를 만들고, 노강 첨사老江僉使 민계중閔繼仲은 청천강에 부교를 만들어 명나라 군사들이 강을 건널 수 있게 하는 등 여러 가지 필요한 조치를 취해 놓고, 나는 명나라 군사가 오기에 앞서 안주로 가서 영접준비 상황을 점검해야 하였다.

그때 왜적이 평양에 진입한 뒤로 오랫동안 성 밖을 나오지 않고 있었으므로 순찰사 이원익이 병사 이빈과 함께 순안에 주둔하고 있었고, 도원수 김명원은 숙천에 있었으며, 나는 안주에 있었다.

7월 19일에 조승훈의 군대가 평양성전투에서 패하다

칠월 열아흐렛날에 총병 조승훈의 군대가 평양성을 공격했으나 전세가 불리하자 후퇴하고, 유격대장 사유史儒가 전사하였다.

이보다 앞서, 조승훈이 의주에 도착하였을 때 사유는 자신의 군사를 거느리고 선봉에 섰었다. 조승훈은 요동 지역의 용맹한 장수로, 여러 번에 걸쳐 북쪽 오랑캐인 여진족과의 전투에서 전공을 세웠으므로 이번 원정길에서도 반드시 왜적을 물리칠 수 있을 것이라고 확신하였다. 그가 가산이 이르렀을 때 우리나라 사람들에게 "평양에 들어온 왜적이 이미 도망치지 않았느냐"고 묻기에 그대로 있다고 대답하니, 조승훈이 술잔을 들고 하늘을 바라보며 빌기를 "왜적이 아직 그대로 있다니, 이는 분명 하늘이 나에게 큰 공을 이루게 하시려는 것이로다"라고 하였다.

조승훈의 부대가 이날 한밤중인 삼경쯤에 순안에서 출발하여 평양으로 진격했는데 때마침 큰비가 내려 성 위에는 지키는 병사가 없었다. 명나라 군사가 칠성문을 따라 성안으로 들어갔는데, 성안에는 길이 좁은데다가 꼬불꼬불한 골목이 많아 말이 제대로 다리를 쭉쭉 뻗어 빨리 달릴 수가 없었다. 그때 왜적이 험하고 좁은 곳에 의지하여 어지럽게 조총을 쏘아대니 유격대장 사유는 총알에 맞아 즉사하고 많은 말과 군사들이 희생되었다. 조승훈이 어쩔 수 없어서 군사를 후퇴시켰으나 왜적이 급히 그들을 추격하지 않았다. 뒤에 오던 명나라 군사들이 진흙 구덩이에 빠지기도 하였는데 그 중에 스스로 빠져나올 수 없었던 병사들은 모두 왜적에게 죽임을 당하였다.

조승훈이 남은 병사들을 이끌고 돌아오는 길에 순안과 숙천을 지나 야밤에 안주성 밖에 도착하였다. 말을 세우고 통역관 박의검朴義儉을 불러 이르기를 "우리 군사들이 오늘 전투에서 적군을 많이 죽이기는 하였지만, 불행하게도 유격대장 사유가 총격상을 입고 죽었다. 천시天時가 불리하여 큰비가 내려 온통 진흙투성이가 되는 바람에 적을 섬멸시키지 못했으니 군사를 더 보충하여 다시 돌아올 것이다. 너희 재상에게 동요하지 말라고 이르고, 부교도 철거하지 말라고 당부하라"고 하였다. 말을 마치자 말을 달려 청천강과 대정교 두 다리를 건너 공강정控江亭 가에 군사를 주둔시켰다.

조승훈이 싸움에 패하여 간담이 서늘해지고 잔뜩 겁을 집어먹어 왜적이 추격해 올까 두려운 나머지 앞에 두 강을 방패막이로 삼기 위하여 이같이 서둘러 멀리 달아난 것이었다. 나는 종사관 신경진을 시켜 조승훈을 위로하고, 필요한 양식과 음식을 실어 보냈다.

조승훈이 공강정에 머물던 이틀 동안 주야로 끊임없이 큰비가 내리는 가운데 군사들이 들에서 노숙하며 갑옷을 다 적셨으므로 모두가 조승훈을 원망하였다.

얼마 있다가 명나라 군사가 물러나 본국으로 돌아갔다. 나는 민심이 동요할까 두려운 나머지 임금에게 글을 올려, 임금께서 정주에 그대로 머물러 계시면서 명나라의 후속 군사들이 올 때를 기다리시는 것이 좋겠다고 요청 드렸다.

이순신이 거제 해전에서 왜적을 크게 무찌르다

이순신 장군

전라수군절도사全羅水軍節度使 이순신李舜臣이 경상우수사慶尙右水使 원균元均·전라우수사全羅右水使 이억기(李億祺, 1561-1597, 조선조의 무신으로 자는 경수景受, 본관은 전주다. 임진왜란 때 원균의 휘하에서 칠천량漆川梁 전투에서 왜적과 싸우다 원균과 함께 전사하였다. 시호는 의민毅愍이다) 등과 함께 거제 앞바다에서 왜적을 크게 무찔렀다.

처음에 왜적이 우리나라에 상륙했을 때 원균이 왜적의 세력이 너무 막강한 것을 보고 감히 나가 싸울 엄두가 나지 않았다. 그래서 자신의 휘하에 있던 전선 백여 척과 화포, 병기 등을 모두 바닷속에 집어넣어 수장시키고는 자신의 부하인 비장裨將 이영남(李英男, ?-1598, 조선조의 무신으로 임진왜란 때 노량해전露梁海戰에서 왜적과 싸우다 전사하였다) · 이운룡(李雲龍, 1562-1610, 조선조의 무신으로 자는 경현景見, 호는 동계東溪, 본관은 재령이다. 임진왜란 때 여러 곳의 해전에서 공을 세우고, 삼도수군통제사에 임명되어 이순신의 유업을 계승하였다) 등과 함께 단 네 척의 배에 나눠 타고 바삐 노를 저어 곤양 바다 어구에 닻을 내리고 상륙하여 왜적을 피하려고 하였다. 이리하여 그가 거느리고 있던 우리 수군 만여 명이 어이없이 무너지게 되었다.

이영남이 간하기를 "공께서는 임금의 명을 받아 수군절도사가 되셨는데, 지금 이렇게 우리 군사들을 버리고 육지에 내리시려고 하십니까. 뒷날에 조정에서 죄를 물을 때 어떻게 해명하려고 그러십니까. 그러니 전라도에 군사를 요청하셔서 왜적과 한 번 싸워보셔서 이기지 못하게 된 뒤에 달아나도 늦지 않을 것입니다"라고 하니, 원균이 "네 말이 그럴 듯하다" 하고는 이영남으로 하여금 이순신에게 가서 도움을 청하도록 했다. 도움을 요청 받은 이순신이 "각자 지켜야 할 경계가 있고 조정에서도 명령을 내리지 않았는데, 어찌 내가 독단적으로 위수지역을 벗어날 수 있겠느냐"고 하면서 거절하였다. 원균이 또 이영남을 시켜 대여섯 차례나 도움을 요청하였는데, 이영남이 돌아올 때마다 원균이 뱃머리에 앉아서 빈손으로 돌아오는 것을 보고는 통곡하였다.

얼마 후에 이순신이 이억기와도 약속하여 판옥선板屋船 40척을 이끌고 거제 앞바다에 이르러 원균의 군사들과 연합하여 앞으로 진격하다 왜적의 전함과 견내량(見乃梁, 경상남도 거제시와 통영시를 잇는 거제대교의

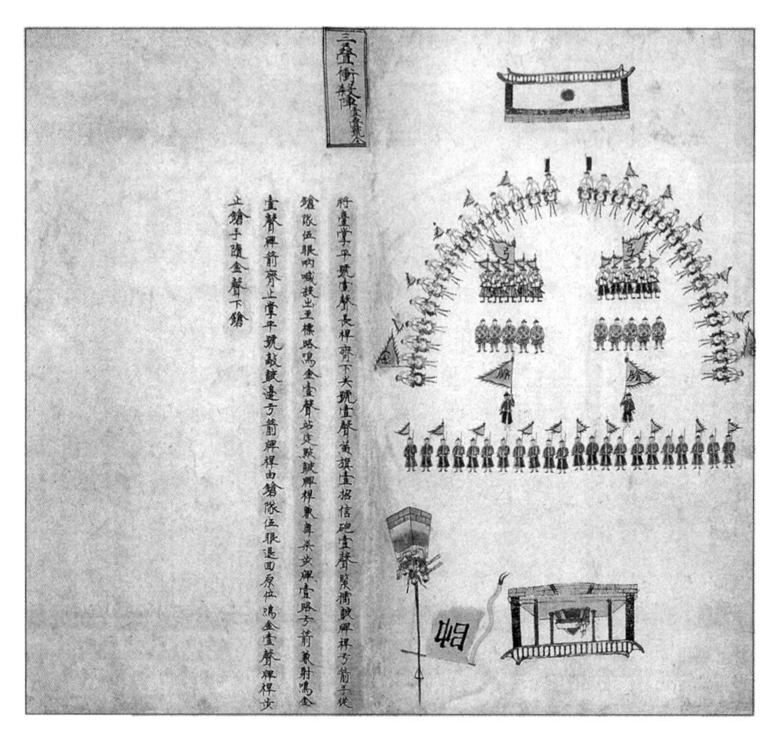

충무공팔진도忠武公八陣圖

아래쪽에 위치한 좁은 해협을 말한다)에서 마주치게 되었다. 이순신이 말하기를 "이곳은 바다가 좁고 수심이 얕아서 배를 돌리기가 어려우니 거짓으로 후퇴하는 것처럼 해서 적을 유인하여 넓은 바다에 나가서 싸우는 것이 유리하겠습니다"라고 하였다. 원균이 이순신에 대한 분한 마음을 자제하지 못하고 바로 나아가서 치고 싸우려고 하자, 이순신이 말하기를 "공께서는 병법을 잘 모르시군요. 이렇게 하신다면 반드시 패하실 겁니다"라고 하였다. 마침내 깃발로 아군의 배에 물러나라는 신호를 하여 물러나는 척하니 왜적이 크게 기뻐하여 서로 다투어 배를 저어 좁은 어귀로 나왔다. 이때 이순신이 한 번 북을 울리자 물러나던

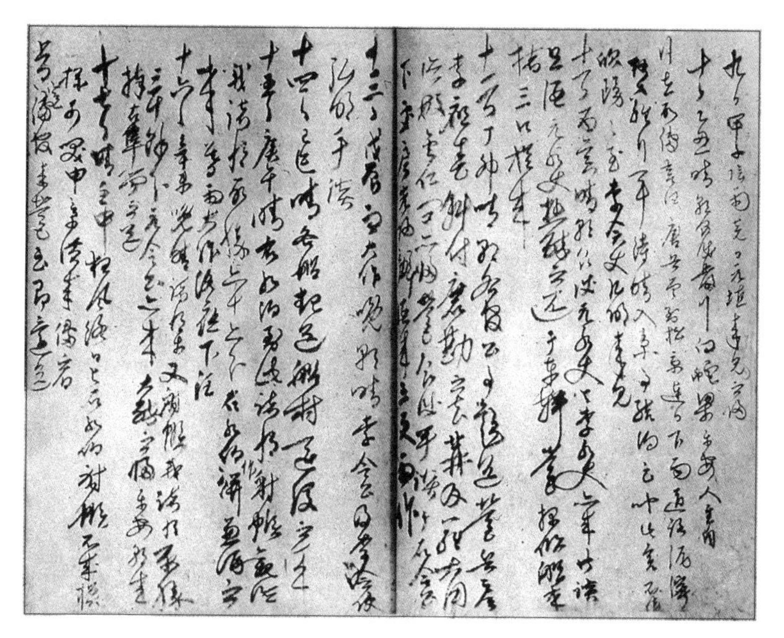

이순신의 「난중일기」의 일부분

아군의 모든 배가 일제히 노를 돌려 바다 가운데 열을 지어 서서 바로 적선과 마주보게 되니 양쪽의 거리가 채 수십 보에 지나지 않았다.

이에 앞서 이순신이 거북선[龜船귀선]을 만들었다. 마치 거북의 등처럼 가운데가 불룩하게 널빤지로 배 위를 덮고, 군사와 노 젓는 사람을 모두 배 안에 보이지 않게 숨길 수 있었으며 좌우와 앞뒤에 화포를 많이 설치하여 화포가 마치 베틀의 북처럼 자유자재로 드나들 수 있게 하였다. 적선을 만나면 연속으로 화포를 쏘아 적선을 깨뜨리니 여러 거북선이 일시에 한꺼번에 포를 쏘면 연기와 화염이 하늘 높이 치솟아 수많은 적선을 불태우기도 하였다.

왜적의 장수가 누선(樓船, 옛날에 배의 상갑판 위에 사령탑으로 쓰이는 다락을 갖춘 군선軍船을 말한다)에 타고 있었는데 그 다락의 높이가 서너 길이나 되고 위에는 적의 동정을 살피는 망루를 설치했으며, 그 망루 바깥을 붉은 비단과 채색 담요로 둘렀었다. 그렇지만 그 배 또한 거북선에 설치한 대포에 맞아 산산조각 부서지고 적군은 모두 물에 빠져 죽었다. 그 후에 왜적이 해전에서 연전연패하여 마침내 부산과 거제로 숨어들어가 다시는 모습을 나타내지 않았다.

하루는 이순신이 전쟁을 독려하고 있는데 날아오던 유탄이 그의 왼쪽 어깨를 적중하여 피가 팔꿈치까지 흘러내렸다. 이순신이 아무 말도 하지 않다가 싸움이 끝난 뒤에 비로소 칼로 살을 갈라서 탄환을 꺼냈다. 탄환이 서너 치 깊이로 파고들어 옆에서 보던 사람들의 얼굴이 흑빛이 되었으나 오히려 이순신은 담소를 나누며 태연자약했다.

전쟁에서 승리했다는 소식이 알려지자 조정의 대소신료들이 모두 좋아하였다. 임금께서 이순신을 1품 벼슬에 승진시키려고 했으나 너무 분에 넘치는 승진이라고 말하는 사람들이 있어 정2품직인 정헌대부正憲大夫에 승진시키고, 이억기와 원균은 종2품직인 거선대부嘉善大夫에 승진시켰다.

이에 앞서 왜적의 장수 고니시 유키나가가 평양에 와서 "일본의 수군 십여 만 명이 서해를 따라오게 되어 있는데, 조선의 어가는 이곳에서 어디로 가려고 하시요"라는 글을 보낸 적이 있었다. 왜적은 본래 수군과 육군이 합세하여 서쪽으로 내려가려고 계획했었는데, 거제에서 한 번의 싸움에 패함으로써 마침내 적의 한쪽 팔이 잘린 격이라 유키나가가 비록 평양을 정복했으나 한쪽 세력이 꺾였으므로 앞으로 더 나아갈 수 없었다.

우리나라가 전라·충청도에서부터 황해·평안도까지의 연해를 확보함으로써 군량미가 적재적시에 보급되고, 조정의 명령체계가 확립되었기 때문에 왜적을 물리치고 나라의 중흥을 이룰 수 있었다. 또한 요동의 금주·복주·해주·개주 등 여러 곳이 왜적과의 전쟁에 휩쓸리지 않아 명나라 군사가 육로로 와서 우리를 도와 적을 물리치게 된 것도 모두 거제에서 거둔 해전의 승리 덕분이다. 아아! 이것이 어찌 하늘의 도움이 아니겠는가.

이순신은 경상·전라·충청 3도의 수군을 이끌며 한산도에 주둔하여 왜적이 서쪽으로 침범하는 것을 막았다.

35

전 의금부도사 조호익이 강동에서 군사를 모집하여 왜적을 치다

전 의금부도사前義禁府都事 조호익(曺好益, 1545-1609, 조선조의 문신, 학자으로 자는 사우士友, 호는 지산芝山, 본관은 창녕이다. 이황의 문인이고, 선조 9년(1576)에 최황이 경상도 도사慶尙道都事로 부임하여 조호익을 군적감독관軍籍監督官으로 임명했으나 친상을 당하여 거부하자 최황이 모함하여 강동으로 유배되었다. 관직은 안주목사를 지냈으며, 시호는 처음에 정간貞簡이었다가 뒤에 문간文簡으로 고쳤다)이 강동에서 군사를 모집하여 왜적을 쳤다. 조호익은 창원 사람으로 지조와 덕행이 있었으나 전에 다른 사람의 모함을 받아 온 가족이 강동으로 이사하였었다. 집안 형편이 가난하여 생도를 가르쳐서 생계를 유지한 지가 기의 이십여 년이 지났지만 지조는 더욱 굳세어졌다.

어가가 평양에 이르러 조정에서 그의 죄를 사면하고 의금부도사에 임명하였다. 평양이 왜적에게 포위되자 조호익이 강동으로 가서 병사를 모아 평양성을 구원하고자 했으나 이미 평양이 함락되고 군인과 백성들이 뿔뿔이 흩어졌으므로 그는 임금이 계시는 행재소로 돌아왔다. 내가 양책역에서 그를 만나 말하기를 "명나라 군대가 오게 되면 그대는 의주로 가지 말고 강동으로 다시 돌아가 전에 하던 대로 군사를 모집하여 명나라 군사와 평양에서 만나 힘을 보태는 것이 좋겠소"라고 하니, 조호익이 내 말을 따랐다. 나는 조정에 장계를 올려 모병을 해야 하는 이유를 알리고는, 군사를 모집하는 공문을 만들어 조호익에게 주고 필요한 무기도 도와주었다. 조호익이 강동으로 가서 군사 수백 명을 모아 상원祥原으로 나가 진을 치고 있었는데, 그곳에서 왜적을 만나 많은 수의 목을 벴다.

조호익은 서생이라 활쏘기나 말 타는 것에 익숙하지 않았으나 다만 충의忠義로 군사들의 마음을 격려하였다. 동짓날에 자신을 따르는 사졸들을 이끌고 임금이 계시는 행재소를 바라보며 네 번 절하고 밤새도록 통곡하니 군사들이 모두 눈물을 흘렸다.

36

김제 군수 정담과 해남 현감 변응정이 웅령전투에서 전사하다

왜적이 전라도를 침범하자 김제 군수 정담(鄭湛, ?-1592, 조선조의 무신으로 자는 징경澄卿, 본관은 초계이다. 김제 군수로 있다가 임진왜란을 만나 의병을 모집하여 의병장으로 웅치에서 왜적과 싸우다 전사하였다)과 해남 현감 변응정(邊應井, 1557-1592, 조선조의 무신으로 자는 문숙文淑, 본관은 원주이다. 해남 현감으로 있다가 임진왜란을 만나 웅치 전투에서 전사했다. 시호는 충장忠壯이다)이 힘을 다해 싸우다가 전사하였다.

이때 왜적이 경상우도로부터 전주 경계 지점에 들어오니 정담과 변응정 등이 웅령에서 적을 방어하였다. 목책을 만들어 산길을 가로막고 장수와 병사들을 독촉하여 온종일 크게 싸워 적병을 수없이 쏘아 죽였다. 적군이 후퇴하려고 하는데 마침 날이 어두워지고 게다가 아군에게 화살이 다 소진된 것을 알게 된 적군이 다시 공격해 들어와 두 사람이 함께 전사하고 아군은 무너졌다.

다음날 왜적이 전주에 이르자 관리들이 달아나려 하니 그 고을 사람으로 전에 전적典籍을 지낸 이정란(李廷鸞, 1529-1600, 조선조의 문신으로 자는 문보文父, 본관은 전의이다. 임진왜란 때 의병을 모집하여 적의 진로를 막아 그 공을 인정받았고, 정유재란 때는 전주 부윤으로서 소모사召募使를 겸임하여 전공을 세웠다)이 성안으로 들어와 아전과 백성들을 이끌며 전주성을 굳게 지켰다. 그때 왜적의 정예병이 웅령 전투에서 많이 죽었으므로 기세가 이미 꺾여 있던 형국이었고, 더욱이 전라감사 이광이 성 밖에 가짜 병사인 의병疑兵을 세워 놓고 낮이면 많은 깃발을 걸어두고 밤이면 산에 가득 횃불을 줄을 지어 세워 놓아 군사들이 많은 것처럼 위장하였으므로 왜적이 성 아래에 이르러 몇 번이고 뻥 돌아가면서 살펴보고는 감히 공격하지 못하고 퇴각하였다.

왜적들이 웅령전투에서 죽은 병사들의 시체를 모아 길가에 큰 무덤을 몇 군데 만들고 그 무덤 위에 비목碑木을 세워 '충성과 의리로 싸운 조선국의 전사를 조상弔喪하노라[弔朝鮮國忠肝義膽조조선국충간의담]'라는 글을 써놓았는데, 이는 힘을 다해서 나라를 위해 싸운 우리나라 전사자를 기리는 말이었다. 이로써 전라도는 왜적에게서 온전히 지켜낼 수가 있었다.

8월 1일에 순찰사 이원익 등이 평양성을 공격했으나 실패하다

팔월 초하루에 순찰사 이원익과 순변사 이빈 등이 군사를 이끌고 평양성을 공격해 들어갔으나 전세가 불리하여 후퇴하였다.

그때 이원익과 이빈이 군사 수천 명을 거느리고 순안에 주둔하였고, 별장別將 김응서(金應瑞, 1564-1624, 조선조의 무장으로 자는 성보聖甫, 본관은 김해이다. 임진왜란 때 공을 세워 평안도 방어사가 되었고, 평안도 병사兵使가 되어 강홍립과 후금을 공격하려는 명나라를 돕기 위하여 요동으로 진출했다가 패전하여 후금군에 투항하였다. 그때 후금의 정황을 기록하여 조선에 보내려다가 강홍립에 의하여 고발당함으로써 살해되었다. 시호는 양의襄毅다) 등은 용강·삼화·증산·강서 등 네 고을의 군사를 이끌며 이십여 개의 진을 만들어 평양 서쪽에 머물고 있었으며, 김억추(金億秋, 조선조의 무장으로 자는 방로邦老, 본관은 청주이다. 관직은 병조판서를 지냈으며, 시호는 현무顯武다)는 수군을 거느리고 대동강 하류에 있으면서 왜적을 사방에서 협공하는 형세를 취하고 있었다.

이날 이원익 등이 평양성 북쪽에서 진격하여 왜적의 선봉과 맞닥뜨려 활을 쏘아 이십여 명의 적군을 맞추었다. 그러나 얼마 뒤에 적군이 대거 밀어닥치자 아군들이 놀래어 무너졌는데, 강변 출신의 용감한 병사들이 많이 죽고 상처를 입기도 하였다. 더 이상 싸울 수 없어서 순안으로 돌아와 주둔하였다.

9월에 명나라 유격장군 심유경이 조선에 오다

구월에 명나라 유격장군 심유경(沈惟敬, ?-1597, 중국 명나라 외교관으로 절강성 또는 복건성 출신이라고 한다. 그의 아버지가 상인으로 일본을 왕래하였으므로 그도 일본을 잘 안다고 하여 병조상서 석성에게 발탁되어 임진왜란 때 유격대장으로 구원군에 참여하였다. 그가 일본과의 강화를 교섭한다고 중국과 일본 정부를 속였으므로 조선에 온 명나라 장수 양원陽元에게 붙잡혀 살해당하였다)이 우리나라에 왔다.

처음에 조승훈이 왜적과의 싸움에서 패하자 왜적이 더욱 기고만장하여 우리 아군에게 보낸 글에 '여러 마리의 양이 한 마리의 호랑이를 공격했다[群羊攻一虎군양공일호]'라는 말이 있었는데, 명나라의 군사를 양에 비유하고 자기 자신을 호랑이에 비유하여 스스로 떠벌리는 말이었다. 또한 당장 아침저녁을 넘기지 않고 서쪽을 휩쓸고 내려갈 것이라고 떠들어대는 바람에 의주 사람들이 모두 등에 피난 봇짐을 멘 채 서서 생활하였다.

심유경은 본래 절강성 사람으로, 명나라 병부상서인 석성이 그가 일찍부터 왜국의 정세를 잘 알고 있다고 생각하여 유격대장이라는 이름을 주어서 우리나라로 내보낸 것이었다. 순안에 이르자 심유경이 왜장에게 명나라 황제의 교지라는 명목으로 편지를 보내어 "조선이 일본에게 무슨 잘못을 저질렀길래 너희 나라가 이렇게 멋대로 군사를 일으켰는가"라고 문책하였다.

그때 왜적의 침입으로 사변이 갑자기 일어났고, 또 그들이 저지른 만행이 너무나 잔혹하여 사람들이 겁을 내고 두려워한 나머지 감히 왜적의 병영을 엿볼 엄두를 못 내었다. 그러나 심유경은 황색 보자기에 그 편지를 싸서 자기가 데리고 있는 한 하인으로 하여금 등에 메게 하고는 말을 달려 보통문을 통해서 평양성으로 들어가게 했다. 일본 장수 고니시 유키나가가 그 편지를 보고는 곧바로 답신을 보내어 서로 만나서 문제를 논의하자고 하였다.

심유경이 가려고 하자 사람들이 모두 위험하니 그만두라고 권했으나, 심유경이 웃으며 말하기를 "저들이 어찌 나를 해치겠는가" 하고는 병사 서너 명만을 데리고 평양성으로 갔다.

고니시 유키나가, 소 요시토시, 겐소 등이 승자의 위엄을 한껏 과시하며 평양성 북쪽 십 리 밖의 강복산에 나와서 심유경을 맞았다. 아군이 대흥산 꼭대기에 올라 바라보니 많은 수의 왜군이 서릿발같이 번쩍이는 칼과 창을 들고 서 있고, 심유경이 말에서 내려 왜적의 진영 안으로 들어가자 왜군들이 사방을 에워싸니 마치 심유경이 붙잡힌 것으로 의심할 정도로 살벌해 보였다.

해가 저물어서야 심유경이 돌아왔는데, 왜군들이 그를 심히 정중하게 배웅했다. 다음날 유키나가가 편지를 보내 안부를 물었다. 그 편지 속에 "대인께서 시퍼런 칼날 속에 계시면서도 안색이 전혀 변하지 않고 태연자약하셨으니 비록 일본인일지라도 그보다 더 담대할 수는 없을 것이옵니다"라고 하였다. 심유경이 답신을 보내 이르기를 "그대는 당나라 때 사람 곽공(郭公, 697-781, 중국 당나라 명장 곽자의郭子儀로 섬서성陝西城 정현鄭縣 출신이다. 안녹산安祿山의 난이 일어나자 반란군을 토벌하였고 위구르의 원군을 얻어 창안과 뤄양을 수복했다. 토번(吐藩, 티베트)이 창안을 치려 하자 위구르를 회유懷柔하여 그들을 무찔렀다. 중국 최고의 무장이자 전략가로 통한다)이란 이름을 들어보았는가. 그는 단기필마로 위구르(回紇회흘, 중국 소수민족의 하나로, 수·당 시대부터 실크로드 지역에 분포해서 살았던 토이기 계통이다)의 일만 군대 속에 들어가서도 전혀 두려워하지 않았으니, 난들 어찌 너희들을 두려워하겠는가"라고 하였다.

그 일로 인하여 왜인들과 약속하기를 "내가 본국으로 돌아가서 황제께 보고 드리면 반드시 적절한 처분이 내릴 것이다. 50일을 기한으로 삼아 왜인들은 평양성 서북쪽 10리 밖에 나가서 노략질을 하지 말고, 조선인도 평양 서북쪽 10리 안에 들어가 왜인들과 싸워서는 안 될 것이다"라고 하고는 그 지역 경계에다가 출입금지를 표시한 말뚝을 세워 놓았으나, 우리나라 사람들은 이것이 무엇을 뜻하는지 헤아리지 못하였다.

경기감사 심대가 왜적의 습격을 받아 전사하다

경기감사 심대(沈岱, 1546-1592, 조선조의 문신으로 자는 공망公望, 호는 서돈西墩, 본관은 청송이다. 관직은 경기감사를 지냈으며, 임진왜란 때 무공을 세워 청원군靑原君으로 추봉되었고, 시호는 충장忠壯이다)가 왜적의 습격을 받아 삭녕에서 전사하였다.

심대는 사람됨이 불의를 보고 그냥 넘기지 못했으므로 왜적의 침입이 있은 뒤로부터 늘 울분을 참지 못하고 있었다. 그러므로 그는 나라의 사명을 띠고 전쟁터를 드나들면서 안전한 곳과 위험한 곳을 가리지 않았다.

이해 가을에 심대가 권징權徵을 대신하여 경기 감사가 되어 임금이 계시는 행재소에서 임지로 부임해 가는 길에 안주를 나오다가 백상루 위에 있는 나를 만나러 왔다. 그는 나라가 겪고 있는 환란을 얘기하면서 애통한 빛을 감추지 못하였다. 그가 마음속으로는 곧바로 치열한 전투에 뛰어들어 직접 왜적과 싸우고 싶어 하는 것 같았다. 내가 훈계하기를 "옛 사람의 말에 '농사일은 사내종에게 물어보라'(이 말은 조선도 문신인 심순문沈順門, 1465-1540이 "농사는 사내종에게 묻고, 베짜는 일은 계집종에게 물어라[경당문노耕當問奴, 직당문비織當問婢]"라고 한 것에서 나왔다. 심순문의 자는 경지敬之이고, 관직은 장령掌令을 지냈다. 그가 백면서생白面書生이라는 말도 만들었다고 한다)고 하지 않았소. 그대는 서생이라 전쟁터에서는 그리 유능하지는 못할 것이오. 그대가 부임해 가는 곳에 양주목사 고언백高彦伯이란 자가 있소. 그는 용력이 있고 싸움에 능한 사람이라 그대는 군사들만 잘 동원하여 고언백에게 지휘하게 하면 전공을 세울 수 있을 것이오. 스스로 군사를 지휘하여 싸움에 뛰어드는 일은 없도록 하시구려"라고 하니, 심대가 "예, 예"라고 대답했으나 속으로는 전적으로 동의하는 것 같지는 않아 보였다. 나는 또 그가 단신으로 적군 속에 뛰어드는 것을 염려하여 내 휘하에 있던 군관 중에서 의주 사람으로 활 잘 쏘는 장 아무개를 함께 딸려 보냈다.

심대가 떠난 뒤 수개월 동안, 경기도 사람으로 임금이 계시는 행재소에 보고하러 안주를 지나가는 이가 있을 때마다 그가 나에게 편지를 써서 안부를 물었다. 내가 그 사람들에게 경기도의 왜적의 동태는 어떠하며 경기감사는 어떻게 지내느냐고 물으면, 대답하기를 "경기도는 왜적의 노략질이 다른 도보다 더 심하고 왜적이 매일 출몰하여 집에 불을 지르고 노략질하여 제대로 성한 지역이 없습니다. 이전의 감사와 고을 수령 등의 관료들은 모두가 깊고 후미진 곳을 찾아 몸을 숨기고, 따라다니는 사람도 없이 민간 복장으로 몰래 다니거나 아니면 자주 옮겨 다녀 거처가 일정치 않아 적의 공격에서 벗어날 수 있었습니다. 그러나 지금의 감사께서는 왜적을 두려워하지 않아 고을을 순행巡行할 때마다 평소처럼 공문을 먼저 보내 일정을 알리고 깃발을 세우고 나팔을 불게 하여 아무 거리낌 없이 다니십니다"라고 하였다. 나는 그 말을 듣고 심히 염려스러워 편지를 써서 전에 했던 것처럼 엄중하게 타일렀지만 그 이후로도 심대의 태도는 전혀 변하지 않았다.

얼마 뒤에 심대가 군사를 모아 직접 지휘하여 서울을 수복하겠다고 떠들고 다니며, 매일 도성 안으로 사람을 보내면서 무리를 모집하였다가 자기가 도성을 치면 안에서 호응하게 하였다. 도성 안의 사람들은 사변이 끝난 뒤에 왜적에게 부역했다는 죄를 뒤집어쓸까 두려운 나머지 연명으로 지원 서류를 작성하여 성 밖으로 나와 감사에게 가서 스스로 성안에서 호응할 수 있다고 했는데, 그런 사람이 하루에 백 명에서 많으면 천 명에까지 이르렀다. 이리하여 도성 안에서 내응하겠다는 약속을 하거나, 혹은 무기를 수송하겠다고 하거나, 혹은 왜적의 동태를 보고한다고 하며 많은 사람들이 거리낌 없이 드나들었는데, 그 중에는 왜적의 첩자로 와서 동정을 살피고 가는 사람들도 적지 않았다. 여러 종류의 사람들이 자유롭게 드나들었지만 심대는 그들을 믿어 의심치 않았다.

이때 심대는 삭녕군(조선조에 지금의 경기도 연천군과 강원도 철원군에 걸쳐 있었던 고을 이름이다)에 있었다. 왜적이 염탐하여 그가 있는 곳을 알아내고는 몰래 한탄강을 건너 야밤에 습격하니 심대가 놀래어 일어나 옷을 주워 입고 달아나다 뒤쫓던 왜적에게 살해당하였고, 군관 장 아무개도 함께 죽었다.

왜적이 사라지자 경기 사람들이 그의 시체를 임시로 삭녕군에 장사를 지냈다. 며칠 뒤에 왜적이 다시 나타나 그의 목을 베어다 서울 종로 거리에 매달았는데 5, 6십 일이 지나도 얼굴빛은 살아생전 그대로였다. 서울 사람들이 그의 충의를 애석하게 생각하여 서로 재물을 추렴하여 왜적에게 뇌물을 주고 심대의 머리를 빼내어 상자에 넣어 강화도로 보냈다. 왜적이 일본으로 돌아간 뒤에 시신과 함께 고향으로 돌려보내 장사 지내게 하였다.

심대는 청송 사람으로, 자는 공망公望이다. 아들의 이름은 대복大復인데, 조정에서 그 아비의 공적을 기려서 아들에게 벼슬을 내려 현감에까지 이르렀다.

강원도 조방장 원호가 왜적을 섬멸하다

강원도 조방장助防將 원호元豪가 구미포에서 왜적을 쳐서 섬멸시켰다. 다시 춘천에서 싸웠지만 패하여 죽었다.

그때 왜적이 충주와 원주에 크게 진을 치고 있었는데, 그곳을 시작으로 병영을 곳곳에 설치하여 서울까지 이어졌다. 충주에 진을 치고 있던 군사들은 죽산·양지·용인으로 통하는 길을 이용하여 서울을 왕래하였고, 원주에 진을 치고 있던 군사들은 지평·양근·양주·광주 길을 따라 서울에 이르렀다.

원호가 여주 구미포에서 적을 쳐서 섬멸시켰고, 이천부사利川府使 변응성邊應星은 활 잘 쏘는 군사들을 배에 싣고 안개가 잔뜩 낀 것을 기회로 삼아 여주 마탄에서 왜적과 싸워 많은 적을 죽였다. 이리하여 원주에 진을 치고 있던 왜적이 서울로 왕래하던 길이 다 끊겼으므로, 어쩔 수 없이 충주로 통하는 길을 이용해 서울을 왕래해야 했다. 그러므로 이천·여주·양근·지평 등에 사는 백성들은 왜적의 칼날에서 벗어나게 되었는데, 사람들은 이를 원호의 공이라고 하였다.

이때 순찰사 유영길이 원호에게 춘천에 진을 치고 있던 왜적을 공격하라고 재촉하였다. 원호가 이미 한 번 승리를 맛본 경험이 있었기 때문에 왜적을 가볍게 생각하여 경계를 소홀히 하였다. 왜적이 원호가 머잖아 지나갈 것을 알고 길목에서 매복하여 기다리고 있었으나 이 사실을 모르고 있던 원호가 앞으로 나아가는데 매복하고 있던 적병이 갑자기 뛰쳐나오니, 어쩌지도 못하고 왜적의 칼날에 죽임을 당했다. 그가 죽음으로써 강원도 일원에서 왜적을 상대하여 막을 자가 없어졌다.

훈련 부봉사 권응수가 영천에서 왜적을 무찌르다

권응수

훈련 부봉사訓鍊副奉事 권응수(權應銖, 1546-1608, 조선조의 무신으로 자는 중평仲平, 호는 백운재白雲齋, 본관은 안동이다. 임진왜란 때 훈련 부봉사로 영천전투에서 승리하여 병마우후兵馬虞侯가 되었으며, 시호는 충의忠毅이다)가 정대임(鄭大任, 1553-1594, 조선조의 무장으로 자는 중경重卿, 호는 창대昌臺, 본관은 연일이다. 임진왜란에 영천전투에서 승리를 거두고, 뒤에 왜적과 싸우다 전사하였다) 등과 함께 고을의 군사들을 이끌고 영천에서 왜적과 싸워 크게 무찌르고 마침내 왜적에게 빼앗겼던 영천을 수복하였다.

권응수는 영천 사람으로 담력과 용맹심이 있었다. 정대임과 함께 그 고을 군사 천여 명을 이끌고 영천에 주둔하고 있는 왜적을 포위하였다. 그런데 아군들이 왜적을 두려워하여 앞으로 나아가지 않자 권응수가 그중의 몇 명의 목을 베니 군사들이 앞다퉈 내달려 성을 넘어 들어갔다. 왜적이 이기지 못하고 창고 속으로 들어가거나 명원루에 올라가자 아군들이 불을 놓아 모두를 불에 태워 죽이니, 그 악취가 몇 리 밖까지 퍼졌다. 살아남은 왜적 수십 명이 달아나 경주 본대로 복귀하였다. 이로부터 신녕·의흥·의성·안동 등에 주둔하고 있던 왜적들이 모두 한쪽 길에만 모이게 되어 경상좌도의 여러 고을을 지킬 수가 있었으니, 이는 영천 한 곳에서 거둔 승리 때문이었다.

42

좌병사 박진이 경주를 수복하다

좌병사左兵使 박진이 왜적에게 점령됐던 경주를 수복하였다.

박진은 임진왜란 초기에 밀양에서 달아나 산속으로 들어갔었다. 그런데 전 병사兵使 이각李珏이 성을 버리고 달아나자 조정에서 그가 숨어 있는 곳을 찾아내어 목을 베고는, 박진을 병사에 임명하였다.

그때 왜적의 무리가 남쪽을 가득 메우고 있어 임금이 계시는 행재소의 소식을 듣지 못한 지 이미 오래 되었다. 그곳의 민심이 동요하여 어찌할 바를 몰랐는데, 박진이 병사가 되었다는 소문을 듣고 흩어졌던 백성들이 조금씩 모여들고 간혹 고을의 수령들이 숨어 있넌 산속에서 나와 다시 제 임무를 수행하니, 비로소 백성들이 조정이 있다는 것을 알게 되었다.

권응수가 영천 땅을 수복하게 되자 박진이 경상좌도 군사 만여 명을 지휘하여 경주성 아래를 육박해 들어갔다. 왜적이 몰래 북쪽 성문을 나와 아군의 후방을 엄습하니 박진이 바삐 안강으로 돌아왔다. 밤에 또 군사들을 보내 경주성 아래에 잠복하고 있다가 성안으로 비격진천뢰(飛擊震天雷, 조선조에 사용했던 대포의 일종으로 선조 때 이장손李長孫이 발명하였다. 포탄의 표면은 무쇠로 만들어 둥근 박과 같고, 포탄 내부는 화약과 빙철憑鐵 등을 장전하고 있으며, 완구碗口에 의하여 발사하는 인마살상용 폭탄이

철환鐵丸과 비격진천뢰飛擊震天雷

었다)를 발사하니 포탄이 객사 뜰에 떨어졌다. 왜적이 그 무기가 뭔지 몰라 다투어 모여들어 둥근 포탄을 밀어서 굴러보기도 하며 이리저리 살펴봤다. 그러나 조금 있다가 포탄이 안에서부터 터지니 그 소리가 하늘을 진동하고, 쇠 파편이 별처럼 산산이 흩어져 파편에 맞아 그 자리에서 죽은 병사가 삼십여 명이 되었고, 파편에 맞지 않은 사람도 기함하여 쓰러졌다가 한참 만에 일어나니 모두가 놀래고 두려움에 떨었다. 그러나 왜적이 그 대포의 체제원리를 알지 못하였으므로 모두가 귀신이 만든 것이라고 하였다.

그 다음날에 마침내 왜적들이 성을 버리고 서생포로 달아나자 박진이 경주성으로 들어가 남은 곡식 만여 섬을 얻었다. 이 소식을 듣고 조정에서 박진을 가선대부嘉善大夫에 승진시키고 권응수는 통정通政에, 정대임은 예천 군수醴泉郡守로 임명하였다.

비격진천뢰는 옛날에는 없던 무기였는데, 군기시軍器寺 화포장火砲匠 이장손(李長孫, 조선조 군기시의 화포장으로 임진왜란이 일어나자 비격진천뢰를 발명하여 왜적을 격퇴하는 데 큰 공을 세웠다)이 만든 것이다. 진천뢰震天雷

를 대완구大碗口라는 청동제 화포에 매겨 발사하면 5, 6백 보를 날아갈 수 있는데, 포탄이 땅에 떨어지고 한참이 지난 뒤에 화약이 안에서 폭발하므로 왜적이 이 무기를 가장 두려워하였다.

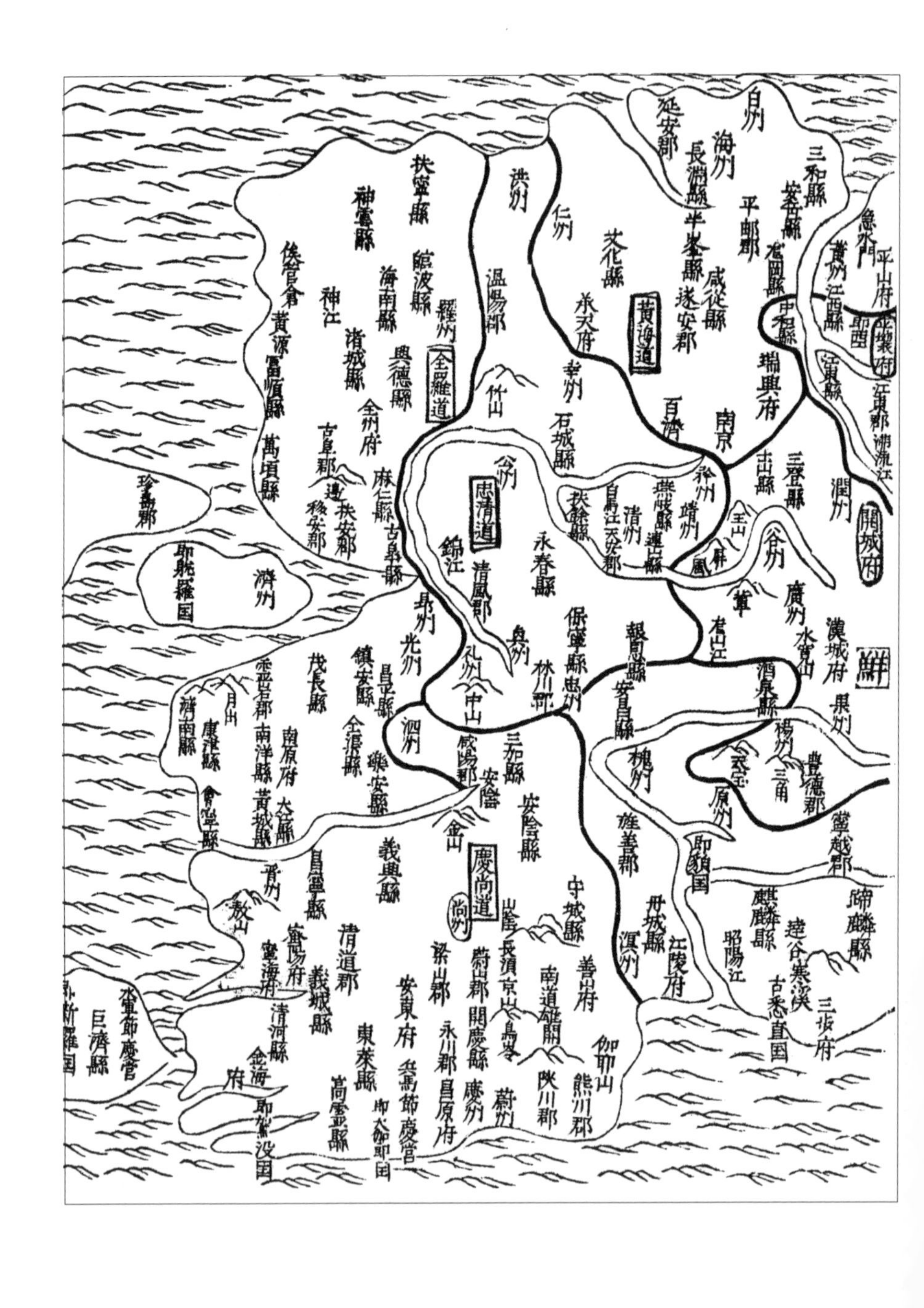

黃海道
全羅道
忠清道
慶尚道
開城府
白州
延安郡
海州
長淵縣
平山府
三和縣
安岳縣
瑞興府
洪州
信州
文化縣
咸從縣
遂安郡
扶寧縣
神靈縣
綾波縣
海南縣
神江
溫陽郡
長興縣
羅州
竹山
石城縣
黃源
萬頃縣
全州府
古阜郡
麻仁縣
扶安郡
珍島郡
濟州
扶餘縣
清州
靖州
燕岐縣
永春縣
錦江
清風郡
光州
保寧縣
廣州
漢城府
茂長縣
鎮安縣
南原府
南洋縣
三角
中山
豊德郡
原州
咸陽郡
安陰
安陰縣
金山
義興縣
中城縣
旌善郡
善山府
清道郡
梁山郡
安東府
東萊縣
江陵府
高靈縣
永川郡
慶州
陜川郡
熊川郡
巨濟縣
金海
府
三步府

조선도(『징비록』, 東京大學藏에 실린 삽화)

징비록 권 2

각 도에서 의병이 일어나 왜적을 토벌하다

김천일

그때 각 도에서 의병을 일으켜 왜적을 토벌한 사람이 매우 많았다.

전라도 의병장으로는, 전에 판결사判決事를 지냈던 김천일(金千鎰, 1537-1593, 조선조의 의병장으로 자는 사중士重, 호는 건재健齋, 본관은 언양이다. 임진왜란 때 나주에서 고경명·최경회 등과 함께 의병을 일으켜 공을 세우자 조정에서 판결사라는 관직과 함께 창의사倡義使라는 칭호를 내렸다. 왜적과의 진주성 싸움에서 분전하다가 세가 불리하여 아들 상건象乾과 함께 남강에 투신하여 순절하였다. 시호는 문열文烈이다), 첨지 고경명(高敬命, 1533-1592, 조선조의 문신이자 의병장으로 자는 이순而順, 호는 제봉霽峯, 본관은 장흥이다. 관직은 동래부사를 지냈고, 임진왜란 때 의병 6천 명을 거느리고 금산에서 왜적과 싸우다 전사하였다. 시호는 충렬忠烈이다), 전 영해부사寧海府使 최경회(崔慶會, 1532-1593, 조선조의 문신이자 의병장으로 자는 선우善遇, 호는 삼계三溪, 본관은 해주이다. 임진왜란 때 전라우도 의병장이 되어 전공을 세웠으므로 조정에서 경상 우병사에 임명하였다. 진주성 싸움에서 분전하다 세에 밀려 남강에 투신하여 순절하였다. 시호는 충의忠毅다) 등이 있었다.

김천일의 자는 사중士重이다. 의병을 이끌고 먼저 경기도에 이르니 조정에서 그를 가상히 여겨 창의倡義라는 군호軍號를 내렸다. 얼마 있다가 군대를 유지할 수 없게 되자 강화도로 들어갔다.

고경명은 자가 이순而順이고, 고맹영高孟英의 아들이다. 그는 문재文才가 있었는데도 고을의 의병을 이끌며 각 고을에 격문을 보내 왜적을 토벌했으나 왜적과 싸우다 패하여 죽었다. 그의 아들 종후(從厚, 1554-1593, 조선조의 문신이자 의병장으로 자는 도충道冲, 호는 준봉隼峯, 본관은 장흥이다. 관직은 현령을 지냈다. 임진왜란 때 아버지 고경명을 따라 의병에 참여하였고, 진주성 싸움에서 김천일·최경회 등과 함께 남강에 투신하여 순절하였다. 시호는 효열孝烈이다)가 아버지를 대신하여 군사를 이끌었으며 그 부대 이름을 복수군復讎軍이라고 하였다.

최경회는 뒤에 경상 우병사가 되었으나 진주성 전투에서 죽었다.

경상도 의병장으로는, 현풍 사람 곽재우(郭再祐, 1552-1667, 조선조의 의병장으로 자는 계수季綏, 호는 망우당忘憂堂, 본관은 현풍이다. 남명 조식曺植의 문인이다. 임진왜란이 일어나자 먼저 고향 의령에서 의병을 일으켜 전공을 세웠고, 붉은 옷을 입고 싸웠기 때문에 홍의장군紅衣將軍이라고 불렸다. 전후에 일체의 공직을 사절하고 은둔생활을 했다. 시호는 충익忠翼이다)와 고령 사람으로 전에 좌랑佐郞을 지냈던 김면(金沔, 1541-1593, 조선조의 의병장으로 자는 지해志海, 호는 송암松庵, 본관은 고령이다. 임진왜란 때 조종도趙宗道·곽준郭䞭 등과 거창, 고령 등지에서 의병을 일으켜 전공을 세웠다. 경상 우병사에 임명되었으나 병으로 죽었다)과 합천 사람으로 전에 장령掌令을 지냈던 정인홍(鄭仁弘, 1535-1623, 조선조의 문신으로 자는 덕원德遠, 호는 내암來庵, 본관은 서산이다. 임진왜란이 일어나자 합천에서 의병을 일으켜 영남 의병장이란 칭호를 얻었다. 광해군 때 영의정에 오르기도 했으나 인조반정 뒤에 인목대비 폐출사건에 연루되어 참형을 당했다)과 예안 사람으로 전에 한림翰林을 지냈던 김해(金垓, 1555-1593, 조선조의 의병장으로 자는 달원達遠, 호는 근시재近始齋, 본관은 광산이다. 관직은 예문관검열에 올랐으나 정여립의 사건으로 파직되고 임진왜란 때 의병을 일으켜 전공을 세웠다)와 교서정자校書正字 유종개(柳宗介, 1558-1592, 조선조의 문신이자 의병장으로 자는 계유季裕, 본관은 풍산이다. 임진왜란이 일어나자 의병 수백 명을 모집하여 의병장이 되어 태백산을 근거로 하여 왜적과 싸워 공을 세웠다 경상북도 봉화 소천小川에서 적장 모리 요시나리와 싸우다 전사하였다)와 초계 사람 이대기(李大期, 1551-1628, 조선조의 의병장으로 자는 임중任重, 호는 설학雪壑, 본관은 전의이다. 조식의 문인으로 임진왜란 때 초계에서 의병을 모집하여 공을 세웠고, 관직은 형조 정랑을 지냈다) 그리고 군위교생軍威校生인 장사진張士珍 등이 있었다.

곽재우는 곽월郭越의 아들로 자못 재주와 지략이 있어 여러 번 왜적과 싸웠는데, 왜적이 그와 싸우는 것을 꺼려했다. 정진(鼎津, 정암진鼎巖津으로 경남 의령과 함안의 경계 지점에 위치하고 있다. 남강의 하류 지점에 있으며, 물 가운데 솥 같은 바위가 있다고 하여 생긴 이름이다)을 굳건하게 지켜 왜적으로 하여금 의령의 경계에도 발을 들여놓지 못하게 한 것을 두고 사람들은 곽재우의 공이라고 하였다.

김면은 세상을 떠난 무장武將 김세문金世文의 아들로, 거창 우척현에서 침입해 들어오는 왜적을 여러 번에 걸쳐 방어했다. 이 소식을 들은 조정에서 그를 우병사右兵事에 발탁하였는데, 왜적을 막는 일에 진력하다가 병으로 죽었다.

유종개는 의병을 일으킨 지 얼마 되지 않아 왜적을 맞아 싸우다 죽었는데, 조정에서 그의 뜻을 가상히 여겨 예조참의禮曹參議를 증직하였다.

장사진은 의병을 일으키기 전후로 많은 적군을 활을 쏘아 죽였으므로 왜적이 그를 장 장군張將軍이라고 부르며 감히 군위 가까이에는 들어가지 못하였다. 하루는 왜적이 군사를 매복시켜 놓고 그를 유인하였다. 이 사실을 모르고 있던 장사진이 적을 끝까지 추격하다가 복병들이 숨어 있는 곳에 빠졌으나 오히려 크게 소리 지르며 힘을 다해 싸웠다. 그러나 그가 가지고 있던 화살이 다 떨어지자 왜적이 장사진의 한쪽 팔을 칼로 베자 남은 한쪽 팔로 적군과 거침없이 싸웠지만 오래 견디지 못하고 마침내 죽임을 당했다. 조정에서 이 소식을 듣고 수군절도사를 증직하였다.

충청도 의병장으로는, 영규(靈圭, ?-1592, 규圭로도 쓴다. 조선조의 승병장으로 호는 기허騎虛, 성은 박朴씨고, 본관은 밀양이다. 휴정대사休靜大師의 제자이다. 임진왜란이 일어나자 승병 5백 명을 모집하여 조헌趙憲과 제휴하여 금산에서 왜적과 싸우다 조헌·칠백의사와 함께 전사하였다) 스님과 전에 제독관提督官을 지냈던 조헌(趙憲, 1544-1592, 조선조의 문신으로 자는 여식汝式, 호는 중봉重峯, 본관은 백천이다. 이이李珥·성혼成渾의 문인이다. 임진왜란이 일어나자 승병장 영규와 함께 금산에서 적군과 맞서 싸우다가 중과부족으로 칠백의사와 함께 죽었다. 시호는 문열文烈이다)과 전에 청주목사淸州牧使를 지냈던 김홍민(金弘敏, 1540-1594, 조선조의 문신이자 의병장으로 자는 임보任甫, 호는 사담沙潭, 본관은 상주이다. 관직은 사인舍人을 지냈고, 임진왜란 때 의병을 일으켜 공을 세웠다)과 서얼 출신의 이산겸(李山謙, ?-1594, 조선조의 의병장으로 본관은 한산이고, 토정비결의 저자인 이지함의 서자이다. 임진왜란 때 의병장이 되어 금산 절에서 조헌, 영규와 싸웠고, 뒤에 역모로 모함을 받아 죽임을 당했다)과 선비 박춘무(朴春茂, 조선조의 의병장으로 호는 화천당花遷堂, 본관은 순천이다. 임진왜란 때 조헌과 함께 충청도에서 의병을 일으켰으며, 인천부사를 지냈다. 시호는 민양愍襄이다)와 충주 사람 조덕공(趙德恭, 1547-1607,

조선조의 의병장으로 자는 사원士愿, 본관은 순창이다. 임진왜란 때 의병을 일으켜 음성군 소이면 우목아에서 활동했다. 뒤에 형조참의에 증직되었다)과 내금위內禁衛 조웅(趙雄, ?-1597, 조선조의 무신이자 의병장으로 호는 백기당白旗堂이고 본관은 한양이다. 조헌의 천거로 임금을 호위하던 내금위 선전관이 되었고, 임진왜란이 일어나자 의병을 일으켜 활약하였다. 광해군 때 병조참판에 증직되었다)과 청주 사람 이봉(李逢, 조선조의 의병장으로 자는 자운子雲, 본관은 한양이다. 임진왜란 때 의병을 일으켜 공을 세우고, 난이 평정된 뒤에 낙향해서 은거하였다) 등이 있었다.

영규 스님은 용력이 있고 잘 싸워 조헌과 함께 청주를 수복하였으나 뒤에 왜적과의 싸움에서 패배하여 두 사람이 다 죽었다.

조웅은 누구보다도 용감하고 말안장 위에 서서 달리기를 잘 하여 왜적을 많이 죽였으나 전쟁에서 죽었다.

경기도 의병장으로는, 전에 사간司諫을 지냈던 우성전(禹性傳(1542-1593), 조선조의 문신이자 의병장으로 자는 경선景善, 호는 추연秋淵, 본관은 단양이다. 퇴계 이황의 문인이다. 사인舍人을 지내다가 임진왜란을 만나 경기도에서 의병을 일으켜 공을 세웠다. 시호는 문강文康이다)과 전에 정랑正郞을 지냈던 정숙하(鄭淑夏, 1541-1599, 조선조의 문신이자 의병장으로 자는 경선景善, 호는 월호月湖, 본관은 동래이다. 임진왜란이 일어나자 의병을 일으켜 활약하였다. 관직은 좌승지, 병조참의를 지냈다)와 수원 사람 최흘崔屹과 고양 사람인 진사 이로(李魯, 1544-1598, 조선조의 문신이자 의병장으로 자는 여유汝唯, 호는 송암松巖, 본관은 고성이다. 조식의 문인이다. 임진왜란이 일어나자 조종도와 함께 고향인 의령으로 내려가서 의병을 일으켰다. 관직은 형조 좌랑을 지냈다. 시호는 정의貞義다) · 이산휘李山輝와 전에 목사를 지냈던 남언경(南彦經, 조선조의 문신이자 학자로 자는 시보時甫, 호는 동강東岡, 본관은 의령이다. 서경덕의 문인이다. 임진왜란 때 여주목사로 있으면서 의병을 일으켜 전공을 세웠다)과 유학幼學 김탁金琢과 전에 정랑을 지냈던 유대진(兪大進,

서산대사 영정

사명대사 영정

1554-1599, 조선조의 문신으로 자는 신보新甫, 호는 신포新浦, 본관은 기계이다. 관직은 이조참의를 지냈으며, 임진왜란 때 의병을 일으켜 공을 세웠다)과 충의위忠義衛 이일李軼과 서얼 출신인 홍계남(洪季男, 조선조의 무신으로 본관은 남양이고, 홍언수의 서자다. 임진왜란이 일어나자 아버지를 따라 의병을 일으켜 많은 무공을 세웠다)과 선비 왕옥王玉 등이 있었다. 홍계남이 그들 중에서 가장 날쌔고 용감하였다.

그 나머지는 각각 자기 향리에서 많으면 백여 명이고 적으면 수십 명을 모아 의병이라 이름 붙인 사람들이 셀 수 없이 많았지만 특별히 기록할 만한 공적도 없이 대부분이 날마다 여기저기 옮겨 다닐 뿐이었다.

유정(惟政, 1544-1610, 조선조의 승병장으로 자는 이환離幻, 법호는 사명당四溟堂, 유정은 그의 법명이다. 묘향산에서 서산대사 휴정의 법통을 이어받았다. 임진왜란이 일어나자 승병을 모집하여 휴정의 휘하에 들어갔으며, 그 이듬해인 1593년에 휴정에 이어 승군도총섭僧軍都摠攝이 되었다. 임란 이후 일본에 건너가서 도쿠가와 이에야스를 만나 강화를 맺기도 하였다) 스님이 금강산 표훈사에 주석하고 있었다. 왜적이 산속으로 들어오면 절간 스님들이 모두 달아났으나 유정 스님은 미동도 하지 않으니 왜적들도 감히 스님을 핍박하지 못하였다. 간혹 왜적 중에는 두 손을 모아 존경의 예를 올리고 돌아가는 사람도 있었다.

내가 안주에 있을 때 각자 군사를 일으켜 나라의 어려움에 임하라는 공문을 보냈다. 그 공문이 산중에까지 전달되면 유정 스님이 그것을 불탁 위에 펼쳐 놓고 여러 스님들을 불러 함께 읽으며 눈물을 흘리기까지 하였다. 마침내 승군僧軍을 일으켜 서쪽으로 가서 임금을 호위하였다. 그가 평양에 이르렀을 때는 그 무리가 천여 명에 달했는데, 평양성 동쪽에 진을 치고 순안의 군사들과 함께 힘을 모으니 제법 군대로서의 위용을 갖추었다.

또 종실의 호성감湖城監 이주李柱가 백여 명의 군사를 이끌고 임금이 계시는 행재소로 오니 조정에서 그의 관직을 올려 호성도정湖城都正으로 삼고, 순안에 주둔하여 명나라 대군과 힘을 합치도록 하였다.

또 함경북도의 의병장으로는, 병마평사兵馬評事 정문부(鄭文孚, 1565-1624, 조선조의 문신으로 자는 자허子虛, 호는 농포農圃, 본관은 해주이다. 북평사北評事로 있다가 임진왜란을 만나 의병장이 되었고, 회령의 아전으로 반역을 도모한 국경인의 사건을 평정하였다. 시호는 충의忠毅이다)와 훈융첨사訓戎僉使 고경민高敬民의 공이 가장 많았다고 한다.

주요 의병장

봉기장소	이름	신분	봉기장소	이름	신분
영남 의령	곽재우(郭再祐)	유학	호남 광주	고경명(高敬命)	전부사
	곽준(郭逡)	전군수		고종후(高從厚)	현령
	곽박(郭迫)	생원	나주	김천일(金千鎰)	전부사
영천	권응수(權應銖)	전훈련봉사	옥과	유팽노(柳彭老)	전학유
	정대임(鄭大任)	유생	남원	안대모(安大模)	유학
	정세아(鄭世雅)	진사		양대박(梁大撲)	전학관
삼가	박성(朴惺)	전좌랑		양수(梁樹)	참봉
	윤념(尹念)	훈련봉사		양사형(梁士衡)	전현감
	박사제(朴思濟)	학유		변사정(邊士貞)	전참봉
	윤탁(尹鐸)	훈련봉사		김득지(金得池)	진사
단성	권세춘(權世春)	생원	순천	강희설(姜希說)	무사
	권춘(權春)	전목사	영광	임희진(任希進)	첨정
창녕	신방즙(申邦楫)	생원		심우신(沈友信)	전첨정
영산	신갑(申岬)	유생	보성	임계영(任啓英)	전현감
	성천희(成天禧)	충의위		박광전(朴光前)	전현감
함안	조종도(趙宗道)	전현감	화순	최경회(崔慶會)	전부사

안동	임흘(任屹)	생원		최경장(崔慶長)	전제독관
	우성전(禹性傳)	전사성	태인	민여운(閔汝雲)	전주부
	김윤명(金允明)	생원	남해	성천지(成天祇)	전판관
	배용길(裵龍吉)	생원	호서 내포	심수경(沈守慶)	전대신
	안빈(安賓)	봉사		김홍민(金弘敏)	전목사
	김용(金涌)	전겸열		신담(申湛)	전참의
	신경(辛敬)	진사		조웅(趙雄)	충의위
상주	정경세(鄭經世)	전봉사	옥천	조헌(趙憲)	전제득관
	조정(趙靖)		영동	홍계남(洪季男)	서얼
부산	여대노(呂大老)	박사		박춘무(朴春茂)	전찰방
	유사경(柳思敬)	생원	홍주	신난수(申蘭秀)	
	박종연(朴宗挺)	진사		장덕개(張德蓋)	
예안	김해(金垓)	전한림	경기	이일(李軼)	충의위
	이노(李魯)	전직장		남언경(南彦經)	전목사
합천	손인갑(孫仁甲)	전참사		유대진(兪大進)	전좌랑
	정인홍(鄭仁弘)	전장령	강화	우성전(禹性傳)	전사간
거창	김면(金沔)	전좌랑		원정(元挺)	진사
해서 해주	조광정(趙光庭)	생원	역천	김적(金績)	전부사
봉산	김만수(金萬壽)	북평사		이산휘(李山輝)	유생
관서 강동	조호익(曺好益)	생원	관북 경성	정문부(鄭文孚)	북평사
	휴정(休靜)	승려	관동	유정(惟政)	승려
호남	처영(處英)	승려	해서	영규(靈圭)	승려

이일이 순변사로 임명되다

이일을 순변사로 삼고, 이빈을 불러 입금이 계시는 행재소로 돌아오게 하였다.

이일이 처음에 대동강 여울을 지키다가 평양이 함락되자 대동강을 건너 남쪽으로 가다가 황해도로 들어갔고 안악에서 해주로 갔다가 또 해주에서 강원도 이천伊川에 이르러 세자를 시종하여 군사 수백 명을 모았다. 왜적이 평양성에 들어가 오랫동안 나오지 않고 있으며, 명나라 구원군이 곧 도착한다는 소식을 듣고 마침내 평양으로 돌아왔다. 평양 동북쪽 십여 리에 있는 임원평에 진을 치고 의병장 고충경高忠卿 등과 연합하여 많은 왜적을 베었다.

이빈이 순안에 주둔하고 있으면서 왜적의 진지로 나아가 싸우면 매번 패하였으므로 무군사(撫軍司, 임진왜란이 발발하자 선조가 분조分朝를 설치하여 세자 광해군에게 전시비상시국을 수습하도록 하였는데, 1593년 윤 11월에 분조가 해체됨으로써 광해군이 거느리던 분비변사分備邊司가 이 이름으로 고쳐졌다)에 근무하는 관리들이 모두 이일로 이빈을 대신하고자 했다. 그러나 원수 김명원만이 이빈을 지지하여 무군사와 의논이 맞지 않아 서로 부딪칠 기미가 엿보였으므로 조정에서 나에게 순안의 진지로 가서 양쪽을 진정시켜 화해하도록 하였다.

얼마 뒤에 조정에서는 이일이 이빈보다 낫다고 하고, 아울러 명나라 구원군이 머잖아 나온다는 소식을 듣게 되자 이빈이 자신이 맡은 소임을 다 할 수 없을까 염려하여 마침내 이일로 하여금 이빈의 자리를 대신하게 하였다.

박명현(朴名賢, 조선조의 무신으로 본관은 죽산이다. 임진왜란 중에(1596)에 이몽학李夢鶴이 반란을 일으키자 홍주목사 홍가신洪可臣의 휘하에서 반적의 무리를 추격하여 섬멸하는 데 공을 세웠다)에게 이일의 군사를 대신 거느리게 하고, 이빈은 행재소로 돌아갔다.

왜적의 첩자 노릇을 한 김순량을 붙잡아 목 베다

왜적에게 첩자 노릇을 한 김순량金順良을 잡았다.

내가 안주에서 군관 성남成男에게 전령傳令을 가지고 수군장水軍將 김억추金億秋에게 가서 왜적을 공격하기로 비밀히 약속하도록 했는데, 그 약속 날이 섣달 초이튿날이었다. 내가 조심을 시키며 "6일 안으로 회신을 보내도록 하라"고 하였으나 기일이 지나도 답신이 오지 않았다. 성남에게 따져 물으니 그가 말하기를 "이미 강서江西 군인 김순량에게 답신을 보내드리도록 했습니다"라고 하기에 김순량을 잡아와서 그 답신이 어디에 있느냐고 물었더니, 그는 일부러 어리둥절한 표정을 지으며 횡설수설하였다. 성남이 말하기를 "이 사람이 전령을 가지고 떠났다가 며칠 뒤에 병영으로 돌아왔는데 그때 소 한 마리를 끌고 와 동료들과 잡아먹었답니다. 사람들이 '그 소를 어디에서 가지고 왔느냐' 고 물으니, 순량이 대답하기를 '친척집에 먹이라고 맡겨 놓은 내 소를 도로 찾아왔다'고 하였는데, 지금 그가 하는 말을 들으니 그동안의 행적이 의심스럽습니다"라고 하였다.

내가 그제야 그에게 자백을 받기 위해 매로 때려 고문하게 하고는 엄중하게 국문하니, 그가 실토하기를 "소인이 왜적의 첩자 노릇을 했습니다. 그날 전령과 비밀 공문을 받아 바로 평양성으로 들어가 왜적에게 보이니 적장이 전령은 책상 위에 놓고 공문을 보고는 그 자리에서 찢어버렸습니다. 그러고는 저에게 소 한 마리를 상으로 주고, 같이 첩자 노릇을 한 서한룡徐漢龍에게는 상으로 비단 다섯 필을 주기에 다시 다른 일을 탐지하여 15일 이내로 보고할 것을 약속하고는 거기에서 나왔습니다"라고 하였다. 내가 묻기를 "첩자 노릇을 한 사람이 너만이 아니고 또 몇 사람이 더 있느냐"라고 하니 그가 대답하기를 "저 말고도 40여 명의 첩자가 있습니다. 그들이 매번 순안·강서의 여러 진영에서 흩어져 나와 숙천·안주·의주에 이르기까지 샅샅이 살피고 다니다가 사안이 생기면 바로 왜적에게 보고해 왔습니다"라고 하였다.

내가 놀래어 바로 조정에 장계를 올리고, 이어서 명단을 파악해서 급히 여러 진영에 통보하여 첩자들을 체포하게 했는데, 바로 체포하기도 하고 어떤 곳에서는 놓치기도 하였다. 김순량을 안주성 밖에서 목 베었다.

이로부터 얼마 지나지 않아 명나라 구원군이 도착했으나 왜적이 알아차리지 못하였는데, 이는 왜적의 첩자들이 놀래어 다 흩어졌기 때문일 것이다. 이 또한 우연히 일어난 일이지만 하늘의 도움이 아닐 수 없었다.

46

12월에 명나라가 대군을 조선에 파견하다

12월에 명나라가 우리나라로 대군을 출발시켰다. 병부우시랑兵部右侍郞 송응창(宋應昌, 1536-1606, 중국 명나라 신종 때 문신으로 자는 사문思文, 항주 사람이다. 임진왜란 때 병부 우시랑으로 제2차 명나라 원정군 총사령관으로 참석하여 이여송과 함께 평양과 개성을 수복시켰다)을 경략經略에, 병부원외랑兵部員外郞 유황상(劉黃裳, 중국 명나라 신종 때 문신으로 임진왜란 때 명나라 2차 구원군으로 참여하였다. 그는 서예에 일가를 이루어 그가 쓴 「백양시白楊詩」는 유명한 필적筆蹟으로 전해지고 있다)과 주사主事 원황(袁黃, 명나라 신종 때의 사람으로 자는 곤의坤儀이다)을 찬획군무贊畫軍務에 임명하여 요동에 주둔하게 했다. 제독提督 이여송李如松이 대장大將에 임명되어 삼영장三營將인 이여백(李如柏, 이여송의 아우로 자는 자정子貞이다. 임진왜란 때 제2차 구원군으로 참전한 3영장三營將의 한 사람이다. 이여송의 형제는 모두 9명이었는데, 이여송이 맏이로 이들이 하나도 빠짐없이 총병관總兵官, 참장參將 등 2품 이상의 장군으로 활동하였다) · 장세작張世爵 · 양원楊元과 남방南方의 장수 낙상지駱尙志 · 오유충吳惟忠 · 왕필적王必迪 등을 거느리고 압록강을 건넜는데, 데리고 온 군사 수가 4만여 명이나 되었다.

이보다 앞서 심유경이 이미 명나라로 돌아갔지만 왜군들은 병사들을 거두고 그대로 꼼짝하지 않았다. 그러기를 15일이 지나도 심유경이 오지 않으니 왜적들이 의아해 하며 "내년 정초에는 말에게 압록강 물을 마시게 할 것이라"고 떠들어댔다. 왜적의 진영에서 도망 나온 자들이 모두 "왜적이 성을 공격할 기구를 대대적으로 보수하고 있다"고 말하여 사람들이 더욱 두려움에 떨었다. 12월 초에 심유경이 또 와서 다시 평양성 안에 들어가 며칠 머물다가 서로 약속을 하고 떠났으나 무슨 얘기가 오갔는지 들을 수가 없었다.

명나라 구원군이 안주에 도착하여 안주성 남쪽에 병영을 설치했는데 깃발과 병기가 잘 정돈되고 엄숙하여 마치 사람이 부리는 군대가 아닌 것 같았다. 내가 제독 이여송에게 만나 논의할 일이 있다고 했더니 그가 동헌에 있으면서 나를 들어오게 하였는데, 실제 만나보니 그는 헌헌대장부였다. 의자에 마주 앉자 내가 소매 속에서 평양 지도를 꺼내어 그곳의 형세와 군사들이 들어갈 수 있는 길을 가리켜 보이니 제독이 귀 기울여 듣고 있다가 문득 붉은 색으로 중요 지점에 점을 찍었다. 그리고 말하기를 "왜적들은 다만 조총만을 믿을 뿐인데, 우리가 쏘는 대포는 5, 6리를 넘어가니 저들이 어찌 우리를 당해낼 수 있겠습니까"라고 하였다.

내가 그 자리에서 나온 뒤에 제독이 부채에 시를 지어 보냈는데, 그 시는 이러했다.

군사 거느리고 저문 밤 강가에 이르니 提兵星夜到江干 제병성야도강간
삼한이 편안하지 못하기 때문이네 爲說三韓國未安 위설삼한국미안
황제께서 날마다 승전보 기다리시니 明主日懸旌節報 명주일현정절보
미천한 이 몸 술맛 잊은 지 오래네 微臣復釋酒杯歡 미신부석주배환
살벌한 봄인데도 마음 더욱 장쾌하니 春來斗氣心逾壯 춘래두기심유장
이번에 요귀들 뼛골 벌써 서늘하리라 此去妖氛骨已寒 차거요분골이한
우스갯소리도 승산없다 말하지 마오 談笑敢言非勝算 담소감언비승산
꿈속에서 늘 출전하기만을 생각하네 夢中常憶跨征鞍 몽중상억과정안

그때 안주성 안에는 명나라 군사들로 넘쳐났다. 내가 백상루에 있는데 한밤중에 갑자기 한 중국 사람이 군중軍中의 밀약密約 3개 조항이라고 하며 나에게 가지고와 보이기에 본인의 성명을 물었으나 아무 대꾸도 없이 사라졌다.

제독이 부총병副總兵 사대수(查大受, 중국 명나라 무신으로 요동 철령 사람이다. 임진왜란 때 이여송을 보좌하는 부총병으로 참여하여 무공을 세웠다)를 시켜 먼저 순안에 가서 왜놈을 속여 "우리 황제께서 이미 강화를 허락하셔서 유격대장 심유경이 또 오기로 했다"라고 말하게 하였다. 이 말을 듣고 왜적이 좋아하였는데, 겐소 스님이 시를 지어 바쳤다. 내용은 이러하였다.

일본이 전쟁 끝내려 중국을 달래니	扶桑息戰服中華 부상식전복중화
사해 구주[1]가 한 집안이 되었네	四海九州同一家 사해구주동일가
즐거운 기운 갑자기 온 세상의 눈 녹이니	喜氣忽消寰外雪 희기홀소환외설
천지에 봄기운 돌아 태평시절 되었네	乾坤春早太平花 건곤춘조태평화

그때가 계사년(1593) 봄 정월 초하루였다.

그 말을 믿고 일본군 진영에서 소장小將 평호관平好官에게 왜군 이십여 명을 데리고 순안으로 가서 심유경을 맞으라고 하였다. 사부총병이 거짓으로 그들을 꾀여 술을 마시고 있는데 갑자기 매복해 있던 병사들이 일어나 마구잡이로 그들을 공격하여 평호관을 사로잡고 그를 따라온 병사들은 거의 다 죽었으나 그 와중에 왜군 세 사람만이 겨우

1) 중국 상고시대 요순堯舜·하夏·은殷·주周나라 때 중국의 본토를 아홉 개의 주로 나누었던 것에서 나온 말이다.

빠져 달아났다. 왜적의 진중에서 비로소 명나라 군대가 가까이 왔다는 사실을 알고 크게 소동이 벌어졌다.

그때 명나라 대군은 이미 숙천에 와 있었는데, 해가 기울어 병영에서 저녁밥을 짓고 있는 시간에 이 소식이 알려졌다. 제독이 활시위를 당겨 출정의 신호를 보내고는 바로 기병 몇 명을 데리고 순안으로 달려가자 여러 곳의 진영에서 잇달아 군대를 출동시켰다.

다음날 아침에 명나라 군사들이 평양성 가까이 다가가 포위하고 보통문과 칠성문 쪽으로 공격하니 왜적이 성 위에 올라와 홍기紅旗와 백기白旗를 줄줄이 세우고 저항하였다. 명나라 군대가 대포와 불화살[火箭화전]로 공격하니 대포 소리가 땅을 진동하여 수십 리 밖에 있는 산악을 온통 뒤흔들었다. 불화살이 하늘을 가득 메우고 날아가니 그 연기가 하늘을 가렸는데 화살이 성안에 날아들어 꽂히는 곳마다 불길이 치솟아 수목이 다 타버렸다.

낙상지·오유충 등이 자기 휘하의 군사들을 거느리고 마치 개미떼처럼 성을 오르니 앞서가던 병사가 떨어지면 뒤를 따르던 병사가 이어서 성을 타고 올라 후퇴할 줄 몰랐다. 왜적의 칼과 창이 고슴도치 털처럼 성가퀴에 촘촘히 뻗어 있었으나 명나라 군사들은 싸울수록 용기백배하였다. 왜적들이 더 이상 지탱할 수 없다고 판단하여 내성(內城, 이중으로 쌓은 성에서 바깥 성을 외성外城이라 하고, 안쪽에 쌓은 성을 내성이라고 한다)으로 물러났는데, 많은 군사들이 칼날에 베이거나 불타 죽었다.

명나라 군사들이 평양성에 진입하여 내성을 공격하니 왜적이 성 위에 흙벽을 쌓고 거기에 많은 수의 구멍을 뚫었는데, 마치 촘촘히 들어차 있는 벌집 같았다. 적군이 그 구멍 틈으로 조총을 마구 쏘아대어 많은 수의 명나라 군사들이 부상을 입었다. 제독이 궁지에 몰린 왜적이 죽음을 각오하고 대드는 것을 염려하여 군사를 성 밖으로 철수하고는 적의 탈주로를 열어두니, 그날 밤으로 왜적이 꽁꽁 언 얼음 위를 걸어 대동강을 건너 달아났다.

이보다 앞서 내가 안주에 있으면서 명나라 대군이 평양성에서 후퇴하여 나온다는 얘기를 듣고 비밀리에 황해도 방어사인 이시언(李時彥, ?-1624, 조선조의 무신으로 상호군上護軍으로 있다가 임진왜란을 맞아 경주 수복에 공을 세웠고, 1596년에 일어난 이몽학의 반란사건을 평정하는 데 기여하였다) · 김경로(金敬老, ?-1597, 조선조의 무신으로 관직은 당상관을 지냈고, 1597년 정유재란 때 남원성에서 왜적을 만나 싸우다 죽었다)에게 명나라 군대를 맞으라고 하며 타이르기를 "우리와 명나라 두 나라 군사가 길가에 매복하여 왜적이 지나가기를 기다렸다가 그 뒤를 밟으면 왜적이 굶주리고 피곤한 나머지 달아나 더는 싸울 마음이 없을 것이니 그리 되면 그들을 일망타진할 수 있을 것이요"라고 하였다. 이시언은 곧바로 중화中和 고을로 갔지만 김경로는 다른 일을 핑계 대며 내 말을 따르지 않았다.

내가 다시 군관 강덕관姜德寬을 보내어 독촉하니 김경로가 그제야 마지못하여 중화로 갔으나 왜적이 평양성에서 물러나기 하루 전에 황해도 순찰사 유영경(柳永慶, 1550-1609, 조선조의 문신으로 자는 선여善餘, 호는 춘호春湖, 본관은 전주이다. 관직은 영의정을 지냈다. 소북파小北派의 영수로 있다가 광해군이 왕위에 오르자 대북파의 탄핵을 받아 사사賜死되었다)의 공문을 받고는 재령 땅으로 달아났다. 그때 유영경은 해주에 있으면서 자신을 지키고 싶어 하였고, 김경로는 왜적과 맞닥뜨리기 싫어서 재령으로 피신하였으니 두 사람의 꿍꿍이속이 들어맞았던 것이다.

적장 고니시 유키나가, 소 요시토시, 겐소, 야나가와 시게노부 등이 나머지 군사들을 이끌고 밤을 도와 달아나는데, 기운이 빠지고 발이 부르터서 다리를 절룩거리며 길을 갔다. 그들이 몸을 숨겨 밭 가운데를 기어서 가고, 사람들에게 입을 가리키며 먹을 것을 구걸하기도 하였으나 우리나라 사람으로 뛰쳐나와 그들을 공격하는 이가 없었고 명나라 군사들도 그들을 추격하지 않았다. 오직 이시언만이 그들 뒤를 미행했으나 감히 달려들지는 못하고 다만 굶주리고 병들어 뒤에 쳐진 적병 육십여 명의 목을 벴을 뿐이었다.

이때 왜적의 장수 가운데 서울 도성에 남아 있던 자는 우키타 히데이에(平秀嘉평수가, 도요토미 히데요시의 사위로 알려져 있으며 일본군을 감독하는 자격으로 참전하였다. 2차 평양성 전투시에 그는 20세였고, 정유재란 때에는 감군監軍으로 남원성 전투에 참여하였다) 한 사람 뿐이었는데, 그는 관백關白 도요토미 히데요시의 조카라고 하며 혹은 그의 사위라고도 하였다. 그는 아직 나이가 어려서 일을 주관할 수 없었기 때문에 군무軍務는 고니시 유키나가가 주도하였고, 가토 기요마사는 함경도에서 아직 돌아오지 않고 있었다. 만약 그때 그들을 추격하여 고니시 유키나가, 소 요시토시, 겐소 등을 사로잡았으면 서울에 있는 왜적들은 저절로 무너지고, 서울이 무너지면 가토 기요마사가 돌아오는 길이 차단될 수밖에 없었다. 그리 되면 왜적들이 두려움에 떨며 반드시 바닷가를 따라 달아나게 되어 있어 저들이 쉽게 우리의 추격에서 벗어나기는 어려웠으리라고 본다. 이어서 한강 이남에 주둔하고 있는 왜적들이 차례로 무너지면 명나라 군사들이 북을 치며 천천히 행군하여 부산에서 승리의 축배를 한껏 들이킬 수 있었을 것이다. 이리하여 잠간 사이에 우리의 국토가 깨끗한 옛 모습을 되찾게 됐을 것이고, 여러 해 동안의 전란의 흔적은 씻은 듯이 사라지지 않았겠는가. 그러나 한 어리석은 자의 실수가 세상일을 그르쳤으니 진실로 원통하고 애석하도다.

내가 임금께 장계를 올려 김경로의 목을 벨 것을 요청하였다. 임금께 그런 청을 드린 것은 내가 그때 평안도 체찰사로 있어 김경로의 일이 나의 소관이 아니기 때문이었다. 조정에서 선전관 이순일李純一에게 표신(標信, 궁중에 급변을 전하거나 궁궐 문을 드나들 때에 본인임을 표시했던 문표門標이다. 중종 3년(1508)에 시행하였다. 여기에서는 사형집행을 알리는 조정의 확인서로 볼 수 있다)을 들려서 개성부로 보내 김경로를 목 베려 하였다. 처형을 집행하기에 앞서 제독 이여송에게 이 사실을 알리니, 그가 말하기를 "그 죄는 죽어 마땅하나 왜적이 아직 소탕되지 않았는데 한 명의 무사라도 죽이기는 아깝지 않소. 그로 하여금 백의종군하여 공을 세우게 한 뒤에 속죄함이 좋을 듯하오"라고 하며, 자문咨文을 만들어 이순일에게 주어 보냈다.

순변사 이일을 해임하고 이빈이 대신하다

순변사 이일을 교체하고 다시 이빈을 대신하게 하였다.

평양성 전투에서 명나라 군대가 보통문으로 들어가고 이일과 김응서 등은 함구문으로 들어갔다. 병력을 철수하여 모두 평양성 밖으로 물러나 주둔하고 있었는데, 왜적이 야음을 타고 달아나버렸으나 다음날 아침에야 이 사실을 알게 되었다. 제독 이여송이 아군이 경비를 잘 서지 않아 왜적이 달아나도 알지 못했다고 질책하였다. 이에 명나라 장수 가운데 일찍이 순안을 왕래하며 이빈과 친하게 지내던 사람이 "이일은 장수가 될 자질이 없고, 오직 이빈만이 이 일을 맡을 만하다"고 하였다. 제독이 자문咨文을 보내 그 사실을 알려 왔으므로 조정에서 좌의정 윤두수를 평양에 보내 이일의 죄를 문책하여 군법에 회부하려 하였으나 얼마 있다가 석방하였다. 이빈을 그 자리를 대신하게 하고, 기병 3천 명을 뽑아 제독을 따라 남쪽으로 내려가게 하였다.

48

제독 이여송이 왜적과 싸우다 세가 불리하여 개성으로 후퇴하다

제독 이여송이 파주에 진군하여 왜적과 벽제관碧蹄館 남쪽에서 싸웠으나 전세가 불리하여 개성으로 돌아와 주둔하였다.

처음 평양이 수복되자 대동강 이남의 길가에 주둔하고 있던 왜적이 모두 달아났다. 제독이 그들을 추격하고자 하며 나에게 이르기를 "우리 대군이 앞으로 진격하려고 하는데, 듣기로는 우리가 나아가는 길에 군량미와 말 먹일 건초가 없다고 합니다. 의정(議政, 조선조에 백관百官의 장으로서 국정을 통괄하며 임금을 보좌하던 의정부의 영의정·좌의정·우의정을 통칭하는 말이다. 『징비록』의 저자 유성룡이 좌의정을 지냈고, 잠시나마 영의정에 임명되기도 했으며, 이때 평안도 도체찰사로 있으면서 명나라 구원군에 대한 조선 측 파트너였기 때문에 이여송이 이런 말을 썼다고 하겠다)께서는 이 나라의 대신으로 나라 일을 염려하시는 분이시니 수고스럽다고 꺼려하지 마시고 빨리 군량미 준비에 만전을 기하셔서 소홀하거나 잘못이 없기를 바랍니다"라고 하였다.

내가 제독과 작별하고 나오니 그때 명나라 군대의 선발대가 이미 대동강을 지나 남쪽으로 가고 있었다. 군인과 수레들이 서로 뒤엉켜 길을 막고 있어 앞으로 나아갈 수 없었으므로 꾸불꾸불한 골목길로 해서 바삐 달려 내가 군대 앞으로 나아갔다. 군대 행렬이 밤이 돼서야 중화 땅에 들어왔고 황주에 이르니 이미 한밤중이었다.

그때 왜적이 금방 후퇴하였기 때문에 길이 하나같이 황폐해졌고, 숨어 있던 백성들이 모여들지 않으니 군량미 운반을 어찌해야 좋을지 몰랐다. 급히 황해도 감사 유영경에게 공문을 보내 군량미를 운반하도록 재촉하고, 평안감사 이원익에게도 공문을 보내 김응서 등이 거느리고 있는 군인들 가운데 싸울 수 없는 자들을 징발하여 평양에서 곡식을 짊어지고 명나라 군사들을 뒤쫓아 황주로 오도록 하였다. 또 평안도 세 고을의 곡식을 배에 실어 청룡포를 거쳐 황해도에 옮겨놓으라고 하였다. 미리 예고된 것이 아니고 갑작스레 이루어진 일이긴 하지만 명나라 대군이 바로 뒤에 따라오고 있는 현실에서 군량미를 제대로 대지 못할까 나는 노심초사하였다.

유영경이 곡식을 많이 비축하고 있었지만 왜적들에게 약탈당할까 두려워서 산속 여기저기에 분산해서 숨겨 놓았었는데 백성들을 독려하여 때를 맞춰 실어 날랐으므로 군사들이 오는 길에 군량미가 부족하지는 않았다. 얼마 뒤에 명나라 대군이 개성부에 도착하였다.

정월 스무나흗날에 왜적이 우리 백성들이 아군과 내응할까 의심스럽고 또 평양성에서 패한 것을 분하게 여긴 나머지 서울의 백성들을 다 죽이고 관청이나 민간 집을 다 불태웠다. 그리고 서쪽에 주둔하고 있던 왜적들이 모두 서울에 모여들어 명나라 군대를 막을 방도를 모의하였다.

나는 제독에게 빨리 진격할 것을 잇달아 요청하였으나 제독은 앞으로 나아가지 않고 머뭇거리다가 며칠 만에야 파주에 진출하였다.

다음날 사대수 부총병이 우리나라 장수 고언백과 함께 수백 명의 군사를 거느리고 먼저 적정을 정탐하러 나갔는데 벽제역 남쪽에 있는 여석령에서 왜적을 만나 백여 명의 목을 벴다. 제독이 그 소식을 듣고는 대군을 머물러 있게 하고 혼자 자신이 거느리고 있는 하인들과 기마병 천여 명을 데리고 그곳으로 달려갔다. 가는 길에 혜음령을 지나는데 말이 넘어지는 바람에 땅에 나뒹굴어졌으나 부하들이 그를 부축하여 일으켰다.

그때 왜적은 여석령 뒤에 많은 군사들을 숨겨두고, 단지 수백 명만 혜음령 꼭대기에 배치시켜 놓았었다. 제독이 그 광경을 바라보고는 군사들을 지휘하여 좌·우익으로 나누어 앞으로 나아가니 왜적들 또한 혜음령에서 내려왔다. 양쪽의 군사들이 점점 가까워지자 혜음령 뒤쪽에서 왜군들이 나와 갑자기 산 위의 진지로 올라가니 군사의 수효가 거의 만여 명으로 늘어났다. 명나라 군인들이 그들을 바라보고 두려운 마음이 들었으나 이미 접전을 시작한 터라 물러설 수는 없었다. 그때 제독이 거느린 군사들은 모두 북방 출신의 기마병이었기 때문에 화기는 지니지 않았고 다만 짧으면서도 예리하지 않은 칼만을 지니고 있을 뿐이었다. 그러나 왜적은 보병이라 지니고 있는 칼이 서너 자 정도로 길고, 칼날의 날카롭고 예리하기가 이를 데 없었다. 명나라 군사들이 왜적과 맞닥뜨려서 싸우는데 왜적이 좌우에서 긴 칼을 휘두르며 치고 들어와 사람과 말을 마구 쓰러뜨리니 그 날카로운 칼날을 당해낼 재간이 없었다.

제독이 형세가 위급하다는 것을 알고 후미의 군사를 불렀으나 아직 도착하지 않았는데, 앞서 오던 군사들 중에는 이미 패하여 죽거나 부상당한 자가 많았다. 왜적도 군사를 불러들이고는 명나라 군대를 급하게 압박하지 않았다.

날이 저물어 제독이 파주로 돌아왔다. 비록 패배한 사실은 숨기고 있었으나 기분이 너무 침울해 있었다. 밤이 깊은 뒤에 자신과 가까운 심복 하인들이 전사한 것을 슬퍼하며 통곡하였다.

다음날 동파로 군대를 퇴각시키려고 하기에 내가 우의정 유홍, 도원수 김명원과 함께 이빈 등을 거느리고 제독이 머무는 막사로 갔다. 제독이 막사 밖에 나와 서고 여러 장수들이 그의 좌우에 늘어서 있었다. 내가 힘주어 말하기를 "전쟁에서 이기고 지는 것은 병가兵家에게는 늘 있는 일입니다. 마땅히 적의 형세를 관망하여 다시 진격하셔야지 어찌 가볍게 움직이려 하십니까"라고 하니, 제독이 말하기를 "어제 전투에서 우리 군사들이 적군을 많이 죽였으니 우리에게 불리한 일은 없습니다만 이곳은 비가 오면 진흙창이 되어 군사를 주둔시키기에는 불편합니다. 그래서 군사를 동파로 옮겨 좀 쉬게 하였다가 다시 앞으로 진격하려는 것일 뿐입니다"라고 하였다.

나와 여러 사람들이 군대를 퇴각시켜서는 안 된다고 기를 쓰고 반대하니 제독이 이미 명나라 조정에 올린 글의 초본을 내보였다. 그 안에 "서울 도성에 있는 왜적의 수는 이십여 만 명인 데 비해 아군의 수가 너무 적어 저들과 대적하여 싸울 수가 없습니다"라는 구절이 있었고, 그 말미에 또 "신의 병이 너무 심하오니 다른 사람으로 그 소임을 대신하게 하옵소서"라는 말도 있었다.

내가 깜짝 놀라 그 부분을 손으로 가리키며 "왜적의 숫자 얘기는 너무 터무니없는 말씀입니다. 그런데 무슨 이유로 이십만 명이나 된다고 그러십니까"라고 하니, 제독이 "내가 어찌 왜적의 숫자까지 알 수 있겠소. 이는 대감 나라 사람들이 말한 것이오"라고 했는데, 이는 대개 핑계대려는 말일 뿐이었다.

명나라 여러 장수 중에서 장세작이 제독에게 퇴각할 것을 가장 적극적으로 주장하였는데, 우리들이 퇴각해서는 안 된다고 강하게 주장하며 물러서지 않으니 장세작이 발로 순변사 이빈을 차면서 고래고래 고함을 지르고 험상궂은 표정을 감추지 않았다.

그때 마침 큰비가 며칠을 쉬지 않고 내렸고 또 왜적이 퇴각하면서 길가 모든 산을 불태워 온 산이 민둥산이 되어 풀 한 포기 찾아볼 수 없었다. 더욱이나 말에 역질이 돌아서 며칠 사이에 거의 일만 필에 가까운 말이 쓰러지기도 했다.

이날 명나라 3영營에 소속된 군사들이 임진강을 도로 건너와 동파역 앞에 진을 쳤다. 그런데 다음날 또 동파역에서 개성부로 돌아가려고 하자 내가 강하게 반대하고 나서며 "대군이 일단 퇴각하게 되면 왜적이 더욱 교만해져 원근에 있는 우리 백성들이 놀라고 두려움에 떨게 되니 임진강 이북도 확보할 수 없을 것입니다. 그러하니 조금 시간을 두고 이곳에 머물렀다가 적의 틈을 엿보고 움직이시는 것이 좋을 듯하오이다"라고 하니 제독이 겉으로는 내 주장에 동의하는 듯했다.

내가 물러나니 제독은 말에 올라 드디어 개성부로 돌아가고 여러 진영의 군사들도 개성으로 퇴각했는데, 오직 부총병 사대수와 유격장군 관승선毌承宣의 군사 수백 명만이 임진강을 지키고 있을 뿐이었다.

내가 여전히 동파에 머물고 있으면서 매일 사람을 보내 명나라 군대가 다시 진격할 것을 권유하니 제독이 거짓으로 말하기를 "날이 개고 길이 마르면 당연히 진군할 것이오"라고 하였지만 실제로는 진군할 뜻이 없었다.

명나라 대군이 개성부로 퇴각하여 여러 날을 머무는 바람에 군량미는 이미 바닥이 났다. 오직 수로를 통하여 강화도에서 좁쌀과 말 먹일 건초를 모아 왔고 또 충청·전라도에서 세곡미稅穀米를 배로 운반하였는데, 그때그때 조금씩 실어와 필요에 충당했으나 싣고 오는 대로 바닥을 드러내니 갈수록 식량 사정이 어려워졌다. 하루는 명나라 장수들이 군량미가 다 떨어졌다고 말하며 제독에게 군대를 본국으로 철군할 것을 요구하자 제독이 성을 내며 나와 호조판서 이성중(李誠中, 1539-

1593, 조선조의 문신으로 자는 공저公著, 호는 파곡坡谷, 본관은 전주이다. 임진왜란 때 호조판서로 명나라 구원군의 군량미 조달을 맡았는데, 이여송을 따라 영남지방에 내려가 군량미를 조달하다 과로로 죽었다. 시호는 충간忠簡이다), 경기좌감사京畿左監司 이정형(李廷馨, 1549-1607, 조선조의 문신으로 자는 덕훈德薰, 호는 지퇴당知退堂, 본관은 경주이다. 개성부 유수로 있다가 개성이 왜적에게 함락되자 황해도 지역에서 의병을 일으켜 공을 세웠다)을 불러 뜰아래에 꿇어앉히고는 큰 소리로 힐책하며 군법에 회부하려 하였다. 내가 그 말에 굴복하여 사죄하며 나라 일이 이 지경에 이른 것을 생각하다 나도 모르게 눈물을 흘리니 제독이 민망한 빛을 보이며 다시 여러 장수들에게 성난 얼굴로 말하기를 "너희들이 옛날에 나를 따라 서하(西夏, 11세기와 13세기에 중국 서북부의 오르도스Ordos와 간쑤(甘肅감숙)지역에 세워졌던 나라이다. 뒤에 원나라에 의해서 멸망했는데, 1592년에 몽골계의 발배哱拜가 이 지역에서 반란을 일으키자 이여송이 이를 토벌하기 위해서 파견되었다)를 치러 갔을 때 군사들이 여러 날을 굶어도 감히 돌아가자고 말하지 않고 싸운 끝에 마침내 큰 공을 세우지 않았는가. 지금 조선이 며칠 군량미를 대지 못한다고 하여 어찌 이리도 빨리 군사를 돌이키자고 말할 수 있는가. 너희들이 가고 싶으면 떠나라. 나는 왜적을 섬멸시키지 않고는 돌아가지 않을 것이다. 오직 나는 죽은 시체로 말가죽에 싸여 귀국할 따름이다"라고 하니, 여러 장수들이 모두 머리를 조아리며 용서를 빌었다.

내가 문을 나오며 군량미 공급을 제대로 하지 못한 죄로 개성 경력經歷 심례겸沈禮謙에게 곤장을 때렸다. 이 일이 있고 난 뒤에 이어서 군량미 운반선 수십 척이 강화도에서 서강 뒤쪽에 정박함으로써 겨우 위기를 넘길 수 있었다. 이날 밤에 제독이 부총병 장세작을 시켜 나를 불러 위로하게 하고는 군사 문제를 논의하였다.

이여송이 평양으로 돌아가다

제독이 평양으로 돌아갔다.

이때 적장 가토 기요마사가 아직 함경도에 남아 있었는데, 어떤 사람이 "기요마사가 머잖아 함흥에서 양덕과 맹산 땅을 넘어 평양을 습격하려고 한다"고 전하였다. 그때 제독이 북쪽으로 돌아갈 뜻이 있었으나 아직 그 기회를 얻지 못하고 있었던 터라 마침 이 소문을 듣고 이르기를 "평양은 우리가 반드시 지켜야 할 곳이다. 만약 지켜내지 못한다면 우리 대군이 고국으로 돌아갈 길이 없어지게 되니 그곳을 구원하지 않을 수 없다"라고 하고는 마침내 군사를 돌려 평양으로 돌아가면서 왕필적을 남겨두어 개성을 지키게 하였다. 그리고 제독이 접반사 이덕형에게 "조선 군대는 지금 외로운 처지고 도움을 받을 데가 없으니 임진강 북쪽으로 돌아와야 한다"고 하였다.

이때 전라도 순찰사 권율(權慄, 1537-1599, 조선조의 명장으로 자는 언신彦信, 호는 만취당晩翠堂, 본관은 안동이다. 의주목사로 있다가 임진왜란을 만나 순찰사로 승진되었고, 고양의 행주산성 전투에서 큰 공을 세웠다. 뒤에 도원수가 되어 전군을 지휘하였다. 시호는 충장忠壯이다)이 고양의 행주에 있었고, 순변사 이빈은 파주에 있었으며, 고언백·이시언 등은 해유령에 있었으며, 원수 김명원은 임진강에 있었고, 나는 동파에 있었는데 왜적이 우리를 침략할까봐 두려워서 제독이 그런 말을 한 것이었다.

나는 종사관 신경진을 시켜 빨리 말을 달려 제독에게 가서 퇴군해서는 안 될 5가지 이유를 아뢰라고 하였다. 그 내용은 이러했다.

그 하나는, 우리 선왕의 무덤들이 모두 경기도에 있었기에 왜적의 점령에서 벗어나기를 신神과 사람이나 모두가 간절히 바라고 있어 차마 버리고 갈 수 없기 때문이다.

둘째는, 경기 이남의 우리 백성들이 날마다 명나라 군대가 오기를 기다리고 있는데 갑자기 명나라 군사가 물러간다는 얘기를 들으면 다시는 어려움을 이겨낼 용기를 잃게 되어 서로 앞장서서 왜적에게 투항하려는 생각을 가질 수 있기 때문이다.

셋째는, 우리 국토를 한 치 땅이라도 버릴 수 없기 때문이다.

넷째는, 우리 장수와 병사들이 비록 힘은 미약하지만 바야흐로 명나라 구원군에 의지하여 함께 앞으로 진군하려 하려는데 군대를 퇴각시킨다는 소식을 듣게 되면 반드시 모두 원망하고 분개하여 뿔뿔이 흩어질 것이 뻔하기 때문이다.

다섯째는, 명나라 군대가 일단 퇴각하여 왜적이 그 뒤를 추격하면 비록 임진강 이북이라 할지라도 또한 안전을 보장받을 수 없기 때문이다.

제독이 이상 5가지 이유를 듣고는 아무 대꾸도 없이 나가버렸다고 하였다.

전라도 순찰사 권율이 행주산성전투에서 왜적을 크게 무찌르다

전라도 순찰사 권율이 행주에서 왜적을 무찌르고 군대를 파주로 옮겼다.

이에 앞서 권율이 광주목사光州牧使로 있으면서 이광을 대신하여 전라도 순찰사가 되어 병사를 이끌며 직분에 충실하였다. 이광 등이 야전에서 패한 것을 거울로 삼아 수원에 이르러 독성산성에 웅거하고 있으니 왜적이 감히 공격하지 못하였다. 명나라 군대가 서울에 들어온다는 말을 듣고 권율은 한강을 건너 행주산성에 진을 쳤다.

마침 그때 왜적이 서울 도성에서 나와 행주산성에 대공세를 취하니 병영 안의 인심이 흉흉해지고 군사들이 두려운 나머지 모두가 달아나려 하였으나 한강 물이 산성 뒤로 흐르고 있어 달아날 길이 없었으므로 병사들이 하는 수 없이 성으로 되돌아와 힘을 다해 싸웠다. 아군이 쏘는 화살이 비오듯한데 왜적이 세 진영으로 나누어 교대로 진격해 왔지만 모두 아군에게 패하였다. 때마침 해가 저물어 왜적이 서울로 되돌아가자 권율이 군사들에게 적의 시체를 가져다 사지를 갈기갈기 찢어 나무숲에 이리저리 걸어놓아 왜적에게 당했던 분한 마음을 씻게 하였다.

얼마 뒤에 왜적이 다시 서울에서 나와 반드시 보복하겠다는 첩보를

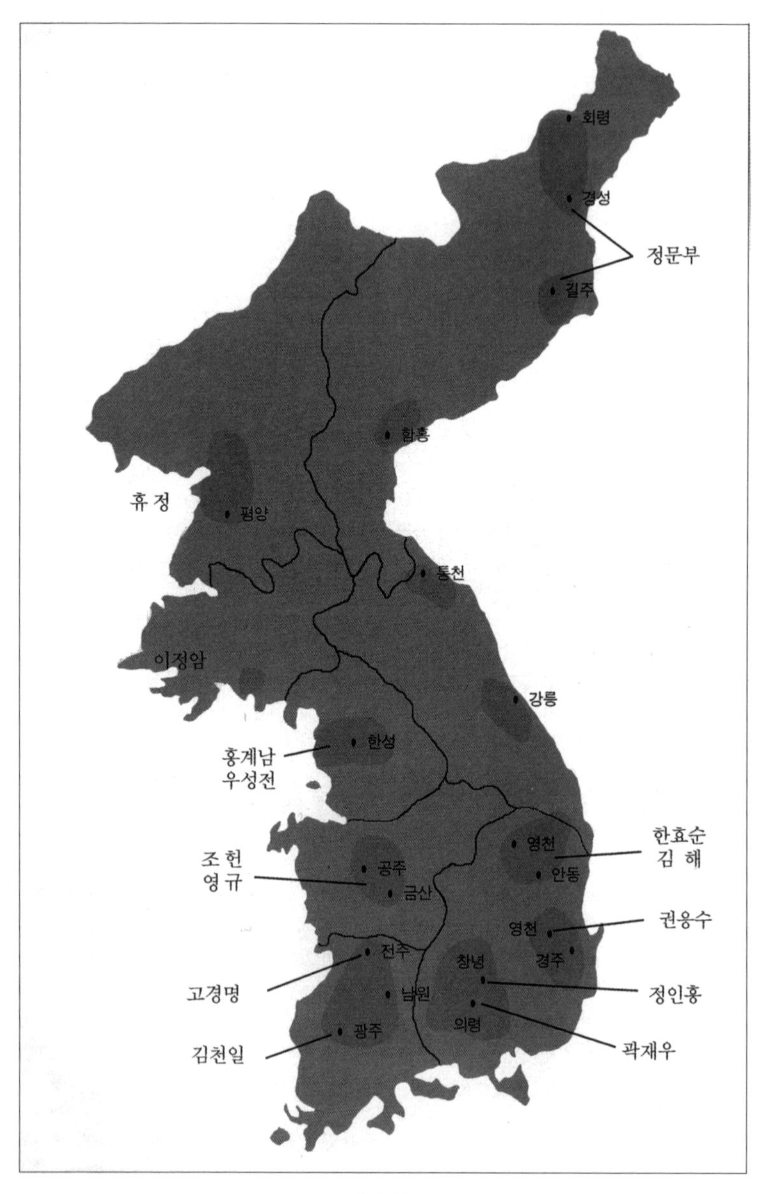
회령
경성
정문부
길주
함흥
휴 정
평양
통천
이정암
강릉
한성
홍계남
우성전
한효순
김 해
영천
조 헌
영 규
공주
안동
금산
영천
권응수
전주
창녕
경주
고경명
남원
정인홍
광주
의령
김천일
곽재우

의병 분포도

받고 권율은 너무 두려운 나머지 병영의 울타리를 헐어버리고는 군사를 이끌고 임진강에 이르러 도원수 김명원을 따랐다.

나는 이 소식을 듣고 혼자 말을 타고 달려가 파주산성에 올라 형세를 살펴보니 큰 길의 요충지에다 지형이 매우 가파라서 군사를 주둔시킬 만하였다. 곧바로 권율에게 순변사 이빈의 군대와 연합하여 이곳을 지켜 서쪽에서 내려오는 왜적을 막으라고 지시하였다. 방어사 고언백과 이시언, 조방장 정희현鄭希玄과 박명현朴名賢 등을 유격대로 삼아 해유령을 막게 하였고, 의병장 박유인朴惟仁·윤선정尹先正·이산휘李山輝 등으로 하여금 오른쪽 길로 가서 창릉昌陵과 경릉(敬陵, 창릉은 조선조 예종과 그 왕비 안순왕후의 능이고, 경릉은 세조의 장자인 추존왕 덕종과 소혜왕후의 능으로 모두 경기도 고양시 덕양구 서오릉 안에 있다) 사이에 매복하여 각자 군사들을 거느리고 나타났다 숨기를 반복하다가 필요할 때 공격하되 왜적의 수가 많으면 피하여 싸우지 말고 왜적의 수가 적을 경우 상황에 따라 적을 공격하라고 하였다. 이때부터 왜적이 서울 도성에서 나와 땔감을 채취하지 못하였고, 많은 말이 죽어나갔다.

또 창의사倡義使 김천일·경기 수사京畿水使 이빈李蘋·충청 수사 정걸丁傑 등은 배를 타고 용산과 서강을 따라가면서 왜적의 세력을 분산시키게 하였고, 충청도 순찰사 허욱(許頊, 1548-1618, 조선조의 문신으로 자는 공신公愼, 호는 부훤負暄, 본관은 양천이다. 관직은 좌의정을 지냈고, 임진왜란 때 청량사請糧使가 되어 명나라에 가서 곡식 2만 2,700섬을 원조 받다. 굶주리던 백성들을 구제하였다. 시호는 정목貞穆이다)이 양성陽城에 있었으므로 돌아가 충청도를 지켜 남쪽으로 물밀 듯이 들이닥칠 왜적에 대비하게 하였다.

경기·충청·경상 각 도의 관군과 의병에게 공문을 보내 각자 자기 자리에 있으면서 좌우 쪽으로 왜적이 통과하는 길을 막도록 하였으며,

양근 군수 이여양李汝讓에게 용진龍津을 지키게 하였다. 그리고 여러 장수들이 목 벤 왜적의 머리는 모두 개성부 남문 밖에 걸도록 하였다. 제독의 참군參軍 여응종呂應鐘이 이 광경을 보고 기뻐하며 "조선 사람이 지금 적의 머리를 베는 것이 마치 공을 쪼개듯 하는 구려"라고 하였다.

하루는 왜적이 도성의 동문에서 대거 나와 산을 수색하며 양주와 적성을 거쳐 대탄에 이르렀으나 아무 것도 얻지 못하였다. 사대수가 왜적이 습격해 올까 두려운 나머지 나에게 이르기를 "어떤 정탐꾼이 와서 말하기를 왜적이 사 총병(査總兵, 명나라 구원군의 총병이 이여송이고, 부총병副總兵이 사대수查大受였는데, 여기에서는 그냥 사대수를 총병으로 불렀다)과 유 체찰(柳體察, 유성룡이 이때 평안도 도체찰사都體察使로 있었기 때문에 이렇게 부른 것이다)을 잡으려고 한다니 잠깐 개성으로 피하는 것이 어떨까요"라고 하였다. 내가 대답하기를 "그 정탐꾼의 말은 아마 이치에 맞지 않는 듯하구려. 왜적은 대군이 가까이 와서 주둔하고 있지나 않는가 의심하고 있는데 어찌 감히 쉽게 강을 건너오겠습니까. 우리들이 한 번 움직이면 민심이 반드시 흔들릴 터이니 조용히 때를 기다리는 것이 낫겠지요"라고 하니, 사대수가 웃으며 말하기를 "그 말씀이 참 지당하십니다. 만약 적이 온다면 저와 유 체찰은 죽기 살기를 같이 해야 하니 어찌 저 혼자 살겠다고 떠나겠습니까"라고 하고는 자신이 거느리고 있던 용사 수십여 명을 나누어서 나를 지키게 하였다. 비록 비가 세차게 내리는데도 그들이 밤 내내 게으름을 피우지 않고 나를 지키다가 왜적이 도성으로 들어갔다는 말을 듣고서야 지키는 일을 그만두었다.

그 뒤에 왜적이 권율이 파주에 있다는 것을 알고 원한을 갚고자 대군을 이끌고 서쪽 길로 나서 광탄에 이르렀다. 그곳에서 파주산성까지는 거리가 몇 리에 지나지 않는데도 군사를 멈추게 하고는 오시(午時, 11-13시)에서 미시(未時, 13-15시)에 이르기까지 앞으로 전진하지 않고 오히려 뒤로 물러서더니 그 뒤로는 다시 앞으로 나아가지 않았다. 이는 왜적이 지형을 볼 줄 알아, 권율이 주둔하고 있는 곳이 험하고 가파른 곳이었기 때문에 그랬을 뿐이었다.

내가 왕필적에게 서신을 보냈는데 그 글에 "왜적이 지금 험준한 곳에 주둔하고 있어 공격하기는 쉽지 않습니다. 그러니 상국의 대군이 동파와 파주에 진출하여 주둔하고 있다가 왜적의 후미를 밟아 견제하게 하고, 그들 가운데 남방 병사 1만 명을 뽑아 강화도로 해서 한강 남쪽으로 나와 왜적이 알아채지 못하는 순간에 왜적의 여러 진지를 쳐부순다면 서울에 주둔하고 있던 왜적은 돌아갈 길이 끊어져서 반드시 용진을 향하여 달아날 것이오. 그때에 뒤에 남은 군사들이 여러 곳의 강나루를 쳐부수면 한꺼번에 왜적을 쓸어버릴 수 있을 것입니다"라고 하였다. 그 글을 본 왕필적이 무릎을 치며 신기한 계책이라고 칭찬하고는 정탐꾼 36명을 선발하여 충청도 의병장 이산겸의 진지로 달려가 왜적의 형세를 살피게 하였다. 이때 왜적의 정예병이 모두 서울에 있어 후방의 주둔지에는 모두 파리하고 허약한 병사들뿐이었으므로 정찰병이 이를 보고 기뻐 날뛰었다. 본대로 돌아와 보고하기를 "군사 1만 명도 필요 없겠습니다. 다만 2, 3천 명으로도 깨뜨릴 수 있겠습니다"라고 하였다. 그러나 이여송 제독은 북방 출신 장수인지라 이번 전쟁에서 남방군의 역할을 몹시 통제 해왔으므로, 이번 작전에서도 남방군이 성공할까 시샘이 나서 허락하지 않았다.

남은 군량미를 얻어 굶주린 백성을 구제하다

남은 군량미를 내어 굶주린 백성을 구제할 것을 청하니 임금께서 허락하셨다.

그때 왜적이 서울을 점령하고 있은 지 이미 2년의 세월이 흘렀으니, 날카로운 칼날과 화염의 피해로 온 나라가 황폐해지고 백성들은 밭을 갈고 씨를 뿌리지 못하여 거의 다 굶어죽을 지경이었다.

서울 도성 안에 남아 있던 백성들은 내가 동파에 와 있다는 얘기를 듣고 서로 부축하거나 등에 업혀 찾아오는 사람들이 그 수를 헤아릴 수 없을 정도로 많았다. 사 총병이 파주 마산역으로 가는 길에 어린아이가 땅에 엉금엉금 기면서 죽은 어미의 젖을 빨고 있는 광경을 보고는 애통해 하며 그 아이를 거두어 병영 안에서 키우고 있었다. 그가 나에게 이르기를 "왜적은 아직 물러가지 않고 있는데 백성의 삶이 이같이 처참하니 이 일을 어쩌면 좋겠소" 하고는 "하늘도 울고 땅도 슬퍼하도다[天愁地慘천수지참]"(중국 명나라 나관중의 『삼국지』 제104회에 나오는 말로, 세상이 극도로 피폐하고 험난해서 천지자연도 슬퍼함을 뜻한다)라고 하며 탄식하였다. 그 말을 듣고 나도 모르는 사이에 내 두 뺨에 눈물이 주르르 흘러내렸다.

그때 명나라 대군이 또 오게 되어 군량미를 실은 배가 남쪽에서 도착하여 강 언덕에 줄지어 정박해 있었으나 감히 다른 용도로는 사용할 수가 없었다. 마침 전라도 소모관召募官 안민학(安敏學, 1542-1601, 조선조의 문신으로 자는 이습而習, 호는 풍애楓厓, 본관은 광주廣州이다. 율곡 이이의 문인이다. 아산현감을 지내다가 임진왜란을 맞아 소모관으로 공을 세우고, 뒤에 사도시첨정司䆃寺僉正을 지냈다. 시호는 문정文靖이다)이 찧지 않은 피곡皮穀 1천 섬을 모아서 배로 실어 왔기에 내가 기뻐하며 곧바로 임금께 장계를 올려 이 곡식으로 굶주리고 있는 백성들을 구제할 것을 임금께 요청 드렸다. 그리고 전에 군수를 지낸 남궁제南宮悌를 감진관監賑官으로 삼고 솔잎을 따서 가루를 만들어 솔잎 가루 10푼[分]에 쌀가루 1홉을 섞은 데다 물을 타서 마시게 하니 먹을 사람은 많은 반면에 배급량이 너무 적어 활력을 되찾은 사람은 거의 없었다.

명나라 장수들도 불쌍히 여겨 자기들이 먹을 군량미 중에 30섬을 구호미로 나누어 주었으나 그것은 필요한 양의 100분의 1에도 미치지 못하였다.

어느 날 밤에 큰비가 내리는데, 내가 자는 숙소 옆에서 배고픈 백성들이 내는 신음 소리가 너무나 비참하여 차마 들을 수 없을 정도였다. 다음날 아침에 일어나 보니 굶어죽은 사람들의 시체가 여기저기 널브러져 있었다.

경상도 감사 김성일도 전에 전적典籍을 지낸 이로李魯를 보내 나에게 급히 알리기기를 "전라좌도의 곡식을 빚내어서 굶주린 백성들을 구제하고 또 봄에 뿌릴 씨앗을 마련하려는데 전라도사全羅都事 최철견(崔鐵堅, 1548-1618, 조선조의 문신으로 자는 응구應久, 호는 몽은夢隱, 본관은 전주이다. 임진왜란 때 전라도사로 전주를 방어하는 데 공을 세웠으며, 뒤에 황해도 관찰사를 지냈다)이 빌려주려고 하지 않으니 어쩌면 좋겠소"라고 하였다. 그때 지사知事 김찬(金瓚, 1543-1599, 조선조의 문신으로 자는 숙진 叔珍, 호는 눌암訥庵, 본관은 안동이다. 임진왜란 때는 대사헌으로서 왕을 호위했고,

조선인민의 기갈(『繪本朝鮮軍記』의 삽화)

이조판서, 우참찬을 지냈다. 시호는 효헌孝獻이다)이 부체찰사副體察使로 충청도에서 근무하고 있었으므로 내가 곧장 그에게 공문을 보내, 빨리 전라도로 내려가 남원 등지의 곡식 창고를 열어 영남에 1만 섬의 곡식을 보내어 그곳의 굶주린 백성들을 구제하도록 하였다

서울에서 국토의 남쪽 변방까지 왜적들이 휘젓고 다녔다. 때는 4월인데도 백성들이 모두 산골짜기에 숨어 있느라 전혀 보리 파종을 못하였으므로 먹고 살길이 막막하였다. 만약 왜적이 다시 몇 달을 그렇게 버티고 있으면 목숨이 붙어 있는 모든 것들이 살아남기 어려웠다.

심유경이 다시 서울에 와서 왜적에게 철군을 권하다

유격대장 심유경이 재차 서울에 들어가서 왜적에게 서울에서 물러날 것을 권하였다.

사월 초이렛날에 이여송 제독이 군대를 이끌고 평양에서 개성부로 돌아왔다.

이에 앞서 김천일의 진중에 이진충이란 자가 있어 서울에 잠입하여 왜적의 정황을 정탐하겠다고 자청하였다. 그가 두 분의 왕자와 황정욱 등을 만나고 돌아와서 "왜적은 우리와 강화할 의향이 있는 것 같았습니다"라고 말하였다.

얼마 뒤에 왜적이 용산에 주둔하고 있는 우리 수군에게 강화를 요청하는 서신을 보냈는데, 김천일이 그것을 나에게 보냈다. 내가 생각하기를, 제독이 이미 왜적과 싸울 의사가 없지만 혹시 이 일을 빌미로 하여 왜적을 물리치려고 작정한다면 제독이 개성으로 돌아오지 않을 수 없을 것이고 그리 되면 왜적을 몰아내는 일은 쉽게 끝낼 수 있을 것이라고 하여 그 서신을 사대수에게 보였다. 사대수가 바로 자신이 데리고 있던 하인 이경李慶에게 말을 달려 평양에 있는 제독에게 보고하게 했더니, 제독이 심유경을 보냈다.

김명원이 심유경을 보고 말하기를 "왜적이 평양에서 속은 것을 분하게 여기고 있으니 반드시 우리에게 좋지 않은 생각을 가지고 있을 게 뻔한데 무얼 하려고 다시 서울에 들어가려 하시는지요"라고 하니, 심유경이 "왜적이 빨리 물러가지 않아서 패전을 자초했는데, 내가 어찌 시비를 따질 일이 있겠습니까"라고 하며 서울로 들어가 버렸다.

그들이 적중에서 만나 무슨 말을 했는지 듣지 못했으나 짐작되기로는, 두 왕자와 왕자를 따르던 신하들을 돌려보내라고 졸랐을 것이고, 또 군대를 부산으로 되돌린 뒤에야 강화 협상이 시작될 수 있을 것이라고 했을 것이다. 그리고 왜적들은 두 나라 간의 약속을 지키겠다고 말했으리라고 본다. 이 일이 있은 뒤에 제독이 마침내 개성으로 돌아왔다.

내가 개성으로 돌아오는 제독에게 글을 올려 "강화 협상은 좋은 일이나 우리의 계책이 아니니 저들을 치는 것이 상책입니다"라고 강하게 주장하였는데, 제독이 나에게 답신을 보내 "이는 애초에 내가 가졌던 생각과 같습니다"라고 하였으나 내 말을 그대로 받아들일 생각은 없어 보였다.

그리고 제독이 유격장군 주홍모周弘謨를 왜적의 진영에 가게 하였다. 그때 마침 나와 도원수 김명원이 권율의 진중에 있었는데 주홍모가 파주에서 우리를 만나 명나라 황제의 영슈자가 들어간 깃발과 명령을 적은 패찰牌札에 예를 올리라고 하였다. 그 말을 듣고 내가 말하기를 "이것은 왜적의 병영에 들어가는 깃발과 패찰인데 어찌 거기에 대고 예를 올릴 수 있겠소. 그리고 패찰에 왜적을 죽이지 말라는 송시랑(宋侍郎, 명나라 2차 구원군의 총사령관이었던 경략經略 송응창이 명나라 병부우시랑이었기 때문에 붙여진 이름이다)의 글귀가 있으니 더더욱 그럴 수 없소"라고 하였다. 주홍모가 서너 번에 걸쳐 억지로 예를 올리게 했지만 나는 끝내 대답하지 않고 말에 올라 동파로 돌아왔다.

주홍모가 사람을 시켜 제독에게 이 사실을 써서 장계를 올리니 제독이 크게 노하여 이르기를 "그 깃발과 패찰은 곧 황제 폐하의 명령이니 비록 하찮은 북쪽 오랑캐라도 이것을 보면 바로 예를 올리거늘 어째서 그런 실례를 하는가. 내가 군법을 시행한 뒤에야 군사를 돌이킬 것이다"라고 하였다. 이 말을 들은 접반사 이덕형이 급히 나에게 "내일 오셔서 용서를 빌지 않으면 안 되겠습니다"라고 귀띔하였다.

다음날 내가 도원수 김명원과 함께 개성으로 가서 영문營門에 이르러 이름을 댔으나 제독의 노기가 가시지 않아 만나주지 않았다. 김명원이 물러나려 하자 나는 "제독이 나를 시험해보려고 저러시니 잠간 기다려 봅시다"라고 하였다. 그때 보슬비가 내리고 있었는데, 나와 김명원이 두 손을 모아 쥔 채 문 밖에 서 있었다.

조금 있으니 제독의 심부름꾼이 문에서 나와 엿보고 들어가기를 두 번이나 거듭하더니 바로 들어오게 하였다. 제독이 마루 위에 서 있기에 내가 앞으로 나아가서 예를 올리며 사과하며 말하기를 "소인이 비록 어리석고 못났으나 어찌 제가 황제 폐하의 명령을 새긴 깃발과 패찰에 경의를 표해야 한다는 사실을 몰랐겠습니까. 다만 기패 옆에 우리나라 사람이 왜적을 죽이는 것을 금지한다는 말을 보고 제 마음속으로 애통하게 여겨서 감히 예를 올리지 못했으니, 죽을죄를 지었습니다"라고 하니, 제독이 부끄러운 빛을 띠며 "참으로 지당하신 말씀입니다. 패찰의 글귀는 송 시랑께서 쓰신 것으로 저와는 아무 관계가 없습니다" 하고는 이어서 "요즘에 유언비어가 많이 떠돌고 있습니다, 송 시랑께서 만약 조선의 신하가 황제 폐하의 기패에 예를 올리지 않았는데 내가 용서하여 불문에 붙였다는 얘기를 들으시면 반드시 나를 꾸짖을 것입니다. 그러니 대략 그때의 정황을 글로 적어 나에게 가지고 오시지요. 정 시랑께서 그 일을 물으시면 그것으로 해명할 것이고, 묻지 않으신다면 없던 것으로 하겠습니다"라고 하였다. 우리 두 사람이 작별하고 나와 제독이 말한 대로 글을 지어 올렸다.

이 일이 있고 나서부터 제독이 왜적의 진영으로 계속해서 사람을 보냈다. 하루는 내가 도원수 김명원과 함께 제독에게 문안드리러 갔다가 동파로 돌아오는 길에 천수정 앞에서 사대수 장수가 데리고 있던 하인 이경을 만났는데, 그는 마침 동파에 왔다가 개성으로 들어가고 있던 길이었다. 말 위에서 서로 손 모아 절을 하고는 지나쳤다. 우리가 초현리에 이르렀을 때 말을 탄 명나라 병사 세 사람이 뒤에서 달려와 큰소리로 "체찰사께서는 어디에 계시오"라고 묻기에, 내가 대꾸하여 "내가 체찰사요"라고 하니 그들은 말을 돌리라고 고래고래 고함을 질러댔다. 그 중 쇠사슬을 쥐고 있던 한 병사가 긴 채찍으로 내 말을 마구 내리치며 "빨리 달려, 빨리 달려"라고 소리쳤다. 내가 어떤 영문인지 모르고 일단 말을 돌려 개성을 향해 달렸는데 그 병사가 내 말 뒤를 따라오며 계속 채찍질을 해댔다. 나를 따르던 수행원들은 뒤에 다 처지고 오직 군관 김재金齋와 종사관 신경진이 온힘을 다해서 따라왔다. 청교역을 지나고 토성의 모퉁이 길을 접어들려 하는데 또 한 기마병사가 성안에서 말을 달려 나와 세 기마병사에게 뭐라고 중얼거리니 이에 세 병사가 나에게 읍을 하고는 "그냥 돌아가시오"라고 하였다. 내가 정신이 아찔하여 어찌 할 줄을 모른 채 말을 돌려 왔는데, 그 다음날 이덕형의 연락을 받고 어제 벌어진 일의 내막을 알게 되었다. 이덕형이 들려준 얘기는 이러하였다.

> 제독이 신임하던 한 하인이 밖에서 들어와 제독에게 말하기를 "유 체찰이 왜적과 강화협상을 할 마음이 없어 임진강으로 배를 다 끌고가 왜적의 진영으로 오고가는 우리 사신이 왕래를 못하게 되었답니다"라고 하였다, 이

말을 들은 제독이 버럭 화를 내면서 나를 붙잡아 와서 곤장 40대를 치려고 하였다. 내가 도착하지도 않았는데 제독이 눈알을 부라리고 두 팔을 휘두르며 앉지도 못하고 서 있지도 못한 채 안절부절 했으므로 좌우에 있던 사람들이 모두 두려움에 떨었다. 조금 있다가 사대수의 하인 이경이 도착하자 제독이 임진강에 배가 있더냐고 물으니 이경이 대답하기를 "예. 배가 아무 지장 없이 잘 다니고 있었습니다"라고 하니 제독이 곧바로 사람을 시켜 내가 오는 것을 멈추게 하고는 자기에게 잘못 얘기했던 하인에게 곤장 수백 대를 때렸고, 매를 맞은 하인은 기절하여 끌려 나갔다. 제독이 나에게 성낸 것을 후회하며 사람들에게 말하기를 "만약 체찰사가 오면 나는 어떻게 하면 좋겠는가"라고 하였다.

제독은 내가 일본과의 강화 협상을 좋아하지 않는다고 하여 근본적으로 나에게 좋지 않은 감정을 가지고 있었으므로 조금이라도 다른 사람에게서 나에 대한 좋지 않은 얘기를 들으면 이것저것 살펴볼 겨를도 없이 이같이 불같이 화를 내니 사람들이 나를 위태롭게 생각하였다.

그 후로 며칠이 지난 뒤에 제독이 유격장군 척금戚金과 전세정錢世禎 두 사람을 시켜 기패旗牌를 동파에 가지고 가서 나와 도원수 김명원, 관찰사 이정형을 불러 자리를 같이하게 하였다. 두 사람 중에 한 사람이 조용히 말하기를 "왜적이 조선의 두 왕자와 그들을 따르던 신하들을 풀어놓으면서 동시에 서울에서 물러나겠다고 합니다. 지금 그들의 요청대로 왜적이 서울을 빠져나가게 한 뒤에 우리가 세운 계책에 따라 그들을 추격하여 섬멸시키는 것이 좋을 듯합니다"라고 하였는데, 이는 제독이 저들을 보내서 나의 의향이 어떤지 살펴보려고 한 말이었다. 내가 여전히 전에 주장했던 것을 그대로 고집하였으므로 그들이 양쪽의 의견을 조정하느라 제독에게 여러 번 다녀오게 되자 전세정이 조급증이 있어 참지 못하는 성격이라 성을 내며 큰소리로 욕하여 말하기를 "그렇다면 그대 나라의 국왕은 어째서 도성을 버리고 도망쳐 나왔단 말이요"라고 하기에 내가 천천히 "도성을 옮겨서 나라를 지키는 것도 하나의 방법이지요"라고 하였다. 이때 척금은 다만 나와 전세정을 자꾸 쳐다보면서 빙그레 웃기만 할 뿐 아무 말이 없었다. 전세정 등이 마침내 돌아갔다.

사월 열아흐렛날에 제독이 대군을 이끌고 동파에 와서 사대수 부총병의 막사에서 머물렀다. 이는 왜적이 이미 서울에서 군대를 철수하기로 약속하였으므로 머잖아 서울로 진입하기 위한 조치인 듯하였다. 내가 제독이 머무는 곳에 나아가 안부를 물었는데 제독이 나를 만나주지 않고 통역관을 통하여 이르기를 "체찰사께서는 나에게 불쾌한 마음을 가지고 있으실 텐데도 안부를 물어 오셨군요"라고 하였다.

4월 20일에 서울을 수복하다

사월 스무날에 서울이 수복되고, 명나라 구원군이 도성으로 들어갔다. 이여송 제독은 소공주댁小公主宅(뒤에 남별궁南別宮으로 불리었다)을 숙소로 정하였다. 그 하루 전에 왜적은 이미 도성을 빠져나갔었다.

내가 명나라 구원군을 따라 도성에 들어왔는데, 성안에 보이는 백성들은 백에 한 명 정도에 지나지 않았고 그나마 살아남은 자도 모두 파리하고 지쳐서 얼굴이 귀신 얼굴 같았다. 그때 날씨가 너무 덥고 사람 죽은 시체와 말 시체들이 곳곳에 그대로 방치되어 있어서 악취가 온 도성 안에 가득했으므로 그 옆을 지나가는 사람들이 코를 막고 지나갔다. 도성 안에 있던 공공건물과 민간인 집들이 모두 사라졌으나 오직 숭례문 동쪽에서부터 남산 아래 일대까지 왜적이 머물던 곳에만 집이 조금 남아 있었다.

종묘와 세 곳의 대궐(三闕삼궐, 경복궁景福宮, 창덕궁昌德宮, 창경궁昌慶宮을 말한다)과 종로에 있던 각사(各司, 경각사京各司라고 한다. 조선조 때 서울에 있던 각 관청은 품수(品數)에 따라 정1품 관청부터 종6품까지의 관청이 있었다. 이것을 다시 구별하면 제부諸府 · 육조六曹 · 대성臺省 · 관각館閣 · 제사諸司 및 무직武職 등이다)와 관학(館學, 성균관成均館과 중학中學 · 동학東學 · 남학南學 · 서학西學 등 사학四學을 통틀어 이르는 말이다) 등 종로 대로大路 북쪽에 있던 큰 건물들은 모두 분탕질을 당하여 오직 타고 남은 재 가루만 흩날리고 있을 뿐이었다. 소공주댁도 왜적의 장군 우키다 히데이에가 머물렀던 곳이었기 때문에 남아 있을 수 있었던 것이다.

내가 먼저 종묘에 가서 통곡하고, 그 다음에 제독이 머무는 처소로 가서 문안드리러 온 여러 신하들과 만나 한참 동안 소리 내어 통곡하였다. 다음날 아침에 다시 제독에게 가서 밤새 지내시는데 불편함이 없었는지 안부를 묻고는, 내가 "왜적이 물러간 지 얼마 되지 않아 그들이 그리 멀리는 도망가지 못했을 것입니다. 하루라도 빨리 군사를 내어 추격하셨으면 합니다"라고 말하였다. 제독이 이르기를 "내 생각도 그러하오만 그들을 추격하지 못하는 이유는 한강에 군사들이 탈 배가 준비되어 있지 않기 때문이요"라고 하기에 내가 "노야(老爺, 노인의 다른 말로, 늙은이를 가리키거나 상대를 높여 부르는 말이다. 여기에서는 유성룡이 이여송을 높으신 어른으로 받든다는 뜻에서 붙인 말이다)께서 왜적을 추격하고자 하시니까 제가 먼저 강가에 나가서 쓸 만한 배를 찾아 준비해 놓겠습니다"라고 하니 제독이 "아주 좋은 생각입니다"고 응수하기에 곧장 내가 한강으로 나갔다.

이에 앞서 내가 경기도 우감사京畿道右監司 성영成泳과 수사水使 이빈에게 공문을 보내어 왜적이 서울을 떠나면 빨리 한강에 있는 크고 작은 배들을 남김없이 거두어 한강에 모아 놓으라고 했었는데, 이때 한강에 이미 도착한 배가 80척이나 되어. 내가 사람을 시켜 제독에게 배가 이미 마련됐다고 알렸다. 그러고 나서 한식경이 지난 뒤에야 영장營將 이여백이 군사 1만 명을 데리고 한강 가에 이르렀다. 그러나 군사를 반나마 도강시키고 나니까 날이 이미 저물었고 또 이여백이 갑자기 발병이 났다고 하며 말하기를 "도성 안으로 돌아가서 발병을 치료해야 출전할 수 있겠소"라고 하고는 가마를 타고 돌아갔다. 그러니 한강 남쪽에 가 있던 군사들마저도 다시 강을 건너와 모두 도성으로 돌아갔다. 나는 가슴 아팠지만 어떻게 해볼 도리가 없었다. 이런 여러 정황을 살펴보면, 제독이 실제로는 왜적을 추격할 생각이 없었으나 다만 거짓으로 나의 요청에 응한 척했다는 것을 알 수 있었다.

스무사흗날에 내가 병으로 자리에 몸져누웠다.

5월에 이여송이 왜적을 쫓아 문경까지 갔다가 회군하다

오월에 들어 이여송 제독이 왜적을 추격하여 문경까지 갔다가 회군하였다.

병부시랑 송응창이 머뭇거리며 시간을 보내고 있다가 비로소 제독에게 명령이 적힌 패문牌文을 보내 왜적을 추격하게 한 것이었다. 그때 왜적이 서울을 떠난 것이 이미 수십 일이 되니 송 시랑이 사람들이 왜적을 풀어 주고 추격하지 않았다고 헐뜯을까 두려워서 이 같은 조치를 취하였지만 기실은 왜적이 두려워서 감히 더 나아가지 못하고 군대를 돌이킨 것이었다.

왜적은 쉬다 가다를 반복하며 천천히 후퇴하고 있었으나 그 길목을 지키고 있던 아군들은 모두 종적을 감추고 감히 앞으로 나와 싸우려 하지 않았다.

왜적이 후퇴하여 바닷가에 군사를 나누어 주둔하였다. 울산 서생포西生浦에서부터 시작해서 동래・김해・웅천・거제에 이르기까지 줄을 지어 무려 16곳에 진을 치고 있었는데 모두가 산과 바다에 의지하여 성을 쌓고 참호를 파 장기전을 펼치려는 계책을 세우고 있어 바다 건너 본국으로 돌아갈 생각을 하지 않는 것 같았다.

명나라 조정에서는 이어서 또 사천총병四川總兵 유정(劉綎, 중국 명나라 무장으로 자는 성오省吾이다. 칼싸움에 능하여 대도大刀를 자유자재로 휘둘렀으므로 유대도劉大刀라고 불렀다. 임진왜란에 참전했다가 귀국하여 후금군과 싸우다 전사하였다)으로 하여금 복건福建 · 서촉西蜀 · 남만南蠻 등지에서 모집한 군사 5천 명을 인솔하여 조선으로 보내 성주와 팔거(八莒, 지금의 대구광역시 북구 칠곡동에 있었던 옛 지명이다)에 주둔하게 하였고, 남방 장수 오유충吳惟忠은 선산 · 봉계에, 이녕李寧 · 조승훈祖承訓 · 갈봉하葛逢夏는 거창에, 낙상지 · 왕필적은 경주에 주둔하여 사방을 둥글게 에워쌓으나 서로 버티고 있을 뿐 앞으로 나아가지 않았다. 그들을 먹일 군량미를 충청과 호남 지역에서 가져왔는데, 험준한 산길로 운반해 와서 여러 주둔지에 나누어 주었으므로 백성들은 더욱 지쳐갔다.

제독은 또 심유경을 시켜 왜적에게 가서 바다 건너 본국으로 돌아갈 것을 권하였고, 또 서일관徐一貫 · 사용재謝用梓에게 일본 나고야에 들어가서 관백 도요토미 히데요시를 만나게 하였더니, 유월에 왜국이 비로소 임해군 · 순화군 두 왕자와 그들을 시종하던 대신 황정욱 · 황혁 두 부자를 돌려보내면서 심유경에게 돌아가서 보고하게 하였다.

그러나 왜적은 그런 유화정책을 펼치면서도 한편으로는 진주성을 포위하고 지난해에 당했던 패전의 원한을 되갚겠다고 큰소리로 떠들었다. 이는 아마 왜적이 임진년(1592)에 진주를 포위했다가 목사牧使 김시민(金時敏, 1554-1592, 조선조의 무신으로 자는 면오勉吾, 본관은 안동이다. 진주목사로 있으면서 임진왜란 초기에 1차 진주성 전투에서 큰 전공을 세웠으나 전쟁에서 입은 상처로 얼마 뒤에 죽었다. 시호는 충무忠武이다)이 잘 방어하여 이기지 못하고 퇴각했기 때문에 그런 소문을 냈을 것이다.

왜적이 진주성을 공격한 지 8일 만에 성을 함락시켜 목사 서원례徐元禮 · 판관 성수경(成守璟, ?-1593, 조선조의 문신으로 본관은 창녕이다. 관직은 진주 판관을 지내다 1593년에 진주성 싸움에서 전사하였다) · 창의사(倡義使

김시민

김천일 · 경상우도 병사兵使 최경회 · 충청도 병사 황진(黃進, 1550-1593, 조선조의 무신으로 자는 명보明甫, 호는 아술당蛾述堂, 본관은 장수다. 1593년 충청 병마사로 있으면서 진주성 싸움에서 싸우다 전사하였다. 시호는 무민武愍이다) · 의병장 복수장군復讎將軍 고종후高從厚 등이 모두 죽고, 군인과 민간인 전사자가 6만여 명에 달했으며 소 · 말 · 닭 · 개 같은 짐승도 씨도 없이 죽였다. 왜적이 성곽을 무너뜨리고 참호와 우물을 메우며 성안의 나무를 다 자르는 등 온갖 만행을 저질러 지난해의 분한 마음을 씻어냈으니, 이때가 유월 스무여드렛날이었다.

처음 조정에서 왜적이 남하한다는 얘기를 듣고 잇달아 교지敎旨를 내려보내 여러 장수들에게 왜적을 추격하게 하였다. 도원수 김명원 · 순찰사 권율을 비롯한 관군과 의병들이 총출동하여 의령에 모였다. 행주산성 전투에서 크게 이겼던 것에 도취해 있던 권율이 기강(岐江, 경상남도 의령군을 흐르는 낙동강과 남강이 만나는 지점을 기강이라 한다. 거름강이라고도 한다. 임진왜란 때 곽재우 장군의 전승지다)을 건너 진격하려고 하자 곽재우·고언백이 "지금 왜적의 기세가 한창 치솟고 있는데 아군은 대부분 오합지졸이라 전쟁을 치를 만한 군사들은 그리 많지 않습니다. 또한 우리가 나아가는 곳에는 군량미가 준비되어 있지 않아 진격하기에는 어렵다고 생각됩니다"라고 말하였다. 다른 장수들은 망설이며 의견을 내놓지 않았다.

이빈의 종사관 성호선(成好善, 1552-?, 조선조의 문신으로 자는 칙우則優, 호는 월사月簑, 본관은 창녕이다. 관직은 충주목사를 지냈다)이 명석하지 못하여 사태를 잘 알지 못하면서 팔을 내두르며 여러 장수들이 머뭇거리고 있는 것을 질책하였다. 그가 권율과 생각이 맞아서 마침내 기강을 건너 함안에 이르렀으나 성이 텅 비어 있어 아무런 소득도 얻지 못하였다. 게다가 군사들은 먹을 것이 없어 풋감을 따서 먹어야 할 형편이라 적을 만나 싸울 생각은 멀리 달아났다.

다음날 왜적의 대병력이 김해를 떠났다는 첩보를 입수하였는데, 아군의 의견이 둘로 갈려 한 쪽은 마땅히 함안을 사수해야 한다고 했고, 또 다른 쪽에서는 함안에서 물러나 정암진을 지켜야 한다고 주장하는 등 의견이 엇갈려 결정을 내리지 못하였다. 그러는 사이에 왜적이 쏘는 조총소리가 가까이 들려왔다. 그 소리에 놀란 아군들이 한꺼번에 성에서 몰려나오는 바람에 성을 건너기 위하여 설치해 놓은 다리 위에서 많은 군사들이 떨어져 죽었다. 정암진을 건너 바라보니 왜적이 물길과 육로를 따라오며 온 들판과 하천을 막고 있어 여러 장수들이 각자 살길을 도모하여 뿔뿔이 흩어졌는데, 권율·김명원·이빈·최원 등의 장수는 먼저 전라도로 향했다. 오직 김천일·최경회·황진 등만이 진주성으로 들어가니 왜적이 뒤따라와서 성을 포위하였다.

목사 서원례와 판관 성수경은 명나라 장수를 접대하는 접대차사원接待差使員으로 오랫동안 상주에 있다가 왜적이 진주로 향하고 있다는 소식을 듣고 낭패스러워하며 진주로 돌아온 지 겨우 이틀 만이었다.

진주성은 본래 사방이 지세가 험한 곳에 의지하여 있었는데 임진년에 동쪽 평평한 곳으로 옮겼다. 여기에 왜적이 성안의 동정을 내려다볼 수 있게 비루飛樓 여덟 좌座를 세웠다. 그리고 성 밖에 자라고 있던 대나무를 베어 큰 다발로 묶어 비류 앞을 뺑 둘러 가리니 아군이 쏘는 화살이나 던지는 돌을 막아낼 수 있었다. 왜적들이 그 비류 안에서 성안을 향해 조총을 빗발처럼 쏘아대자 성안 사람들이 감히 머리를 밖으로 내놓지 못했다.

또 김천일이 거느리고 있던 군사들은 모두 서울 바닥에서 모집한 무리들이고, 김천일 또한 군사 업무를 잘 알지도 못하면서 고집이 지나치게 강했다. 게다가 본래 서원례를 미워하여 주장主將과 객장客將이 서로 시기 질투하였으므로 명령이 통할 리가 없었기에 더 크게 패하였다.

오직 황진만이 동쪽 성문을 잘 지켜 여러 날 전투를 벌였으나 날아오는 총탄에 맞아 전사하니 아군의 사기가 위축됐고 또 밖에서 구원군이 오지 않았다. 마침 비가 내려 성벽이 허물어져 왜적들이 개미떼처럼 몰려오자 성안 사람들이 가시나무를 묶어 성위에 얹기도 하고 돌을 던지며 온힘을 다해 막은 끝에 왜적이 거의 포기하고 물러가려 하는데 그때 북쪽 문을 지키고 있던 김천일의 군사들이 성이 이미 함락됐다고 지레 짐작하여 먼저 흩어지는 바람에 산 위에서 이 광경을 보고 있던 왜적이 일거에 달려들어 성을 타고 오르니 우리 군사들은 일대 혼란에 빠졌다.

김천일이 촉석루에 있다가 최경회와 손을 잡고 통곡하며 강물에 몸을 던져 죽었다. 군인과 민간인 가운데 살아남은 사람은 몇 사람에 불과하였으니, 왜적과 전쟁을 벌인 이래로 이번 전쟁처럼 많은 희생자를 낸 적은 없었다.

조정에서는 김천일의 죽음이 의롭다고 하여 그의 관직을 의정부 우찬성으로 높여 추증追贈하였고, 또 권율이 왜적을 두려워하지 않고 용감하게 싸웠다고 하여 김명원을 대신하여 원수로 삼았다.

총병 유정이 진주성이 함락되었다는 소식을 듣고 팔거에서 말을 달려 합천에 도착하고, 오유충 또한 봉계에서 초계로 와 경상우도를 지켰다. 왜적도 진주성을 격파하고는 부산으로 돌아가서 "명나라에서 강화를 허락하기를 기다렸다가 바다를 건널 것이다"라고 떠들어댔다고 한다.

10월에 어가가 서울로 돌아오다

시월에 어가가 서울로 돌아왔다. 12월에 명나라에서 행인사(行人司 행인(行人, 행인사는 중궁 명나라 때 황제의 명령을 전달하고 책봉冊封·조근朝覲·빙문聘問 등의 외교업무를 담당하였던 중앙관청이고, 행인은 거기에 딸린 관직 이름이다) 사헌司憲이 우리나라에 사신으로 왔다.

이에 앞서 심유경이 왜국의 장수 고니시히(小西飛소서비, 일본의 무사로, 나이토 조안[內藤如安내등여안] 또는 고니시 히다노카미[小西飛驒守소서비탄수]라고 부른다. 조안은 가톨릭 세례명이고, 고니시 히다노카미라는 이름은 그가 고니시 유키나가의 부하로 그의 성씨를 따서 붙인 이름이다. 그래서 우리나라에서는 그를 고니시히라고 불렀다. 그는 고니시 유키나가가 내란에 패배해 죽자 피신하여 가톨릭을 신봉하였고, 뒤에 필리핀 마닐라로 추방되어 거기에서 죽었다)를 데리고 관백 도요토미 히데요시의 항복문서를 가지고 돌아왔다. 명나라에서 이 항복문서가 관백에게서 나온 것이 아니라 고니시 유키나가가 거짓으로 만든 것이라고 의심하였다. 또 심유경이 돌아오자 말자 진주성이 함락된 것을 보고는 왜국이 강화하려는 의사가 진실하지 못하다고 하여 나이토 조안을 요동에 머무르게 하고는 오랫동안 왜국에 결과를 알리지도 않았다.

그때 제독과 여러 장수들이 모두 본국으로 돌아가고 다만 유정·오유충·왕필적과 1만여 명의 군사가 팔거 땅에 주둔하고 있었다. 우리나라의 서울과 지방을 불문하고 백성들이 너무 굶주리고 군량미 운반에 지쳐서 노약자들이 죽어 도랑과 골짜기를 가득 메웠고, 어른들은 어쩔 수 없이 남의 것을 훔치러 다녔다. 거기에 더하여 역질이 돌아서 많이 죽었고, 부모 자식과 부부가 배고픈 나머지 서로를 잡아먹어서 사람 뼈가 풀덤불처럼 어수선하게 늘려 있었다.

얼마 뒤에 유정의 군사가 팔거에서 남원으로 옮겼다가 다시 남원에서 서울로 돌아와 십여 일을 하릴없이 뭉기적대다가 명나라로 떠났다. 그러나 왜적은 여전히 바닷가에 머물고 있어 백성들이 더욱 두려움에 떨었다.

이때 경략 송응창이 탄핵을 받아 본국으로 가고 새로 그 자리에 경략 고양겸(顧養謙, 명나라 무신으로 자는 익경益卿이다. 임진왜란 때 형부시랑으로 조선에 나왔다. 시호는 양민襄敏이다)이 임명되어 요동으로 왔다. 참장參將 호택胡澤에게 우리 조정의 신하들을 타이르는 내용의 공문을 주어 보냈는데, 그 내용은 대략 이러했다.

> 왜놈들이 까닭 없이 너희 나라를 침범하여 파죽지세로 밀고 올라와 서울, 개성, 평양 등 세 도읍지를 점거하고, 너희 나라의 토지와 백성들 중 10분의 8, 9를 차지하였으며, 너희 나라의 왕자와 그 시종하던 신하들을 포로로 잡았다. 우리 황제께서 크게 노하셔서 군사를 내어 한 번 싸워 평양을 깨뜨리고, 다시 진격하여 개성을 수복하였으며 왕자와 그 시종하던 신하들을 송환받았으며 2천 리의 국토를 되찾았다. 그런데 그 동안에 들어간 군비가 적지 않고, 동원된 군사와 군수물자 또한 적지 않으니 우리 조정에서 속국을 대접한 은의恩義가 여기에까지 이르렀도다. 또한 우리 황제 폐하께서 너희에게 베푸신 망극한 은혜 또한 과분했도다.
>
> 지금 군사를 먹일 양식을 다시 운반해올 수 없고 병력도 다시 동원할 수 없는 형편인데, 왜놈들도 마침 우리의 위세에 눌려 항복하기를 청하며 조공

을 바치게 해 달라고 애걸하고 있다. 우리 조정에서는 저들이 조공 바치는 것을 허락하여 바깥의 신하국으로 삼고자 하며 왜적을 다 몰아내어 바다를 건너게 함으로써 전쟁을 끝내고 병사들을 쉬게 하려고 하니, 이는 긴 안목으로 보면 너희 나라의 미래를 바라보며 만든 계책이 아닐 수 없다. 지금 너희 나라에는 식량이 다 떨어져 백성들이 서로를 잡아먹는 형편이니 또 무엇을 믿고 구원병을 요청하는가. 이미 우리가 너희 나라에 군량미를 제공하지 못하는데도 왜놈이 우리에게 바치겠다는 조공을 마다한다면 왜놈들이 반드시 너희 나라에 적개심을 가지게 될 터이니 그리되면 너희 나라는 망할 것이 뻔하다. 그런데 어찌 일찍 스스로 살아남을 계책을 세우지 않는가.

옛날에 구천(句踐, 중국 춘추시대 말기 월나라의 왕(재위기간 B.C. 496-465)으로 오왕 합려闔閭와 싸워 그를 죽였으나 부차에게 패했다. 그 후 부차를 패배시켜 자살케 하고 서주西州에서 제후들과 회맹하여 패자가 되었다)이 회계산(會稽山, 중국 절강성 소흥현에 있는 산 이름이다. B.C. 5세기 초 이곳에서 월왕 구천이 오왕 부차에게 포위되어 패하였으나 20년의 고생 끝에 부차를 격파하여 회계의 치욕을 씻었다는 고사로도 유명한 산이다)에서 곤궁에 처해 있을 때 어찌 부차(夫差, 중국 춘추시대 말기 오나라의 왕, 재위기간 B. C. 496-473으로 오왕 합려의 아들이다. 아버지가 월왕 구천에게 패해 죽자 월나라에 복수하였다. 책사 오자서가 구천을 죽여야 한다고 진언했으나 월나라 범려范蠡의 서시西施를 통한 미인계에 속아 결국 월나라 구천의 공격을 받아 망하였다)의 살점을 씹어 먹고 싶지 않았겠는가. 그러나 일부러 치욕을 참고 부끄러움을 무릅쓴 것은 기다리는 것이 있었기 때문이었다. 그래서 심지어 그 자신은 부차의 신하가 되고 자신의 아내는 부차의 첩이 되기까지도 했던 것이다. 하물며 너희 나라가 왜놈을 우리나라의 신하국으로 삼으라고 요청하는 것은 스스로 여유를 가지고 천천히 후일을 도모하는 일이니 이는 구천이 부차의 신하가 되어 부차에게 복수할 때를 기다린 것보다는 낫지 않겠는가. 이런데도 참지 못한다면 이는 작은 일에도 발끈 화를 내는 소인배의 좁은 소견이지 복수하여 치욕을 씻겠다는 영웅의 자세는 아니다.

너희 나라가 우리 조정에 왜국의 조공을 받으라고 요청하여 그대로 받아들여진다면 왜국은 반드시 우리나라에 감사할 것이고, 마찬가지로 너희 나라를 고맙게 여겨서 전쟁을 그만두고 돌아갈 것이다. 왜국이 물러난 뒤에, 구천이 행했던 대로 너희 나라의 임금과 신하들이 한가지로 마음 조리며 온갖 어려움을 이겨낸다면 하늘이 너희 나라를 도울 것이다. 그러면 어찌 너희가 왜국에게 복수할 날이 오지 않겠는가.

그 공문 안에는 구구절절이 많은 말을 늘어놓았으나 대강의 뜻은 그러했다. 호택이 객관에 3개월 넘게 머물고 있었으나 조정의 논의가 결판나지 않아 임금께서는 더욱 난처해 하셨다. 나는 그때 병으로 휴가 중이었으나 임금께 아뢰기를 "우리가 왜적을 위하여 명나라에 봉공을 요청하는 것은 옳지 않사옵니다. 오직 최근의 상황을 자세히 아뢰시어 명나라 조정이 적절히 처리하기를 요청하는 것이 마땅하온 줄 아옵니다"라고 하였다. 이후로 여러 번에 걸쳐 말씀드렸더니 그제야 윤허하셨다. 이리하여 진주사陳奏使 허욱이 명나라로 갔다. 그때 경략 고양겸은 사람들의 구설수에 올라 본국으로 떠나고, 새로 손광(孫鑛, 명나라 무신으로 자는 문융文融이다. 관직은 병부시랑을 지냈고, 임진왜란 때 구원군 경략으로 참여하였다)이 그를 대신하여 부임하였다.

명나라 병부에서 황제에게 아뢰고는 왜국의 나이토 조안을 북경으로 오게 하여 세 가지 요구 사항을 들이대며 따졌다. 그 내용은 다음과 같다.

첫째, 왜왕을 봉하는 책봉冊封만 요구하고 조공 바치는 문제는 거론하지 말라.

둘째, 왜병들은 완전히 부산에서 철수하라.

셋째, 앞으로 영원히 조선을 침공하지 말라.

단, 만약 이 세 가지 사항을 지키겠다면 바로 책봉할 것이고, 약속대로 이행하지 않으면 책봉 문제는 없었던 것으로 한다.

나이토 조안이 하늘에 대고 이 세 가지 약속을 준수하겠다고 맹세하였다. 마침내 심유경으로 하여금 나이토 조안을 데리고 왜적의 병영으로 가서 그 사실을 널리 알리도록 하였다. 또 이종성(李宗誠, 명나라 문신으로 도독첨사都督僉事가 되어 임진왜란을 맞아 일본과의 강화교섭 사절단의 정사로 참석했으나 일본의 위세에 놀라서 달아났다가 투옥되었다)과 양방형楊方亨을 차출하여 상사上使와 부사副使로 임명하여 일본으로 가서 도요토미 히데요시를 왕으로 봉하게 하였다. 그리고 이종성 등을 서울에 머물며 왜군이 완전히 본국으로 철수하는가를 지켜보도록 하였다.

을미년(선조 28년, 1595) 사월에 이종성 등이 서울에 도착하여 잇달아 사람을 보내 왜군이 우리나라에서 철수할 것을 재촉하였다. 이에 왜적은 먼저 웅천에 있는 몇 군데 진지와 거제·장문·소진포 등에 있던 모든 진지를 철수하여 신의를 보였다. 그러고는 이르기를 "평양전투에서처럼 속을까 염려되오니, 명나라 사신께서 빨리 저의 병영으로 들어오신다면, 약속드린 대로 모든 것을 실천하겠습니다"라고 하였다.

팔월에 부사 양방형이 명나라 병부에서 보낸 공문에 따라 먼저 부산에 도착하였으나 왜군이 즉각 철수하지 않고 머뭇거리면서 다시 상사 이종성을 자신의 병영으로 들어올 것을 요청하자 많은 사람들이 그들의 저의를 의심하였다. 병부상서 석성이 심유경의 말을 믿고 왜적이 다른 생각을 품지 않으리라고 믿었다. 그래서 이종성에게 먼저 가서 왜군의 빠른 철수를 종용하라고 여러 번에 걸쳐 재촉하였다. 비록 명나라 조정에서 이 문제에 대한 의견이 여러 가지로 갈라졌지만 석성이 분연히 자기 한 몸으로 반대 여론을 이겨나갔다.

구월에 이종성이 다시 부산에 도착하였으나 고니시 유키나가가 즉시 그를 만나러 오지 않고는 또 "머잖아 관백에게 가서 이 사실을 보고하여 재가를 받은 뒤에 명나라 사신을 만나겠다"라고 하였다.

고니시 유키나가가 일본에 들어갔다가 병신년(1596, 선조 29년) 정월에야 돌아왔으나 여전히 철군에 관한 일정을 밝히지 않았다. 심유경은 두 사신을 남겨둔 채 또 혼자 고니시 유키나가와 함께 바다 건너 일본으로 갔다. 그는 떠나면서 "장차 사신을 맞이하는 예절 문제를 논의하여 결정하러 간다"고 핑계를 댔으나 사람들은 그의 속마음을 추측할 수 없었다. 그는 비단옷을 입고 배에 올랐는데 배 위에 '調戢兩國'(조즙양국, 두 나라를 화해시키고 전쟁을 끝내려 한다) 네 글자를 큰 글씨로 쓴 깃발을 뱃전에 세우고 떠났으나 떠난 뒤로 오랫동안 소식을 보내지 않았다.

정사 이종성은 명나라 개국공신 이문충(李文忠, 명나라 개국공신으로 자는 사본思本이다. 조국공曹國公에 봉해졌으며, 시호는 무정武靖이다)의 후손이었다. 그는 조상의 공덕에 힘입어 벼슬을 얻은 명문귀족 집안의 자제로 본래 겁이 많은 사람이었다. 어떤 사람이 이종성에게 "왜국의 우두머리가 실제로는 봉작을 받을 생각은 없고 장차 이종성 등을 유인하여 가두어서 욕보이려고 한다"라고 하니, 이 말을 듣던 이종성이 크게 놀래어 한밤중에 옷을 평복으로 바꿔 입고 병영을 나서면서 자신을 따르는 하인과 자신에게 필요한 짐 꾸러미는 물론이고 사신으로서 가지고 다녀야 하는 징표까지 다 버리고 도망갔다. 이튿날 아침에 왜군이 비로소 그 사실을 알아차리고 여러 갈래로 길을 나누어 추적했는데 양산의 석교에까지 왔다가 찾지 못하고 되돌아갔다.

양방형만이 홀로 왜군의 진영에 남아 있으면서 왜군들을 달래는가

하면 한편으로는 우리나라에 공문을 보내 이 일로 놀래어 동요하지 말게 하였다. 이종성은 감히 큰 길로 다니지 못하고 산골짜기에 숨어들어 여러 날을 먹지 못한 채 경주를 거쳐 서쪽으로 갔다.

얼마 있다가 심유경과 고니시 유키나가가 돌아왔다. 그들이 온 뒤에 서생포, 죽도 등지에 있던 주둔지를 철수하니, 이로써 아직 철수되지 않은 주둔지는 단지 부산에 설치했던 네 군데 뿐이었다. 이렇게 조치한 뒤에 고니시 유키나가가 부사 양방형을 대동하고 일본으로 건너갔는데 심유경이 우리나라 사신도 동행할 것을 요구하였다. 그는 자기의 조카 심무시沈懋時를 우리 조정에 보내어 재촉하였지만 우리 조정에서는 썩 내켜 하지는 않았다. 그러나 심무시가 우리 사신과 꼭 함께 가기를 희망하였으므로 어쩔 수 없이 무신 이봉춘李逢春 등을 양방형의 사절단을 수행한다는 명목으로 딸려 보내기로 하였다. 어떤 사람이 "무인들이라 왜국에 머무는 동안에 실수와 잘못을 저지를 수 있으니 문관직으로 사리를 아는 사람도 같이 가야 한다"고 주장하였다. 그때 마침 황신(黃愼, 1560-1617, 조선조의 문신으로 자는 사숙思叔, 호는 추포秋浦, 본관은 창원이다. 이이의 문인이다. 관직은 호조판서를 지냈으며, 시호는 문민文敏이다)이 심유경의 접반사接伴使로 왜군 진영에 머물고 있었으므로 황신에게 따라가게 하였다.

56

명나라 사신 양방형, 심유경이 일본에서 돌아오다

명나라 사신 양방형, 심유경이 일본에서 돌아왔다.

이에 앞서 양방형 등이 일본에 온다고 하자 관백 도요토미 히데요시가 일행이 머물 객관을 화려하게 꾸며 그들을 맞이하려고 했으나, 어느 날 밤에 큰 지진이 일어나 그 객관이 부서지고 무너져 아수라장이 되는 바람에 다른 객관에서 그들을 영접할 수밖에 없었다.

도요토미 히데요시가 두 나라 사신을 한두 번 접견했을 때에는 책봉을 받으려는 것처럼 하더니, 갑자기 크게 노하여 "내가 조선의 왕자를 풀어주었으니 조선에서 왕자를 사신으로 보내 사례해야 마땅하지 않소. 그런데 지금 조선에서 온 사신의 관직을 보니 너무 낮으니 이는 나를 업신여기는 것이 아니고 뭔가"라고 말하였다. 이 말에 놀래어 황신 등이 우리 임금이 보낸 명령을 전달하지도 못한 채 양방형, 심유경 등을 채근하여 서둘러 돌아오느라고 일본이 명나라의 은혜에 감사하는 군신君臣의 예의도 치르지 못했다.

왜적의 장수 고니시 유키나가가 부산포로 돌아오고, 가토 기요마사는 군사를 이끌고 계속 서생포에 주둔하였는데, 이들은 "조선의 왕자가 와서 사례해야 군대를 철수할 수 있을 것이다"고 큰소리로 떠들어댔다.

도요토미 히데요시의 요구 사항이 너무 커 책봉을 행하고 조공하는 문제로 끝날 일이 아니었다. 이와는 달리 중국에서는 책봉만 허락할 뿐 조공은 허락하지 않았으므로 양국 간의 의견 차이는 너무 컸다.

심유경과 고니시 유키나가는 서로 친숙해서 어떤 사안을 두고 논의할 때 사실을 따지고 쟁점을 해결하려고 하지 않고 임시변통으로 처리하려고만 하였다. 이처럼 일을 구차하게 성사시켜려다 보니 명나라와 우리나라에 사실 그대로 일의 진행사항을 알려주지 않아 시태는 갈수록 더 꼬여만 갔다. 우리나라에서 바로 사신을 명나라 조정에 보내어 사실을 자세하게 갖추어서 알리니 석성과 심유경이 죄를 얻었고, 명나라 구원군이 다시 나오게 되었다.

수군통제사 이순신을 체포하여 투옥하다

수군통제사 이순신을 체포하여 감옥에 가두었다.

처음에 원균은 이순신이 와서 자기를 구해준 것을 은혜로 여겨 서로 아주 가까이 지냈으나 세월이 흐르면서 두 사람이 전공을 다투게 됨으로써 점점 서로를 받아들일 수 없는 관계가 되었다. 원균은 성격이 음흉하고 아첨이 심했으며, 서울과 지방에 많은 인맥을 가지고 있어서 이순신을 헐뜯고 모함하는데 안간힘을 다 기울였다. 늘 말하기를 "이순신은 처음에 나를 도우려 오지 않으려고 했는데 내가 굳이 청하여 오게 된 것이다. 그러니 그때 왜적과 싸워 세운 전공을 두고 논한다면 내가 첫째가 아니고 누구겠는가"라고 하였다. 그때 조정의 의견은 나뉘어져 각자 주장하는 바가 달랐다. 이순신을 제1의 공로자로 추천한 사람이 바로 나 유성룡이었는데, 나를 좋아하지 않는 사람들이 원균과 단합하여 이순신을 공격하는 데 총력을 기울였다. 그러나 오직 우의정 이원익만이 사실이 그렇지 않다고 밝혔으며, 또 "이순신과 원균은 각자 지켜야 할 위수지역이 있었으므로 이순신이 처음에 즉각적으로 도우러 가지 않은 것이 크게 잘못된 일은 아닙니다"라고 주장하기도 하였다.

이에 앞서 왜적의 장수 고니시 유키나가는 졸병 요시라(要時羅, 조선과 일본 사이를 오가며 이중첩자 노릇을 한 일본인이다. 그는 원래 소 요시토시의 통사通事로 주화론자인 고니시 유키나가와 주전론자인 가토 기요마사가 서로 사이가 틀어졌다는 정보를 흘려 조선 수군에 많은 피해를 입혔다. 그는 김응서와 긴밀한 관계를 가져 한때 우리 조정에서 그에게 관직을 주기도 하였다. 그 이후로 우리나라 속담에 이간질한다는 뜻으로 '요시라질'이라는 말이 생기기도 하였다)로 하여금 경상우도 병사 김응서의 진영에 자주 드나들어 두 사람이 친숙한 관계를 가지게 하였다. 가토 기요마사가 다시 우리나라로 출전하려고 하자 그때 요시라가 김응서에게 말하기를 "저희 장군이신 고니시 유키나가께서 말씀하시기를 '지금 이같이 강화협상이 지지부진한 것은 가토 기요마사기 있기 때문이다. 그래서 나는 그 사람이 너무 싫다. 아무 날에 그가 바다를 건너온다고 하니 조선은 해전에 능하므로 바다 가운데 군사들을 대기해 놓으면 그를 죽일 수 있을 것이다. 신중하게 대처하여 실수 없도록 해라'라고 하셨습니다"라고 하였다. 이 말을 들은 김응서가 그 첩보를 조정에 올리니 조정에서 믿을 만하다고 여겼다. 이 사실을 듣고 해평군海平君 윤근수(尹根壽, 1537-1616, 조선조의 문신으로 자는 자고子固, 호는 월정月汀, 본관은 해평이다. 임진왜란 때 예조판서를 지내고 명나라와의 외교에 공을 세웠다. 시호는 문정文貞이다)가 누구보다도 좋아하며 이 기회를 놓칠 수 없다고 하여 여러 번 임금께 아뢰어 이순신에게 나가서 싸우게 하라고 재촉하였다. 그러나 임금의 명을 받은 이순신은 왜적의 속임수가 있을 것이라고 의심한 나머지 여러 날을 머뭇거리고 있었다. 이에 요시라가 또 와서 "가토 기요마사가 지금 부산에 상륙하였습니다. 조선은 어째서 그를 처단하지 않으셨나요"라고 하며 거짓으로 후회스럽고 안타깝다는 표정을 지었다.

이 사실이 조정에 알려지자 조정 회의에서 모두 이순신을 꾸짖었고, 대간臺諫에서는 이순신을 잡아들여서 국문하라고 요구하였다. 현풍 사람으로 전에 현감을 지낸 박성朴惺이란 자도 당시의 여론에 편승하여 임금에게 올린 상소문에 이순신을 목 베야 한다는 극단적인 주장을 펴기도 하였다. 마침내 의금부 도사를 보내 이순신을 붙잡아 오게 하고, 원균이 그를 대신해 통제사에 임명되었다.

임금께서 사건의 전말을 들어보니 오히려 믿기지 않는 점이 있어 특별히 성균관 사성成均館司成 남이신(南以信, 1562-1608, 조선조의 문신으로 자는 자유子有, 호는 직곡直谷, 본관은 의령이다. 관직은 대사간을 지냈다)을 한산도로 내려보내 사실을 조사하게 하였다. 남이신이 전라도에 들어가니 수많은 군사와 백성들이 길을 막고 이순신의 억울함을 호소하였다. 그러나 남이신이 사실대로 임금께 아뢰지 않고 "가토 기요마사가 섬에 이레 동안 머물었다고 하옵니다. 만약 그때 우리 수군이 갔더라면 그를 결박해서 잡아올 수 있었겠사오나 이순신이 머뭇거리는 사이에 기회를 놓친 것 같사옵니다"라고 보고하였다.

이순신이 감옥에 갇히자 대신들에게 그 죄를 논하라고 하였는데, 그 자리에서 오직 판중추부사判中樞府事 정탁(鄭琢, 1526-1605, 조선조의 문신으로 자는 자정子精, 호는 약포藥圃, 본관은 청주이다. 이황의 문인이다. 관직은 좌의정을 지냈으며, 박학다식하여 여러 분야에 정통했다. 시호는 정간貞簡이다)만이 "이순신은 명장이니 죽여서는 아니 되옵니다. 군사 기밀의 이해득실에 대해서는 멀리서 그 진위를 판단하기가 어려운 문제인 만큼 그가 출전하지 않은 데에는 나름대로의 이유가 있을 것입니다. 그러니 너그럽게 용서하셔서 훗날에 공을 이루어 보답할 수 있게 하시옵소서"라고 하였다. 조정에서 이 사안을 논의한 끝에, 한 차례 고문으로 사형을 면해 주고 관직을 삭탈하여 백의종군하게 하였다.

그때 아산牙山에 살고 있던 이순신의 노모는 이순신이 감옥에 갇혔다는 말을 듣고 걱정하다 속병이 생겨 죽었다. 이순신이 감옥에서 나와 아산을 지나가는 길에 성복(成服, 옛날 상례에 상을 당한 뒤 초종初終·

습襲·소렴小斂·대렴大斂 등을 마친 뒤 상복으로 갈아입는 절차를 성복이라고 하였다. 망자가 세상을 떠난 4일째 되는 날에 성복을 하는 것이 원칙이었다)을 하고 바로 권율의 막하로 가서 종군하니, 그 소식을 들은 백성들이 슬퍼하였다.

임진왜란 주요 해전 약사

해전	일시	참가 병력		승패	
		조선군	일본군	승리	패배
1. 옥포해전	1592년 5월 7일	이순신 · 원균 약 50척	약 50척	일본선 26척 격침	
2. 합포해전	5월 7일	"	약 5척	5척 격침	
3. 적진포해전	5월 8일	"	약 13척	11척 격침	
4. 사천해전	5월29일	이순신 · 원균 약 26척	약 13척	12척 격침	
5. 당포해전	6월 2일	"	21척		
6. 제1차당포해전	6월 5-6일	이순신 23 · 이억기 25 · 원균 3 총 51척	약 26척	26척 모두 격침	
7. 율포해전	6월 7일	"	약 7척	1척 격침	
8. 한산도해전	7월 8일	이순신 40 · 이억기 25 · 원균 7 총 72척	약 70척	66척 격침, 일본 수군 100여 명 사망	
9. 안골포해전	7월10일	"	약 70척	76척 격침	
10. 부산포해전	9월 1일	이순신 · 이억기 · 원균 약 166척(판옥선 74척 · 협선 92척)	약 430척	백여 척 격침	
11. 웅천해전	1593년 2월1-3일	이순신 · 이억기 · 원균	약 40척	40여 척 격침	
12. 제2차 당항포해전	1594년 3월 4일	"	약 60척	일본수군 격파	
13. 제1차 장문포	9월29일	"	약 50척	"	

해전					
14. 영등포해전	10월 1일	"	"	"	
15. 제2차 장문포해전	10월 4일	"	"	전과 없음	전과 없음
16. 칠천량해전	1597년 7월14-16일	삼도수군 약 백 척	약 600척		조선수군 88척 궤멸
17. 명량해전	9월16일	이순신 13척	약 330척	31척 격침	
18. 노량해전	1598년 11월19일	삼도수군·명 수군 약 5백 척, 수병 약 1만 5천 명	약 5백 척, 수병 약 1만2천 명	2백여 척 격침, 5백여 명 사망	

병부상서 형개가 명나라 지원군을 총지휘하다

명나라 병부상서 형개(邢玠, 1540-1612, 명나라 후기의 대신으로 자는 진백搢伯, 청주靑州 사람이다. 정유재란 때 명나라 구원군 총사령관으로 조선에 나와 전공을 세웠다. 그가 철군할 때 조선 조정에서 선물한 천조장사전별도天朝將士餞別圖가 최근에 발견되어 그 당시의 조·명朝明관계를 알 수 있게 하는 중요한 자료가 되기도 하였다)가 총독군문總督軍門에, 요동포정사遼東布政司 양호(楊鎬, ?-1629?, 명나라 후기의 무장으로 하남성 상구商丘 사람이다. 정유재란 때 우리나라에 와서 1598년에 울산의 도산성島山城 전투에서 군사 1만 명을 잃는 등 크게 패하였으나 승리했다고 보고한 것이 들통이나 큰 곤욕을 치렀다)가 경리조선군무經理朝鮮軍務에, 마귀(麻貴, 명나라 후기의 무장으로 회족回族 출신이다. 정유재란에 구원군의 제독提督으로 참여하여 전공을 세웠다. 뒤에 그의 증손 마순상麻舜裳이 풍랑을 만나 조선에 상륙했다가 귀화하여 우리나라 상곡 마씨上谷麻氏의 시조가 되었다)가 대장大將에 임명되었고, 양원楊元·유정劉綎·동일원(董一元, 명나라 후기의 무장으로 소주 총병관蘇州總兵官으로 있다가 정유재란 때 구원군의 일원으로 조선에 와서 무공을 세웠다. 우리나라 광천 동씨廣川董氏와 같은 계열의 인물이다) 등이 잇달아 우리나라로 나왔다.

정유년(1597, 선조 30년) 오월에 양원이 선발대로 군사 3천 명을 거느리고 우리나라에 도착하여 서울에서 여러 날을 머물다가 전라도로

만인의 총(정유재란 때 남원성에서 순절殉節한 남원성민南原城民과 조명연합군 朝明聯合軍의 묘소)

내려가 남원에 주둔하였다. 이는 남원이 호남과 영남의 요충지가 되고, 그 성곽이 견고하고 완전한데다가 지난번에 낙상지가 다시 성을 증축하여 지킬 만하다고 판단되어 그리로 갔으리라고 짐작된다.

남원성 밖에 교룡산성이 있는데, 여러 사람들이 그 산성을 지키고 싶어 하였다. 그러나 양원은 남원 본성을 지켜야 한다며 성 위에 성가퀴를 증설하고 해자를 준설하였으며, 해자 안에는 또 양마장(羊馬墻, 양마성羊馬城 또는 양마원羊馬垣이라고도 한다. 물로 둘러싸여 있는 해자 안에 작은 성을 쌓고 그 위에 높이가 낮은 성인 여장女墻을 설치하여 일차적으로 적의 침입을 저지하는 곳이었다)을 설치하는 등 밤낮없이 공사를 독려한 끝에 한 달여 만에 대강 마무리를 지었다.

8월 7일 한산도 해전에서 우리 수군이 패하다

팔월 초이렛날에 한산도에서 우리 수군이 궤멸됐다. 통제사 원균과 전라 우수사 이억기(李億祺)가 전사하고, 경상 우수사 배설(裵楔, 1551-1599, 조선조의 무신으로 자는 중한(仲閑), 본관은 성주다. 관직은 경상 우수사를 지냈고, 임진왜란 때 무공을 세웠으나 명량전투를 앞두고 이순신의 휘하에 있다가 자취를 감추었으므로 뒤에 체포되어 죽임을 당하였다)은 달아나 죽음을 면하였다.

처음에 원균이 통제사가 되어 한산도에 부임해 와서는 이순신이 만들었던 여러 가지 법령을 모두 바꾸었고, 장수들에서 병졸에 이르기까지 조금이라도 이순신에게 신임을 받아 일하던 사람은 모두 쫓겨났는데, 특히 이영남이 지난번 자신이 패배한 정황을 상세히 알고 있는 사람이라고 해서 더욱 미워하였다. 그러므로 군부 내에는 원균에 대한 원한과 분노로 꽉 차 있었다.

이순신이 한산도에 있을 때 자기가 거처하던 집의 당호를 운주(運籌)라고 짓고, 밤낮으로 그 안에서 기거하며 여러 장수들과 군대에 관한 일을 논하였다. 비록 계급이 낮은 병졸이라도 군대 일에 대해서 말할 게 있으면 찾아와서 자신의 의견을 얘기하게 함으로써 군부 내의 문제점을 제대로 파악할 수 있었다. 전쟁을 시작하게 될 때마다 여러 장수들을 다 불러 계책을 물어 중지를 모은 뒤에 나가서 싸웠기 때문에 패배하는 일은 없었다.

그러나 원균은 사랑하는 애첩을 데리고 운주당에 머물며 안팎을 이중 울타리로 막아 놓아 여러 장수들이 그를 만나기가 쉽지 않았다. 또 술을 좋아하여 낮에도 주정을 부리고 걸핏하면 화를 냈으며, 형벌의 집행에 있어서도 일정한 원칙이 없었다. 군대 안에서 군사들이 가만히 수군거리기를 "적을 만나면 도망가는 수밖에 없겠구나"라고 하였다. 여러 장수들이 자기들끼리 사석에서 만나면 서로 원균을 조롱하기에 바빴으므로 그를 존경하거나 두려워하는 마음이 생길 리가 없었다. 그런 형국에 그의 명령이 군졸들에게 통한다는 것은 불가능한 일이었다.

그때 왜적의 장수들이 다시 우리나라를 침략하려는 계획을 세우고 있었다. 고니시 유키나가가 전에 했던 것처럼 요시라를 김응서에게 보내어 거짓으로 말하기를 "일본의 전선이 추가로 더 오기로 되어 있으니, 조선 수군이 그들을 맞아 쳐부술 수 있는 좋은 기회입니다"라고 하였다. 도원수 권율이 그 말을 전혀 의심하지 않았는데, 이는 전에 이순신이 나아가 적을 치지 않고 머뭇거리다가 죄를 얻었다는 것을 알고 있었기 때문이었다. 권율이 날마다 원균에게 군사를 진격시키라고 독촉하니 원균 또한 늘 "이순신이 적을 보고도 앞으로 전진하지 않았다"라고 하며 이순신을 모함하고 자기가 대신 그 자리를 차지하였기 때문에 이때 비록 형세가 어렵다는 사실을 알고 있었으나 자기가 한 말이 있고 해서 마냥 출진을 거절할 수 없었다.

원균이 자기 휘하에 있던 모든 배를 다 이끌고 적을 향해 전진하였다. 언덕 위에 자리한 왜군 진영에서는 우리 수군의 배가 오는 것을 내려다보며 우리 전선의 동선에 관한 정보를 자기들끼리 서로 교환하고 있었다. 원균이 부산 절영도에 이르렀을 때에는 바람이 불고 풍랑이 일며 날은 이미 어둑어둑해지고 있었으나 배를 정박할 곳이 마땅찮았다. 멀리서 왜군의 배가 바다 가운데서 가물거리는 것을 보고 원균이 여러 부대에 전진할 것을 독촉하였다. 그러나 배 안에 있는 군사들이 한산도에서부터 온종일 노를 저어 오느라 쉬지도 못했고, 목이 마른데다가 허기까지 들었기 때문에 그런 지친 몸으로는 배를 움직일 수가 없었다. 게다가 일기가 불순하여 모든 배가 거친 풍랑 때문에 중심을 못 잡고 이리저리 출렁거리는 바람에 일정한 공격 대형을 유지할 수 없어서 혼란이 더욱 가중되었다. 왜적의 배는 그런 우리 수군을 더 힘들게 하려고 우리 배에 가까이 접근했다가 갑자기 피하는 체 물러가기도 했으나 정작 칼을 뽑아 달려들지는 않았다. 밤이 깊어 바람이 강하게 불자 아군의 배는 사방으로 흩어져 표류하고 있었는데 어디로 가야 할지 몰라 했다.

원균이 간신히 남은 배를 수습하여 가덕도로 돌아갔다. 군사들이 오랜 항해 끝이라 너무 목이 말라 한꺼번에 우루우루 배에서 내려 물을 마시는데, 왜병이 섬 속에서 갑자기 뛰쳐나와 아군을 습격하니, 그때 죽은 사람이 장수와 병사를 합쳐 4백여 명이나 되었다. 원균이 다시 퇴각하여 거제 칠천도로 갔다.

그때 권율은 고성固城에 있었는데, 원균이 아무런 소득도 없이 패하였다고 하여 격서(檄書, 격문檄文을 적은 글이다. 옛날에 군사를 모집하고 백성들에게 긴급하게 알릴 일이 있을 때나 적군을 회유·힐책하기 위하여 작성한 글로, 여기에서는 권율이 여러 사람에게 널리 보이기 위해서 원균의 책임과 잘못을 따져 적은 글이라고 하겠다)를 보내 원균을 소환하여서는 곤장을 치고 나서 다시 적진으로 나아가라고 독촉하였다. 원균이 부대로 돌아와 권율에 대한 분한 마음을 감추지 못해 술을 마셔 취해 쓰러졌다. 여러 장수들이 원균을 만나 군사작전에 관한 일을 논의하려고 찾아갔으나 허탕을 치고 돌아갔다.

한밤중에 야음을 타고 왜적의 배가 몰래 습격하여 아군이 크게 무너졌다. 원균도 해변 쪽으로 가서 배를 버리고 해안에 올라 달아나려 하였으나 몸이 비대하고 행동이 느려 그냥 소나무 아래에 앉았는데 둘러보니 자기를 따르던 병사들은 다 흩어지고 없었다. 어떤 사람은 원균이 왜적에게 살해당했다고 하기도 하고, 또 어떤 사람은 그가 달아나 목숨만은 건졌다고 했으나 끝내 사실을 확인할 수 없었다.

이억기는 배 위에서 몸을 던져 죽었다. 배설은 앞서 원균에게 이 전투는 이길 수 없는 전투라고 여러 번 간諫했고, 그날도 칠천도는 물이 얕고 해안의 폭이 좁아서 배가 다니기에는 불리하니까 진지를 다른 곳으로 옮겨야 한다고 간청하였으나 원균이 그의 말을 듣지 않았다. 이러자 이억기는 자기가 거느리고 있는 배에 몰래 명령을 내려 엄중히 경계하여 적의 기습에 대비하게 하였다. 마침 왜적이 침범해 오는 것을 확인하고 재빠르게 항구를 빠져 달아났으므로 그가 거느리던 군사들은 모두 무사할 수 있었다.

배설이 한산도에 돌아와 불을 놓아 병영에 있던 집과 군량미와 무기를 다 태워버리고, 섬 안에 남아 있는 백성들을 다른 곳으로 이주시켜 왜적을 피할 수 있게 조치하고는 그도 안전한 곳으로 달아났다.

아군이 한산도 해전에서 패하자 왜적이 승리의 여세를 몰아 서쪽으로 뱃머리를 돌려 남해와 순천을 차례로 함락시켰다. 왜적의 배가 두치진(섬진강 하류에 있던 나루로 전남 광양시에 속해 있으나 그 정확한 위치에 대해서는 여러 가지 설이 있다)에서 뭍에 올라 진군하여 남원성을 에워싸니 전라도와 충청도에 큰 소동이 일어났다.

왜적이 임진년에 우리 국토를 침범한 뒤에 오직 우리 수군에게만 패배를 당했기 때문에 도요토미 히데요시가 이를 분하게 여긴 나머지 고니시 유키나가에게 반드시 조선의 수군을 격파하라는 책임을 지웠다. 고니시 유키나가가 거짓으로 김응서에게 친한 척하여 이순신이 죄를 얻었고, 또 원균을 꾀어 바다에 나오도록 하여 원균의 허와 실을 다 파악한 뒤에 원균의 진영을 습격한 것도 그런 숨은 이유가 있었기 때문이었다. 그 계책은 지극히 교묘하여 우리 모두가 꼼짝없이 그들의 책략에 넘어갔으니, 생각하면 할수록 애통하기 그지없다.

왜적이 황석산성을 함락시키다

왜적이 황석산성을 함락시켜, 안음 현감安陰縣監 곽준(郭䞭, 1550-1597, 조선조의 문신으로 자는 양정養靜, 호는 존재存齋, 본관은 현풍이다. 임진왜란 때 의병장 김면金沔의 휘하에서 전공을 세워 자여도 찰방이 되었으며, 정유재란을 만나 안음 현감으로 황석산성에서 왜장 가토 기요마사와 싸우다 아내, 자식들과 함께 순절하였다. 시호는 충렬忠烈이다)과 전에 함양 군수를 지낸 조종도(趙宗道, 1537-1597, 조선조의 문신으로 자는 백유伯由, 호는 대소헌大笑軒, 본관은 함안이다. 관직은 함안 군수를 지냈으며, 임진왜란 때 초유사招諭使 김성일金誠一과 창의倡義하여 의병을 모았고, 정유재란을 맞아 황석산성에서 곽준과 협력하여 싸우다 가족들과 순설하였다. 시호는 충의忠毅다)가 전사하였다.

처음에 체찰사 이원익과 도원수 권율이 경상우도 내의 산성을 수리하여 왜적을 방어하기로 의논이 모아져 공산·금오·용기·부산富山 등의 산성을 쌓았는데, 그 중에도 공산산성과 금오산성을 쌓는 공사에 백성들이 너무 많은 힘과 땀을 쏟았다. 그리고 옆 고을에서 병기와 곡식을 다 거두어 두 곳 산성 안에 가득 채워두고는 고을 수령들에게 늙고 허약한 남녀들을 데리고 들어와 성을 지키라고 독려하니 원근 각지에서 소동이 벌어졌다.

왜적이 다시 동란을 일으키자 가토 기요마사가 서생포에서 서쪽 지역인 전라도로 향하여 오다가 고니시 유키나가의 군대와 바닷길에서

조종도(『繪本朝鮮軍記』의 삽화)

만나 남원을 공격하기로 하였다. 그들이 침략해 들어온다는 정보를 입수한 도원수 권율 이하 모든 아군들이 퇴각하면서 산성을 지키고 있는 사람들에게 각자 흩어져서 왜적을 피하라고 하였다. 그러나 오직 의병장 곽재우만은 창녕 화왕산성으로 들어가 죽기를 각오하고 성을 지키고 있었다. 왜적이 산 아래에 이르러 성이 높고 가파른 곳에 의지하고 있으며 성안 사람들이 침착하게 동요하지 않는 것을 올려다보고는 공격을 포기하고 돌아갔다.

안음 현감 곽준이 황석산성으로 들어가자 전에 김해 부사를 지낸 백사림白士霖도 따라 들어왔다. 백사림은 무인이라 성안의 많은 사람들이 그를 크게 의지하였는데, 어느 날 왜적이 성을 공격하자 백사림이 앞장서 달아나니 성을 지키던 모든 군사들도 뿔뿔이 흩어졌다. 곽준은 성을 지키다 그의 아들 이상履祥·이후履厚와 함께 전사하였다.

곽준의 딸이 유문호柳文虎에게 시집갔었는데 그때 유문호가 왜적에게 포로로 잡혀갔다. 성에서 이미 탈출해 나왔던 유문호의 아내가 그 사실을 듣고는 자기를 따르던 계집종에게 이르기를 "아버님께서 돌아가셨지만 내가 죽지 않은 것은 지아비가 살아 있기 때문이었다. 그런데 지금 그 지아비가 왜놈에게 잡혀 갔다니 내 어찌 목숨을 부지할 수 있겠는가"라고 하고는, 스스로 목매어 죽었다.

조종도는 그전부터 "내가 일찍이 대부로서 의리를 지키며 살아가겠다고 맹세하였으니 차마 달아나 숨는 비겁한 무리들과 함께 풀덤불 사이에서 죽을 수 있겠는가. 죽게 된다면 나는 떳떳하게 그 죽음을 맞을 것이야"라고 말하였다. 이때 그가 아내와 자식을 데리고 황석산성으로 들어가면서 시 한 수를 지었다.

공동산[1] 밖에서 사는 게 오히려 즐거운 일이지만

---

1) 공동산은 중국 서부 감숙성甘肅省에 있는 산으로, 중국 전설상의 왕인 황제黃帝 때 은자隱者 광성자廣成子가 은거하던 곳으로 이후로 이곳은 은자가 머무는 피안으로 인식되어 왔다. 이 시구에는 나라에 의리를 지켜 목숨을 바치는 것이 최상이지만

崆峒山外生猶喜 공동산외생유희

장순과 허원[2]처럼 성안에서 죽는 것 또한 영광이로다

巡遠城中死亦榮 순원성중사역영

마침내 그는 곽준과 함께 왜적의 칼날에 죽임을 당하였다.

세상에 나오지 않고 숨어사는 은자의 삶도 좋다는 뜻을 담고 있다. 이 즈음에 조종도가 지리산에서 잠간 휴식을 취하고 있었기 때문에 이런 생각을 가질 수 있었으리라고 본다.

2) 장순張巡과 허원許遠은 중국 당나라 현종 때 사람으로, 두 사람이 안녹산의 난 때에 반란군에 밀려 회양성淮陽城에 고립되었으나 끝까지 충절을 지켜 적군과 싸우다 죽었으므로 이들은 당나라 충신으로 널리 알려졌다. 이 시구에서는 조종도 자신도 이 두 사람처럼 절의를 지켜 황산산성을 지키다 달갑게 죽겠다는 뜻을 나타내고 있어 여기에서 조종도의 충성심을 엿볼 수 있다.

이순신을 다시 삼도수군통제사에 임명하다

이순신을 다시 기용하여 삼도수군통제사에 임용하였다.

한산도에서의 패전이 조정에 알려지자 조야가 모두 크게 놀랐다. 임금께서 비변사의 여러 대신들을 불러 자문을 구했으나 모두가 황송하고 당황한 나머지 무어라고 대답할지 몰랐다. 경림군慶林君 김명원과 병조판서 이항복이 조용히 아뢰기를 "이번의 패전은 원균의 잘못이옵니다. 그러하오니 이순신을 다시 기용하여 통제사로 삼을 수밖에 다른 방도가 없사옵나다"라고 하니 임금께서 그 말을 따르셨다.

그때 권율은 원균이 패했다는 소식을 듣고 이미 이순신에게 한산도로 가서 남은 병력을 수습하게 하였다. 그러나 당시에 왜적이 설치고 있던 상황이라 이순신이 군관 한 명과 함께 경상도를 거쳐 전라도로 접어들어 밤낮을 가리지 않고 몰래 길을 가 천신만고 끝에 진도에 이르렀다. 이순신은 거기에서 군사들을 모아 왜적의 침공을 막으려고 하였다.

임진왜란 일본군 총 병력(총계 158,800명)

장수	총인원수	장수	총인원수	장수	총인원수
고니시(小西行長)	18,700명	쿠로다(黑田長政)	11,000명	후쿠시마(福島正則)	25,100명
가토(加藤清正)	22,800명	시마즈(島津義弘)	14,000명	고바야카와(小早川隆景)	15,700명
모리(毛利輝元)	30,000명	우키다(宇喜多秀家)	10,000명	하네무라(羽紫秀勝)	11,500명

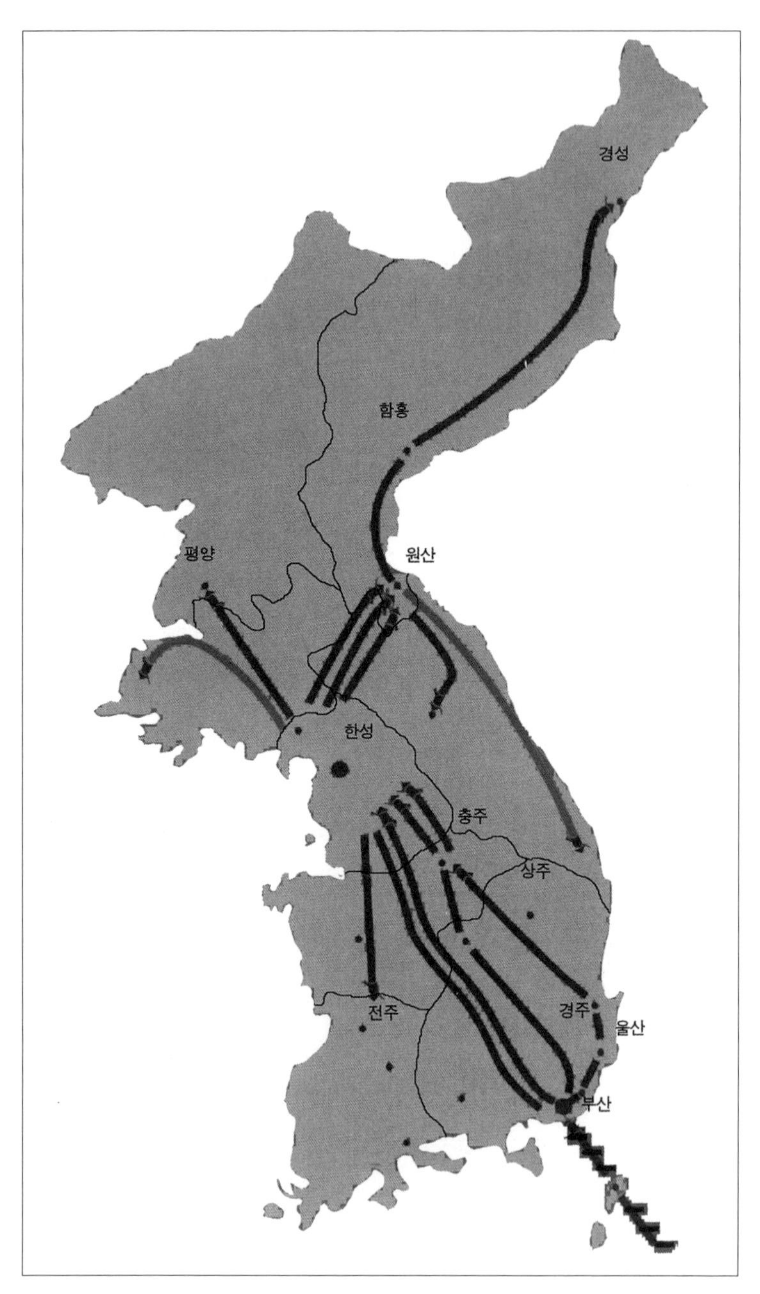

임진왜란 일본군 침공로

왜적이 남원부를 함락시키다

왜적이 남원부를 함락시켰다. 명나라 장수 양원이 달아나 본대로 돌아갔고, 전라 병사 이복남(李福男, ?-1597, 조선조의 무신으로 본관은 우계다. 관직은 남원 부사와 전라 병사를 지냈고, 정유재란 때 남원 전투에서 전사하였다)·남원 부사 임현(任鉉, 1549-1597, 조선조의 문신으로 자는 사애士愛, 호는 애탄愛灘, 본관은 풍천이다. 성혼, 이이의 제자다. 정유재란 때 남원 부사로 남원 전투에서 분전하다가 순절하였다. 시호는 충간忠簡이다)·조방장助防將 김경로金敬老·광양 현감 이춘원李春元·명나라 총병 양원의 접반사 정기원(鄭期遠, 1559-1597, 조선조의 문신으로 자는 사중士重, 호는 견산見山, 본관은 동래이다. 관직은 형조 좌랑을 지냈으며, 정유재란 때 명나라 구원군 총병 양원의 접반사로 남원전투에 참가했다가 순절하였다. 시호는 충의忠毅이다) 등은 모두 전사하였다. 양원을 수행하여 남원에 왔던 군기시軍器寺 파진군(破陣軍, 군기시는 조선조 때 병기兵器의 제조와 관리를 총괄했던 관청이고, 파진군은 군기시에 소속되어 있던 화약장火藥匠으로 왜적이 침입하면 화포를 가지고 선봉에 나섰던 특수부대이다) 12명도 모두 왜적에게 죽임을 당했다. 오직 김효의라는 자가 탈출하여 나에게 남원성이 함락되기까지의 정황을 상세하게 알려 주었는데, 그 전말은 대개 이러했다.

명나라 총병 양원이 남원에 와서 성을 한 길 정도 높이로 증축하였고, 성 밖

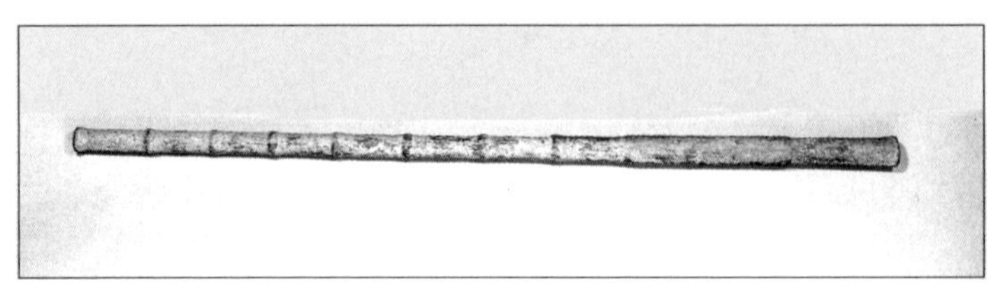

김지가 만든 승자총통

의 양마장에는 대포를 쏠 수 있게 많은 구멍을 뚫었다. 또한 성문에는 대포 서너 좌座를 설치하였고, 해자도 한두 길 정도로 깊이 팠다. 한산도에서 이미 우리 수군이 패하고 왜적이 바닷길과 육로를 따라 그리로 오고 있다는 첩보가 급히 전해지자 성안에는 민심이 뒤숭숭해져 백성들이 사방으로 흩어져 도망갔다. 그러나 오직 총병 양원이 거느리고 있던 요동 출신 군사 3천 명만이 성안에 남아 있었는데, 총병이 격서를 보내 전라 병사 이복남을 불러 함께 성을 지키자고 하였으나 이복남이 차일피일 하면서 오지 않자 잇달아 야불수(夜不守, 군대 내의 긴급한 상황을 전하기 위하여, 밤에도 중지하지 않고 달리는 파발군擺撥軍이라는 뜻으로 쓰이는 말이다. 일설에는 중국 명나라 말엽에 군영軍營의 기밀을 몰래 살피던 정탐인偵探人의 속어라고도 한다)를 보내면서 빨리 오라고 재촉하기까지 했다. 그제야 마지못해서 이복남이 도착하였는데, 데리고 온 군사 수가 겨우 수백 명에 지나지 않았다. 광양현감 이춘원과 조방장 김경로 등도 이어서 도착하였다.

팔월 열사흗날, 왜적의 선봉대 백여 명이 성 아래에 이르러 조총을 난사하더니 잠깐 그러다가 그치고는 모두 흩어져 밭이랑 사이에 매복하였는데, 간혹 삼삼오오 무리를 지어 왔다 갔다 하기도 하였다. 성 위에 있던 아군이 승자소포(勝字小炮, 화포火炮의 한 종류로 승자총통勝字銃筒을 가리킨다. 총구에서 화약과 실탄을 장전하고 손으로 약선에 불씨를 점화, 발사하는 유통식 화기有筒式火器이다. 이 승자총통은 1575년(선조 8)부터 1578년(선조 11)까지 전라좌수사와 경상병사를 지낸 김지金墀가 만들어서 임진왜란 때 유용하게 사용하였다)로 응사하였으나 왜적의 대부대가 멀리 떨어져 있으면서 유격대를 내어 교전을 벌이는 데다 그것도 일정치 않게 번갈아 출전시켰으므로 대포를 쏘아도 정확하게 조준이 되지 않았다. 오히려 성을 지키는 아군들 가운데 왜적이 쏜 총탄에 맞아 죽는 병사도 있었다. 그러기를 얼마 있다가 왜적이 성 아래에 이르러 큰소리로 통화를 요구하였다. 총병의 하인이 통역관 한 사람을 데리고 왜적의 진영으로 가서 무슨 서신을 받아 왔는데 그것은 바로 전쟁을 시작하겠다는 선전포고문이었다.

열나흗날에, 왜적이 삼면으로 성을 에워싸고 진지를 구축하여서는 전날에 했던 것처럼 들고나면서 조총을 쏘아댔다.

이에 앞서 성 남문 밖에는 민가들이 촘촘히 모여 있었었다. 왜적이 도착하기에 임박하여 총병이 불을 놓아 태워버리게 하였으나 아직 불타다 남은 돌담이나 흙벽이 남아 있어 왜적이 그 담장과 흙벽 사이에 몸을 숨겨 조총을 마구 쏘아대자 성 위의 아군들이 그 총에 맞아 죽기도 하였다 .

보름날에, 멀리서 보니 왜적들이 성 밖에 나 있는 잡초와 무논에 자라고 있는 벼를 베어다가 큰 다발로 수없이 엮어서는 그 담장과 흙벽 사이에 쌓아 올리고 있었으나 성안 사람들은 왜적들이 그것을 무엇에 쓰려고 그러는지 짐작하지 못하였다. 그때 유격장군 진우충陳愚衷이 전주에서 군사 3천을 거느리고 있었으므로 남원성에 진을 치고 있던 아군들은 지원군이 오기를 바랐으나 아무리 기다려도 오지 않자 군사들이 더욱 두려움에 떨었다. 이날 저녁 무렵에 성가퀴를 지키던 아군들이 간간이 머리를 맞대고 귓속말을 속삭이더니 말안장을 준비하여 도망가려는 기미가 엿보였다. 좀 시간이 지난 초경(저녁 7시에서 9시 사이) 쯤에 왜적의 진중에서 왁자지껄한 큰소리가 일어났는데 이는 아마 저들이 공격에 앞서 서로 호응하며 전쟁 준비를 하며 내는 소리인 것 같았다. 그러면서도 한편으로는 성안을 향해 조총을 마구 쏘아대 우박이 쏟아지듯 탄환이 날아와 쌓이니 성 위에 있던 아군들이 머리를 움츠리고 내다볼 엄두도 내지 못하였다. 한두 시가 지나자 떠드는 소리가 그쳤는데, 해자는 이미 풀 더미와 볏단으로 평평하게 메워졌고, 또 양마장 안팎으로도 성 높이와 가지런하게 쌓아올려져 있었다. 왜적의 무리가 이것을 밟고 성에 올랐고, 이 소식이 성안에 퍼지자 일대 혼란이 일어나 "왜적들이 성안으로 들어왔다"고 외치며 야단이었다.

김효의는 처음 남문 밖 양마장에서 파수를 보고 있다가 황망히 성안으로 들어오니 성 위에는 사람의 자취라고는 보이지 않고 다만 성안 곳곳에 불길이 치솟고 있는 것을 보고 달아나 북문에 이르렀다. 거기에는 명나라 군사들이 모두 말에 올라 성문을 나서려고 하였으나 문이 굳게 닫혀 있어 말들이 발이 묶인 채 나아가지 못하고 뒤엉켜 길을 가득 메우고 있었다. 조금 뒤에 성문이 열리자 군사들과 말이 한꺼번에 뒤엉켜 쏟아져 나오니 왜적들이 밖에서 이중삼중으로 에워싼 채 중요한 길목마다 지키고 서 있다가 긴 칼을 휘둘러 밀려나오는 명나라 군사들의 목을 베니 명나라 군사들은 머리를 숙여 칼날을 받을 수밖에 없었다. 마침 달이 휘영청 밝은 보름밤이라 목숨을 건져 탈출한 사람은 거의 없다시피 하였다.

총병 양원과 그를 따르던 하인 서너 명이 함께 말을 달려 급히 성을 탈출하는 바람에 겨우 목숨을 부지할 수 있었다. 그런데 들리는 말로는, 왜적이 달려 나가던 사람이 총병인 줄 알았지만 일부러 살려 보냈다고도 하였다.

김효의는 같이 다녔던 한 사람과 성문을 빠져 나오다가 그 한 사람은 적에게 죽임을 당했고, 자신은 무논에 뛰어들어 풀숲에 몸을 숨기고 왜적이 철수하기를 기다린 끝에 살아남을 수 있었다.

대개 총병 양원은 요동 출신의 장수라 북쪽 오랑캐를 방어할 줄은 알았지만 왜적을 막을 방도를 몰라 이 같은 패배를 당한 것이었다. 또한 이번의 경험을 통하여 평지에 있는 성을 지키기가 얼마나 어려운가를 알았기에 이렇게 김효의의 말을 상세하게 기록하여 훗날에 성을 지키는 사람들이 조심할 바를 알려 주려고 한다.

남원이 함락되자 전주 이북 지역도 무너질 수밖에 없었다.

뒤에 양원은 마침내 이 일 때문에 죄를 얻어 목 베이고, 그 목이 많은 사람들에게 조리질을 당하였다.

이순신이 진도 벽파정에서 왜적을 무찌르고, 적장 마다시가 전사하다

통제사 이순신이 진도 벽파정 아래에서 왜적을 무찌르고 그 왜장 마다시를 죽였다.

이순신이 진도에 이르러 전선을 수습하여 십여 척의 배를 얻었다. 그때 그곳 바닷가에 사는 사람으로 배를 타고 피난을 간 이가 무수히 많았는데, 이순신이 왔다는 말을 듣고 기뻐하지 않는 사람이 없었다. 이순신이 여러 곳을 다니며 백성들을 불러 모으니 사람들이 원근각지에서 구름처럼 모여들었다. 이순신은 그들로 하여금 군사들의 배후를 지키며 아군이 전쟁을 수행하는 데 도움을 줄 것을 부탁하였다.

왜적의 장수 마다시는 해전에 능했었는데, 그가 배 이백여 척을 몰고 서해를 침범하려고 가다가 벽파정 아래에서 이순신의 군대와 마주치게 되었다. 이순신이 열두 척의 배에 대포를 장착하여 조류를 타고 거슬러 왔다가 흐르는 조류에 배를 맡기며 왜적을 공격하니 적은 패하여 달아났다. 이로써 우리 수군이 명성을 크게 떨쳤다.

이때 이순신에게는 이미 팔천여 명의 군사가 있었는데, 고금도古今島로 나아가 주둔하고 있었다. 군량미가 모자랄까 걱정하던 끝에 해로통행첩海路通行帖을 만들고 영을 내리기를 "삼도 근해에서 운행하고 있는 선박 가운데서 공·사를 불문하고 앞으로 이 통행첩을 가지지 않은 자에 대해서는 첩자로 간주하여 통행을 못하게 할 것이다"라고 하였다. 이 말을 듣고 배를 타고 피난 나온 사람들이 모두 통행첩을 받아 갔다. 이순신은 통행첩을 발부하면서 배의 크고 작은 데에 따라 차등을 두어 큰 배는 3섬, 중간 크기 배는 2섬, 소형 선박은 1섬의 곡식을 바치게 했다. 피난가면서 사람들이 재물과 곡식을 다 싣고 바다로 들어왔기 때문에 그만한 곡식을 받치는 것을 어렵게 여기지 않고, 오히려 물길을 자유롭게 다닐 수 있게 된 것을 기뻐하였다. 이렇게 하여 열흘 만에 군량미 1만여 섬을 확보할 수 있었다. 또 백성들을 모집하여 구리와 쇠붙이를 운반해 와서 대포를 주조하였으며, 나무를 베어 배를 만드는 등 하는 일마다 순조롭게 이루어졌다.

원근 각지에서 난을 피해 왔던 사람들이 찾아와 이순신에게 의지하여 거처할 집을 짓거나 임시로 살 천막을 마련하기도 하였다. 이들은 장사를 하여 생계를 해결하였는데 진도 안에서 그들을 다 수용할 수 없을 정도로 많은 사람들로 북적거렸다.

조금 뒤에 명나라 수병도독水兵都督 진린(陳璘, 1543-1607, 명나라 무장으로 자는 조작朝爵, 호는 용애龍厓이고, 중국 광동성廣東省 출신이다. 정유재란 때 명나라 해군 5천 명을 데리고 강진군 고금도로 가 이순신과 합세하여 전공을 세웠다. 명나라가 청나라에 망하자 그의 후손이 우리나라에 귀화하여 우리나라 광동 진씨廣東陳氏의 시조가 되었다)이 우리나라로 출병하여 남쪽 고금도에 이르러 이순신의 수군과 합세하였다. 진린은 성격이 포악하고 사나워 사람들과 자주 갈등을 빚었으므로 사람들이 다 그를 두려워하였다.

선조가 청파 들판에 나시어 남쪽으로 내려가는 진린을 전송하다

임금께서 청교 들판에 납시어 남쪽으로 내려가는 진린을 전송하셨다.

진린의 군사가 고을 수령을 거리낌 없이 때리고 욕설하며, 밧줄로 찰방察訪 이상규李尙規의 목을 매어 끌고 다녀 온 얼굴이 피투성이가 되었으므로 내가 역관을 시켜 풀어주도록 했으나 말을 듣지 않았다. 내가 같이 그 광경을 보고 있던 재신들에게 이르기를 "안타깝군요. 이순신이 전쟁에서 패하게 생겼구려. 이순신이 진린과 같은 병영에서 생활하게 되면 온갖 억지를 부려 문제를 일으킬 것이고, 그러면 반드시 지휘권을 빼앗고 군사들에게 횡포를 부릴 것이 뻔하잖소. 만약 이순신이 그의 요구를 거절하게 되면 화를 더욱 돋우게 되겠지만 그대로 순순히 따르면 싫어하지 않을 것이니, 이순신의 수군이 패하지 않고 어찌 하겠소"라고 하니, 모두가 고개를 끄덕였지만 서로 한숨만 내쉴 뿐이었다.

이순신이 진린이 도착한다는 소식을 듣고 군사들에게 대대적으로 사냥과 고기잡이를 하게 하여 사슴·돼지·해산물 등을 많이 잡아 술상을 성대하게 차려놓고 그를 기다렸다. 진린이 타고 오는 배가 해안으로 들어오는 것을 기다리고 있다가 이순신이 군대에서 행하는 의전을 갖추고 미리 멀리까지 나가서 그를 영접하였다. 그들이 병영에 도착하자 일행에게 풍성한 잔칫상을 내놓으니 장수들 이하 모든 군사들이 배불리 먹고 흠뻑 취하였다. 그의 군사들이 서로 말하기를 "과연 훌륭한 장수로다"라고 했는데, 진린도 마음속으로 흡족해 하였다.

그러고 나서 오래지 않아 왜적의 배가 가까운 섬을 침범하니 이순신이 군사들을 보내어 물리쳤다. 그때 왜적 40여 명의 목을 베었는데 이순신이 이를 모두 진린의 전공으로 돌리니 진린은 원래 자신이 기대했던 것보다 대접이 과분하다고 생각하여 이순신을 더욱 좋아하게 되었다. 이로부터 모든 일을 이순신에게 물어서 행하였고, 두 사람이 밖으로 출타할 때에도 진린은 이순신과 가마를 나란히 하여 갈 뿐 감히 앞서가는 일은 없었다. 서로 신뢰를 쌓게 되자 이순신은 명나라 군사와 우리 군사에게 아무런 차별을 두지 않겠다고 진린과 약속하기에 이르렀다. 그 이후로 백성의 재물을 한 오라기라도 빼앗는 자가 있으면 어느 쪽 군사를 불문하고 모두 붙잡아 치도곤을 치니 감히 군령을 어기는 병사가 한 사람도 없게 되어 섬 안의 분위기가 한결 차분하고 조용해졌다.

진린이 임금께 글을 올려 "통제사는 하늘을 다스릴 수 있는 자질을 가지고 태어났고, 국운을 일으킬 만한 능력을 갖춘 사람입니다"라고 하였는데, 이는 그가 이순신을 마음으로 따른다는 것을 암시한 말이었다.

삼도를 짓밟던 왜적이 물러가다

왜적이 물러갔다. 그때 왜적이 삼도를 유린하여 지나가는 곳마다 집을 다 불태우고 사람들을 살육하였다. 더욱이 우리나라 사람을 잡으면 모두 코를 베어 그 위엄을 과시하기도 했다.

왜적이 직산(지금의 충청북도 천안시에 있었던 옛 지명이다)에 이르자 서울 도성 사람들이 모두 달아나 흩어졌다. 구월 초아흐렛날에 왕비[內殿 내전]께서 왜적을 피하여 서쪽으로 내려가셨다. 경리 양호와 제독 마귀는 서울에 있었는데, 평안도 군사 5천 명과 황해도 군사 수천 명을 불러 서울에 오게 하여서는 한강 여울을 나누어 지키게 하고 창고에 경비를 서게 하였다.

왜적이 경기도에까지 올라왔다가 다시 물러갔다. 가토 기요마사는 다시 울산에 진을 쳤고, 고니시 유키나가는 순천에 진을 쳤으며, 시마즈 요시히로(島津義弘도진의홍, 1535-1619, 일본 에도시대에 활동한 무사로 정유재란 때 1만 5천 명의 군사를 이끌고 전투에 참여하였고, 일본으로 돌아가면서 남원에서 박평의朴平意, 심당길沈當吉 등 도공 80여 명을 납치해 갔다)는 사천에 진을 쳐 이로써 왜적이 앞뒤로 7, 8백 리에 걸쳐 진을 치고 있는 셈이었다.

이때 서울 도성을 거의 방어할 수 없는 긴급한 상황이라서 조정의 대신들이 너나없이 임금께서 피난을 하셔야 한다는 계책을 올렸다. 지사知事 신잡(申磼, 1541-1609, 조선조의 문신으로 자는 백준伯峻, 호는 독송獨松, 본관은 평산이다. 관직은 이조참판 등을 지냈으며, 임진왜란 때 비변사 당상備邊司堂上으로 공을 세웠다. 시호는 충헌忠獻이다)이 나아가 아뢰기를 "거가는 마땅히 영변 땅으로 가셔야 하옵니다. 신이 일찍이 영변의 병사로 있으면서 그곳의 사정을 다 알고 있사온데, 가장 염려스럽기는 그곳에는 간장이 없다는 사실이옵니다. 만약 미리 마련하지 않으면 무엇으로 대신할 수 있겠사옵니까"라고 하였다. 그 말을 들은 사람들이 입으로 전하며 비웃기를 "신일辛日에는 장을 담그지 않는다[辛日不合醬신일불합장]"(이 말은 속설에 음력 매월 신일申日에 장을 담그면 장맛이 시다고 하여 그날에는 장을 담그지 않았다. 여기에서는 신잡의 성씨인 신辛과 신일의 신申이 음이 같으므로 신잡의 말이 분위기에 맞지 않다고 풍자한 것이다)고 하였다. 한 대신이 조정 회의석상에서 "이번의 왜적을 어찌 염려스러워하시오. 시간이 흐르면 저절로 사그러들겠지요. 아니면 어가를 편안한 곳으로 모시고 가면 될 뿐입니다"라고 말하기도 하였다.

원수 권율이 서울로 달려왔기에 임금께서 불러 보시고 대책을 물었다. 권율이 대답하기를 "애초에 어가가 그렇게 빨리 도성으로 돌아오시지 말았어야 했사옵니다. 서쪽으로 가 계시면서 왜적의 동향을 살피는 것이 마땅한 줄 아옵니다"라고 하였다. 조금 있다가 왜적이 물러갔다는 소식이 들리자 권율은 다시 경상도로 내려갔다. 대간에서 "권율은 지모가 없고 겁이 많은 사람이라 원수가 될 자격이 없사옵니다"라고 아뢰었으나 임금께서 윤허하지 않으셨다.

12월에 경리 양호와 제독 마귀가 1만의 군사를 이끌고 경상도로 내려가다

선달에 경리 양호와 제독 마귀가 1만의 군사를 이끌고 경상도로 내려가 왜적의 울산 진영을 공격해 들어갔다.

그때 적장 가토 기요마사가 울산 동쪽 바닷가 깎아지른 곳에 성을 쌓고 있었는데, 양호와 마귀가 불의의 습격을 감행하여 철갑을 입은 기마병으로 치고 들어가니 왜적이 아무런 반항도 못하고 쓰러졌다. 명나라 군사들이 왜적의 바깥 성채를 빼앗자 왜적이 내성으로 들어갔는데도 명나라 군사들은 노획한 물건에 탐욕이 생긴 나머지 곧바로 내성을 공격하지 않았다. 왜적이 문을 닫고 굳게 지키고 있어 공격을 해도 깨뜨릴 수가 없어 성 아래 여러 곳에 병영을 나누어 설치하고 열사흘 동안 성을 에워싸고 지켰으나 왜적은 내성에서 나올 기미를 보이지 않고 있었다.

스무아흐렛날에 내가 경주에서 울산에 있는 경리와 제독을 만나러 갔다가 멀리서 성루를 바라보니 성안이 정적으로 감싸여 있어 사람 소리라곤 전혀 들리지 않았다. 성 위에는 여장(女牆, 성벽 위에 추가로 증축하는 낮은 담을 말한다)을 설치하지 않고 사방에 긴 낭간을 빙 둘러 만들어 놓았는데 성을 지키는 병사들이 다 그 안에 있다가 성 밖의 병사

울산성전투도蔚山城戰鬪圖

가 성 아래로 접근하면 비 오듯이 조총을 쏘아댔다. 날마다 교전을 거듭하다 보니까 명나라 군사와 우리 아군의 죽은 시체가 성 아래에 쌓여만 갔다. 왜적의 배가 서생포에서 그들을 구원하러 와서 물속에 떠 있는 오리나 기러기처럼 줄을 지어 정박하였다.

도산성(지금의 울산에 있던 성으로 신라의 계변성戒邊城에다 정유재란 때 일본 장군 가토 기요마사 군대가 새로 축성한 성인데, 이때부터 도산성島山城이라 불러왔다)에는 물이 없어 왜적이 매일 밤 성 밖으로 나와서 물을 길어갔다. 경리 양호가 김응서에게 용사들을 거느리고 성 밖 샘물 가에 매복해 있게 하여서는 밤마다 백여 명의 왜적을 사로잡았는데, 포로들이 모두 굶주리고 파리하여 겨우 목숨만 부지하고 있는 형편이었다. 여러 장수들이 말하기를 "성안에 양식이 떨어져 좀 더 포위하고 있으면 스스로 무너질 것이다"라고 하였다. 그때 날씨가 매우 차고 궂은비가 내려 병사들의 손발이 얼어 터졌다.

조금 뒤에 왜적이 또 육로를 통하여 성안에 갇혀 있는 군대를 구원하러 오자, 경리 양호가 공격을 당할까 두려워서 급히 회군하였다.

다음해(1598, 선조 31년) 정월에 명나라 장수들은 모두 서울로 돌아가 다시 왜적을 공격할 계획을 모의하였다.

무술년 7월에 명나라 구원군의 경리 양호가 파직되다

무술년(1598, 선조 31년) 칠월에 경리 양호가 파직되고, 새로 경리 만세덕(萬世德, 명나라 무장으로 자는 백수伯修다. 임진왜란 때 명나라 구원군의 경리로 참여하여 공을 세우고, 귀국하여 계요총독薊遼總督에 임명되었다)이 그 자리를 대신하였다.

그때 군문(軍門, 명나라 구원군의 총사령관을 가리키는 말이다) 형개邢玠의 참모관參謀官이었던 병부 주사兵部主事 정응태(丁應泰, 명나라 무장으로 선조 31년(1598)에 조선이 왜병을 끌어들여 명나라를 침범하려 한다고 명나라 신종에게 무고誣告하였다. 이때 이항복이 변무사辨誣使가 되어 명나라에 건너가 무마하여 위기를 넘겼다)가, 양호가 황제를 속이고(황제를 속였다는 것은 정유재란이 일어난 1597년 12월에 벌어진 울산전투에서 명나라 군사가 큰 피해를 입어 전사자 1천 명, 부상자는 3천 명에 이르렀으나 명나라 조정에 1백여 명의 전사자가 났고, 전쟁에 승리하였다는 허위 보고를 올린 것을 가리킨다), 직무를 정직하게 수행하지 못한다는 등 20여 가지의 죄목으로 명나라 조정에 탄핵하였으므로 양호는 바로 파직되어 본국으로 소환되었다.

임금께서 양호가 지금까지 파견되었던 여러 명의 경리들 가운데서 왜적을 토벌하는데 가장 공이 크다고 생각하여 바로 좌의정 이원익에게 그의 억울함을 아뢰고 파직의 재고를 부탁하는 상주문上奏文을 가지고 빨리 북경으로 가게 했다.

팔월에, 양호가 본국으로 돌아가게 되자 임금께서 그를 전송하러 홍제원 동쪽까지 나오셔서 눈물을 흘리며 아쉬운 작별을 나누셨다. 이때 만세덕은 우리나라에 나오려고 차비를 하고 있었으나 아직 도착하지 않은 상태였다.

형개가 다시 부대를 편성하여 마귀에게 울산을, 동일원에게 사천을, 유정에게 순천을 맡게 하고, 진린에게 왜적이 드나드는 바닷길을 맡게 하고는 동시에 왜적을 공격하였으나 모두 이기지 못하였고, 특히 동일원의 군대는 왜적에게 크게 패하여 전사자가 많이 생겼다.

이순신이 노량해전에서 승리를 거두고 전사하다

시월에 제독 유정이 왜적의 순천 병영을 공격하였다.

통제사 이순신이 수군을 동원하여 바다에서 왜적의 구원군을 크게 무찔렀으나 아깝게도 그는 이 싸움에서 전사하였다.

적장 고니시 유키나가는 성을 버리고 달아났고, 부산・울산・하동 연해에 주둔하고 있던 왜적들이 모두 퇴각하였다.

그때 고니시 유키나가는 순천 예교에 성을 쌓고 굳게 지키고 있었는데, 명나라 장수 유정이 대군을 이끌고 그곳을 침공했으나 이기지 못하고 순천으로 돌아갔다가 얼마 뒤에 다시 공격하였다.

이순신은 명나라 장수 진린과 함께 바다로 들어가는 입구를 막고 압박해 들어갔다. 고니시 유키나가가 사천에 주둔하고 있던 왜장 시마즈 요시히로[沈安頓吾심안돈오]에게 구원을 요청하자 시마즈 요시히로가 물길을 따라 고니시 유키나가를 도우려 오고 있었는데 길목을 지키고 있던 이순신이 시마즈 군대를 공격하여 크게 무찔렀다. 이 싸움에서 이순신은 왜적의 배 이백여 척을 불태우고 무수히 많은 적군을 죽이는 큰 전과를 올렸다. 달아나는 왜적을 추격하여 남해의 경계 지점인 노량에 이르렀다. 이순신이 적진에서 날아오는 돌과 화살을 겁내지 않고 싸움을 독려하고 있었는데, 날아오던 유탄이 그의 가슴에 적중하여 등

뒤를 뚫고 나갔다. 좌우에 있던 병사들이 그를 부축하여 장막 안으로 들어가니 이순신이 말하기를 "전투가 지금 한창이니 내가 죽었다고 말하지 말라"고 하였는데, 그의 이 말이 끝나자마자 숨을 거두고 말았다. 이순신 형의 아들인 완(莞, 1579-1627, 조선조의 무신으로 자는 열보悅甫, 본관은 덕수다. 숙부 이순신을 따라 임지왜란에 종군하여 전공을 세웠다. 1627년 정묘재란 때 적군과 싸우다 역부족하여 무기고에 불을 지르고 분신 자결하였다)은 본래 담력이 있고 국량이 큰 사람이라 그가 죽었다는 사실을 비밀에 부치고 이순신의 명령으로 싸움을 더욱 다그치니 군중에서는 아무도 이순신의 죽음을 알지 못하였다.

진린이 탄 배가 왜적에게 둘러싸였었는데 이완이 멀리서 보고는 군사들을 지휘하여 그를 구해내니 적선들이 흩어졌다. 싸움이 끝난 뒤에 진린이 이순신에게 사람을 보내 자기를 구해 준 것에 사례하려 했는데, 그제서야 이순신이 전사했다는 비보를 들었다. 이 말을 들은 진린이 앉았던 의자에서 땅 위로 몸을 던지면서 "나는 노야께서 무사하여서 나를 구해주신 줄 알았는데 어찌해서 돌아가셨습니까"라고 하며 가슴을 치면서 통곡하였다. 모든 군사들이 목 놓아 우는 소리가 바다를 진동시켰다.

고니시 유키나가는 우리 수군이 시마즈 군대를 추격하여 자신의 병영을 지나가자 기회를 엿보다 뒤로 빠져 달아났다.

이에 앞서 칠월에 왜국의 우두머리 도요토미 히데요시가 이미 죽었으므로 우리나라 연해에 주둔하고 있던 왜적들이 다 일본으로 퇴각하였다.

이순신이 전사했다는 소식을 들은 우리 군대와 명나라 군대에서는 병영마다 통곡 소리가 끊이지 않았는데, 그 울음소리가 마치 부모가 죽은 것처럼 애절하였다. 이순신의 상여가 지나가는 곳마다 백성들이

충무공 이순신 장군 묘소(충남아산)

제상을 차려놓고는 상여를 붙잡고 "공께서 실은 우리를 살리셨는데, 우리를 버리고 어디로 가신단 말씀입니까"라고 하며 통곡하였다. 그의 죽음을 슬퍼하는 백성들로 길이 막혀 상여가 앞으로 나아가지 못하니 길가는 사람들도 모두 눈물을 흘렸다.

조정에서는 그에게 의정부 우의정을 증직하였다. 군문 형개는 마땅히 해상에 사당을 세워 그의 충혼을 기려야 한다고 하였으나 그 일은 끝내 이루어지지 않았다. 이에 바닷가에 사는 백성들이 서로 솔선하여 사당을 세워 민충사愍忠祠라 이름하고는 때에 맞춰서 제를 올렸다. 장삿배나 어선을 타고 그 아래를 오고가는 사람들이 거기에서 제를 지낸다고 한다.

69

이순신의 자는 여해이고 본관은 덕수이다

이순신의 자는 여해汝諧이고 본관은 덕수德水이다. 그의 선조 가운데 이변(李邊, 1391-1473, 조선조 초기의 문신으로 본관은 덕수이다. 관직은 판중추부사를 지냈고, 시호는 정정貞靖이다)이라는 분이 있었는데, 강직하다고 이름났었다. 증조부 이거(李琚, ?-1502, 조선조의 문신으로 본관은 덕수이다. 관직은 순천 부사를 지냈다)는 성종대왕 아래에서 관직 생활을 하였다. 연산군이 동궁으로 있을 때 그는 강관(講官, 임금이나 세자가 경연經筵이나 서연書筵을 할 때 경서 등을 강론하는 문관文官을 말한다. 강학관講學官. 경연강관經筵講官. 시강관侍講官이라고 한다)으로 있으면서 맡은 일에 엄격하였으므로 동궁에게 꺼림을 당하기도 했다. 일찍이 그가 장령으로 있을 때 잘못을 저지르는 관료가 있으면 탄핵하는 데 주저하지 않았으므로 조정의 관료들이 그를 두려워하여 '호랑이 장령'이라고 불렀다. 조부 이백복은 조상의 음덕蔭德으로 벼슬살이를 했고, 그의 아버지 이정은 벼슬에 나아가지 않았다.

이순신은 소년 시절에 영민하고 솔직하여 무엇에도 구애받지 않았다. 여러 아이들과 어울려 놀이를 할 때에는 나무를 깎아 활과 화살을 만들어 마을 안에서 놀고 있다가 마음에 들지 않는 사람을 만나면 그 사람의 눈을 쏘려고 하였으므로 어른들이라도 간혹 그가 두려워 감히 그 집 앞을 지나가지 못하였다. 그가 커서는 활을 잘 쏘아서 무과 시험에 응시하여 출세하였다. 덕수 이씨 집안에서는 대대로 유학을 숭상하였는데, 이순신에 이르러 처음으로 무과에 급제하여 첫 직장으로 권지훈련원 봉사權知訓鍊院 奉事(종8품)로 임명되었다.

그때 병조판서 김귀영에게 서녀가 하나 있었다. 이순신에게 그녀를 첩으로 주려고 하였으나 좋아하지 않았다. 사람들이 그 까닭을 물으니 이순신이 대답하기를, "내가 이제 벼슬길에 첫발을 디딘 사람으로 어찌 권세가에 기대어 출세하기를 바라겠는가"라고 하였다.

병조 정랑 서익徐益의 친한 사람이 훈련원에 근무하고 있었는데, 품계를 뛰어넘어 그 사람을 승진시키려 하였다. 그때 이순신은 훈련원의 장무관掌務官으로 있으면서 그 일이 옳지 않다고 극구 반대하였다. 서익이 이순신을 소환하는 공문을 보내 찾아온 그를 뜰아래에 세워두고 따져 물었지만 이순신은 말이나 얼굴빛을 바꾸지 않고 원칙을 들이대며 자신의 주장을 끝까지 펼쳤다. 서익이 노발대발하며 그를 윽박질렀으나 이순신은 조용히 응답할 뿐 끝내 조금도 기가 꺾이지 않았다. 서익은 본래 기가 세고 남을 업신여기는 사람이라 비록 동료들이라 할지라도 그를 가까이 하기를 꺼려하여 가급적이면 그와 언쟁을 벌여 시비를 따지는 일은 하지 않으려고 하였다. 이날 하급 관료들이 계단 아래에 모여 서로 돌아다보며 놀랜 듯 혀를 내두르면서 "저 벼슬아치가 감히 본조本曹의 정랑(이순신이 근무하던 훈련원은 병조의 예하 관청이고, 병조 정랑은 종5품직이므로 산하기관의 하위직인 이순신이 정랑의 요구에 불응하는 것이 역학관계로 봐도 맞지 않는다는 얘기다)에게 대들다니, 자기 앞길은 생각치도 않는가봐"라고 말하였다. 날이 저물어서야 서익이 낮에 한 일이 창피했는지 감정을 억누르고 이순신을 놓아 보냈다. 식견이 있는 사람들은 이 일로 인해서 이순신이 어떤 사람인가를 알게 되었다.

언젠가 이순신이 감옥에 갇혔을 때 앞으로 일이 어떻게 진행될지 헤아릴 수 없을 정도로 분위기가 급박하게 돌아가고 있었다. 한 옥리가 이순신 형의 아들인 분(芬, 1566-1619, 조선조의 문신으로 본관은 덕수이다. 정구鄭逑의 문인이다. 관직은 행병조정랑行兵曹正郞을 지냈다)에게 다가가 은밀하게 "뇌물을 쓰면 감옥에서 나올 수 있다"고 하기에 이순신에게 그 말을 하니, 이순신이 조카에게 화를 내며 말하기를 "죽으면 죽었지, 어찌 도리에 어긋난 짓으로 살기를 꾀하겠는가"라고 하였다. 그는 이같이 지조와 고집이 있는 사람이었다.

이순신의 사람됨이 말과 웃음이 적고 용모가 바르고 조심스러워서 근엄한 선비 같았다. 그러나 마음속에는 담력과 용기가 있어 자신의 몸을 던져 나라를 위해 죽었으니, 이는 그가 본래 안으로 쌓아온 것이 있었기 때문이었다.

형 희신과 요신은 모두 먼저 세상을 떠났다. 이순신은 고아로 남은 조카들을 자기 자식 못지않게 돌봤고, 시집보내고 장가보내는 데도 반드시 조카들을 먼저 성사시키고 난 뒤에 자기 자식들을 결혼시켰다. 이순신은 많은 재주를 지녔으나 불운하여 백 가지 재주 가운데 한 가지도 펼치지 못하고 죽었으니, 참으로 애석하도다.

이순신이 병영에서 주야로 왜적을 경계하느라 갑주를 풀지 않다

통제사 이순신이 병영 안에 머물 때는 왜적을 엄중히 경계하느라 갑옷과 투구를 벗은 적이 없었다. 언젠가 견내량에서 왜적과 서로 대치하고 있을 때 배들은 이미 닻을 내려 정박하고 사위를 달이 휘영청 밝게 비추고 있었다. 통제사가 갑옷을 입은 채 북을 베고 누웠다가 갑자기 일어나 앉으며 옆의 부하에게 소주를 가져오게 하여 한 잔을 마신 뒤에 여러 장수들을 불러 모두 앞으로 오게 하고는 이르기를 "오늘 밤 달빛이 너무 밝아 걱정이오. 왜적은 다양한 거짓 술책을 부려 달빛이 없는 어두운 밤이면 반드시 우리를 습격하겠지만 오늘처럼 달이 밝아도 기습할 것이 뻔하니 경비를 엄하게 서야 할 것이오"라고 하고는 영각(令角, 땡각으로 긴 대나무 끝에 쇠붙이를 달아 불던 나팔로, 주로 지방 수령의 행차나 위급한 상황이 발생했음을 알릴 때 불었다)을 불어 전선들의 닻을 올리게 하고, 또 적의 동정을 살피는 척후선(斥候船)에게 전령을 보내 단잠에 빠져 있던 척후병들을 깨워 왜적의 기습에 대비하도록 하였다. 한참 뒤에 척후병이 달려와서 왜적이 오고 있다는 보고를 했다. 그때 달은 서산에 걸려 있고 산 그림자가 바닷물에 거꾸로 비쳐 바다의 반은 엷은 어둠에 잠겨 있었다. 무수히 많은 왜적의 배가 어둠을 타고 밀려와 막 아군의 배에 접근하려고 하였다. 이에 적군을 기다리고 있던 우리 중군中軍에서 갑자기 대포를 쏘며 크게 함성을 지르자 여러 배에서 그 소리에 호응하였다. 왜적이 우리가 미리 대비하고 있었다는 것을 알아차리고 일시에 조총을 쏘아대어 그 소리가 바다를 진동시키고 탄환이 비 오듯이 물속으로 쏟아졌다. 마침내 왜적이 감히 우리 수군에게 범접하지도 못하고 달아나니, 여러 장수들이 이순신을 전쟁의 신이라고 하였다.

녹후잡기 錄後雜記

징비록을 완성한 뒤에 징비록에 수록하지 못했던 몇 가지 단상이나 전투에 필요한 실용적인 방어 장치 등 잡다한 내용을 적어 둔다는 뜻이다

일찍부터 임진왜란 발발을 예고하는 조짐이 나타났다

무인년(1578, 선조 11년) 가을에 혜성이 하늘에 뻗쳤는데, 그 모양이 마치 흰 명주비단을 펼쳐놓은 것 같았다. 서쪽에서 동쪽으로 뻗어 오랫동안 가시지 않더니 몇 달이 지난 뒤에야 사라졌다.

무자년(1588, 선조 21년)에는 한강 물이 사흘 동안 붉은 빛을 띠었다.

신묘년(1591, 선조 24년)에는 죽산 대평원 뒤쪽에 있던 바위가 저절로 일어섰고, 통진현에서는 쓰러졌던 버드나무가 다시 꼿꼿하게 일어나니, 백성들 사이에서 "머잖아 서울을 옮기게 될 것이라"는 유언비어가 나돌았다.

또 동해 바다의 물고기가 서해 바다에서 잡혔는데, 이 물고기가 점점 북상하여 한강에도 나타났다. 해주에서는 원래 청어가 많이 잡혔다. 그런데 근래 십여 년 동안 전혀 잡히지 않던 청어가 중국의 요해로 옮겨가 거기에서 잡히자 요동 사람들이 이를 듣도 보지도 못했던 신어新魚라고 불렀다.

또 요동 8참遼東八站에 살던 사람들이 하루는 아무런 까닭 없이 놀래어 "도적이 조선에서 몰려오고, 조선 왕자의 십정교자十亭轎子가 압록강에 도착했다"라고 하여 그 말이 사람들에게 전해져 퍼졌다. 노약자들이 산으로 올라가는 소동이 벌어졌는데, 며칠이 지나서야 진정되었다.

또 우리나라 사신이 북경에서 돌아오는 길에 금석산金石山 아래 하씨河氏 성을 가진 사람의 집에서 머물렀다. 그 집 주인이 "한 조선의 역관이 나에게 '너희 집에 3년이나, 5년을 묵은 좋은 술이 있다면 아끼지 말고 즐겁게 마셔라. 머지않아 군사들이 밀려오면 너희들에게 술이 있다고 해도 누가 그것을 마실 수 있겠는가'라고 하였습니다. 이 말을 듣고 여기 요동 사람들이 조선이 무슨 딴 생각을 품고 있다고 의심하여 다들 놀래고 당황스러워하고 있습니다"라고 말하더라고 했다. 사신이 귀국하여 그 사실을 임금에게 알렸다. 조정에서는 우리 역관들이 말을 만들어 생트집을 부려 본국을 무고하고 헐뜯으려 한다고 하여 역관 몇 사람을 체포하였다. 인정전 뜰에 국문장을 차려 놓고 압슬壓膝을 가하고(옛날에 죄인을 취조할 때 가하던 압슬형壓膝刑을 말한다. 널빤지로 무릎을 눌러서 고통을 가하여 죄를 자백하게 했다) 불에 달군 인두로 허벅지를 지지는 등 가혹한 고문을 가하여 자백을 강요하였으나 피의자인 역관들 모두가 승복하지 않고 죽었다.

이러한 여러 가지 일들이 신묘년에 일어났는데, 그 이듬해에 왜적이 쳐들어왔다. 여기에서 보면, 대란이 일어날 것을 사람이 미처 깨닫지 못하였지만 여러 가지 조짐에서 이미 예고했다는 것을 알 수 있다. 흰 무지개가 해를 꿰뚫고, 금성이 하늘을 지나가는 조짐을 사람들은 해마다 나타나는 현상이라며 예사로운 일로 여기고 있었던 것이다.

또 도성 안에 늘 검은 기운이 떠돌았는데, 연기도 아니고 안개도 아닌 것이 땅바닥에 서리기 시작하여 하늘에까지 이어지니 이런 현상이 거의 십여 년에 걸쳐 일어났다. 그 밖의 다른 여러 가지 변고와 이상한 일들이 일어났으나 그것을 다 기록하기는 어렵다. 하늘이 사람에게 앞으로 일어날 일을 미리 심각하면서도 절실하게 예고하였으나 사람이 주위 깊게 살피지 못하였을 뿐이다.

모든 것이 천운에 의해서 결정된다

두보의 시(杜甫, 712-770, 중국 당나라 현종 때 우국시인으로 시성詩聖으로 불린다. 여기에 인용된 시는 그가 안녹산의 난으로 인해서 피폐해진 당대 현실을 고뇌하며 지었던 우국시 가운데서도 유명한 「애왕손哀王孫」이란 시 28행 가운데 그 앞부분 4행을 소개한 것이다)에,

장안성 위의 머리 흰 까마귀　　長安城頭頭白鳥장안성두두백조
밤에 연추문 위로 날아와 울어대네　　夜飛延秋門上呼야비연추문상호
또 민가를 향해 큰 집을 쪼아대니　　又向人家啄大屋 향인가탁대옥
지붕 아래 고관은 오랑캐 왔는가 피해 달아나네
屋底達官走避胡옥저달관주피호

이라고 하였다. 이는 두보가 자신이 살았던 당시의 기이한 일을 기록한 것이다.

임진년 사월 열이렛날에 왜적이 우리나라에 쳐들어왔다는 보고를 받고 조야가 온통 정신을 못 차리고 허둥댔다. 그런데 갑자기 괴이한 새가 날아와 후원에서 울다가 공중으로 날아올라 가까이 왔다가 멀어지기도 하며 선회했다. 특이하게도 다만 새 한 마리가 우는데도 그 울음소리가 도성 안에 가득 차서 그 소리를 듣지 못한 사람이 없었다.

그 새가 밤낮을 가리지 않고 잠시도 쉬지 않고 울었는데, 그렇게 울기 시작한 지 십여 일이 지나자 어가가 도성을 나가 피난길에 올랐고 왜적이 도성에 들어와 대궐과 종묘사직은 물론이고 관청과 민간 집들을 파괴하여 하나도 성한 것이 없게 되었으니, 아! 이 또한 괴이한 일이었다.

또 오월에 내가 어가를 따라 평양에 이르러 김내진이라는 사람의 집에 머물렀다. 그가 나에게 이르기를 "연전에 승냥이가 자주 성안에 들어왔고, 대동강 물이 붉게 변했는데 동쪽 가는 심히 흐리고 서쪽 가는 물이 맑더니 지금 이런 변고가 생긴 것 같습니다"라고 하였다. 왜적이 아직 평양에 이르지도 않았을 때인데 그런 말을 듣고 나니 묵묵부답으로 가만히 있을 수밖에 없었으나 마음은 심히 괴로웠다. 얼마 있다가 평양이 함락되었다.

대개 승냥이는 들짐승이라 사람이 모여 사는 시가지에 들어온다는 것은 이치에 맞지 않다. 이는 『춘추春秋』(중국 춘추시대 철학자인 공자孔子가 B. C. 5세기 초에 노魯나라의 역사를 기록한 책으로 유학에서 오경五經의 하나로 여겨진다)에 "찌르레기가 날아와 둥지를 틀다,"(구욕새는 곧 찌르레기로 북쪽에 사는 새인데 동쪽 노魯나라에 와서 둥지를 틀었다는 것은 이변이 있을 징조라는 것을 의미한다(『춘추』 소공昭公 26년조)) "물수리 여섯 마리가 바람에 밀려 뒤로 물러났다"(익새는 하늘에 높이 날아 사람 눈에 잘 띄지 않는데, 사람 눈에 보여 뒤로 물러간다는 것도 이변이 있을 징조라는 것을 의미한다(『춘추』 희공僖公 16년조)), "큰 사슴이 많다,"(목은 낙타, 뿔은 사슴, 발굽은 소와 같은 동물로 연못가에 주로 살며 노나라에서 흔히 볼 수 없는 짐승인데, 노나라에 나타난 것이 하나의 조짐이라는 것이다(『춘추』 장공莊公 17년조)) "물여우가 있었다"(『춘추』 장공莊公 18년조에 가을에 물여우가 있었다는 말이 나온다. 물여우가 모래를 입에 머금어 사람을 향해 쏘므로 물여우의 등장이 하나의 불길한 조짐이라는 것이다)와 같은 내용을 기록한 것처럼 아무 이유 없이 그런 조짐이 일어나는 것은 드문 법이다. 하늘이 사람에게 뚜렷하게 보여 주는 조짐이나 성인이 후세에 전하는 가르침은 심오한 것이니 어찌 두려워하지 않을 것이며, 어찌 삼가지 않겠는가.

또 임진년 봄, 가을 사이에 목성(木星, 속설에 길吉하다고 전하는 별로, 중국에서 12지를 관장하는 별이라고 하여 세성歲星이라고 불렀다)이 미성尾星과 기성箕星의 자리에 들었다. 미성과 기성은 곧 연燕나라 분야이며 예로부터 우리나라와 연나라는 같은 분야라고 하였다(미성은 전갈자리별이고 기성은 궁수자리별로써 동북쪽에 위치한다. 『한서漢書』 지리지 하권에 연나라는 미성과 기성의 분야이고 낙랑과 현토는 그 오른쪽에 위치한다고 하여 명나라의 연경(지금의 북경)과 우리나라는 같은 분야에 속한다는 것이다). 그때 왜군이 날로 압박해 들어와 인심이 흉흉하여 어찌할 바를 몰랐다. 하루는 임금께서 하교하시기를 "복성(福星 ,길吉한 별이란 것으로 목성을 달리 부르는 이름이다. 복덕성福德星의 준말이다)이 지금 우리나라에 있으니 왜적은 두려워할 것이 못 된다"라고 하셨는데, 이는 이 천체 현상을 빌려서 민심을 진정시키려고 하신 말씀이었다. 그러나 그 이후로 도성을 비록 잃기는 했지만 빨리 옛 문물을 회복하였고 어가를 도성으로 돌릴 수 있었다. 왜적의 우두머리인 도요토미 히데요시는 끝내 자신의 흉악한 야욕을 버리지 못한 채 스스로 죽음을 택하였으니, 이 어찌 우연이라고 할 수 있겠는가. 이 모든 현상의 발현은 천운과 관계되지 않는 것이 없다.

우리에게는 훌륭한 장수도, 고난을 극복할 힘도 없었다

왜적은 간교하기 이를 데 없어 전쟁을 벌일 때에도 거의 속임수로 일관하였다. 그러나 임진왜란을 두고 본다면 서울 도성을 차지한 왜국의 전략은 교묘하였고, 반면에 평양성에서는 졸렬했다고 말할 수 있다.

우리나라는 그동안 백년이나 태평성세를 누려 왔으므로 백성들이 전쟁을 몰랐다. 그런데 갑자기 왜적이 몰려온다는 소식을 듣고는 놀래어 허둥댔고, 왜적이 지나가는 곳에는 풀이 바람에 쓰러지듯 모두가 흐느적거리며 정신을 잃은 상태였다. 왜적들이 파죽지세로 열흘 만에 서울에 진입하니, 우리에게 지혜로운 사람이 있어도 좋은 계책을 강구할 시간이 없었고, 용기 있는 사람이 있어도 결단을 내릴 여유가 없었으며, 민심은 한꺼번에 무너져 수습할 수가 없었다. 왜적의 이러한 전략은 병가의 훌륭한 전략이고 왜적의 간교한 계책이었다. 그래서 잘한 것이라고 했던 것이다.

이에 왜적은 늘 이기기만 했다는 군사력만 믿고 뒤쪽의 경계를 무시한 채 우리나라 여러 도道에 산발적으로 군사를 진출시키느라 제 정신이 아니었다. 그러나 군사들을 분산시키면 전세가 약해질 수밖에 없었다. 게다가 천리에 걸쳐 병영을 잇달아 세우고 하는 일 없이 시간을 보냈으니, 이른바 "강한 쇠뇌를 당겨 활을 너무 멀리 쏘면 그 끝이 노

魯나라의 아주 얇은 비단도 뚫지 못한다"(노나라의 흰 비단은 너무 얇아 조금만 힘을 가하면 구멍이 뚫리는데, 아무리 강한 화살을 쏴도 그 거리가 너무 멀면 화살이 추동력을 잃어 그런 하얀 깁도 뚫을 수 없다는 말로, 천하에 강한 힘을 가진 사람일지라도 늙고 쇠약해지면 아무런 역할도 할 수 없다는 말이다(『사기史記』 한안국전韓安國傳)는 말이나, 장숙야(張叔夜, 1065-1127, 중국 북송의 명장으로 자는 혜중嵇仲이다. 여진족이 세운 금나라와의 전투에서 많은 일화를 남겼고, 『수호지水滸誌』에 등장하는 송강宋江의 도적떼 36명을 그가 회유했다는 기록도 있다. 북송이 망하고 휘종과 그의 맏아들 흠종이 금나라로 끌려가자 그 뒤를 따르다 자결한 충신이기도 하다)가 "여진은 전쟁을 모른다. 어찌 도움을 받지 못하는 군사들이 깊은 적진에 들어갔다가 무사히 돌아오기를 바라는가"라고 한 말과 거의 비슷한 경우였다. 이리하여 명나라 구원군이 군사 4만 명으로 평양을 공격하여 무찔렀다. 평양이 무너지자 각 도에 주둔하고 있던 왜적들이 모두 전의를 상실하였으므로 왜적이 아직 서울을 점령하고 있었지만 대세는 이미 기운 상태였다. 이때 사방에 있던 우리 백성들이 곳곳에서 왜적을 맞아 공격하자 왜적의 전방과 후방의 군사들이 서로를 도울 수 없어 마침내 달아날 수밖에 없었다. 그래서 왜적이 평양전투에서 졸렬했다는 것이다.

아! 왜적의 실책은 바로 우리에게는 행운이었다. 진실로 우리나라에 훌륭한 장수가 있어 1만 명의 군사를 거느리고 때를 기다렸다가 훌륭한 계책을 써서 천리에 늘어서 있는 왜적의 허리를 쳐서 가운데를 끊을 수 있었다면 얼마나 좋았겠는가. 그런 장수가 왜적이 패했던 평양전투에서 전략을 구사했더라면 왜적의 대군을 쉽게 결단 낼 수 있었을 것이고, 서울 이남이었다면 왜적이 한 대의 수레나 한 척의 배도 자기 나라로 가져가지 못했을 것이다. 그렇게 됐으면 왜적이 놀래고 간담이 서늘해져 수백 년간 감히 우리를 똑바로 보지 못할 것이고, 다시는 훗날에 우리 후손들이 왜국을 염려할 필요도 없을 것이다.

당시에 우리나라는 너무 지쳐서 그런 일을 해낼 만한 힘이 없었고, 명나라 장수들도 이런 계책을 낼 줄을 몰라 왜적으로 하여금 조용히 가고 오게만 하였다. 왜적들을 꾸짖거나 두려움을 주지 않았기 때문에 저들은 온갖 것을 요구하였고, 이에 내놓은 계책이 봉책과 조공으로 저들을 묶어두겠다는 것이었으니, 어찌 한탄하지 않을 수 있겠으며, 이 어찌 애석한 일이 아니겠는가. 지금 생각하면 분노가 치민다.

전쟁에서 이길 수 있는 첫째 요건은 지형지물을 잘 이용하는 것이다

옛날에 조조(鼂錯, 중국 한나라의 경세가(B.C. 200-154)로 중농억상重農抑商 정책을 펼쳐 문제文帝・경제景帝를 도왔고, 『형명학刑名學』과 『고문상서古文尙書』를 배워 당대 최고의 학자이자 정치가로 알려졌다. 그는 아는 것이 너무 많아 지혜의 주머니[智囊지낭]라는 별호를 얻기도 하였다)가 군사에 관한 일로 임금에게 올린 말이 있었다.

> 군사를 동원하여 전쟁터에 나아가 교전하게 되었을 때 가장 먼저 갖춰야 할 세 가지가 있다. 그 하나는 유리한 지형地形을 잘 선택하는 것이고, 둘째는 병사들 올 잘 훈련시켜야 하며, 셋째는 무기를 잘 벼려서 예리하게 해야 한다. 이 세 가지는 전쟁터에서 갖춰야 할 대요大要이니, 군사를 거느리는 장수는 반드시 알고 있어야 한다(이 말은 조조가 B. C. 169년에 한나라 문제에게 올린 상소문의 한 부분으로, 이 상소문은 군사제도의 정립에 관한 내용을 담고 있다).

왜놈들은 전쟁에 익숙하고 그들이 사용하는 무기도 매우 훌륭하다. 옛날에 저들에게는 조총이 없었으나 지금은 가지고 있어 멀리 쏠 수 있는 사정거리와 명중률에 있어서는 활보다 몇 배나 앞선다. 아군이 만약 넓은 들 평지에서 왜적을 만나 양쪽이 진을 치고 맞서 정석대로 싸운다면 우리는 저들의 적수가 될 수 없을 것이다. 왜냐하면, 아무리 힘껏 쏘아도 화살은 백 보 거리에도 미치지 못하는 데 반하여 조총의 총탄은 수백 보를 넘어 마치 우박이 쏟아지듯 한꺼번에 날아오니 우리가 저들에 필적할 수 없는 것은 당연지사이기 때문이다. 그러나 우리가 먼저 유리한 지형을 택하여 산세가 험준하고 수목이 우거진 곳에 활 쏘는 사수들을 분산 배치하여 적군이 그들을 발견하지 못한 곳에 매복시켰다가 좌우에서 일제히 활을 쏘아대면 저들이 비록 조총과 창검을 가지고 있을지라도 아무 소용이 없게 되어 대승을 거둘 수 있었을 것이다.

지금 그 한 예를 들어 증명해 보이겠다.

임진년에 왜적이 서울 도성에 입성한 뒤에 날마다 무리를 나누어 성 밖으로 나와 노략질을 했는데 역대 임금을 모신 왕릉까지도 그들의 노략질에서 벗어날 수 없었다. 고양 사람인 진사進士 이로李櫓는 조금 활을 만질 줄 알았는데, 담력과 기백이 있는 사람이었다. 하루는 어떤 두 사람과 함께 각자 활과 화살을 가지고 창릉昌陵·경릉敬陵으로 들어갔다. 그러나 뜻하지 않게 수많은 왜적이 나와 계곡을 가득 메우고 있는 것을 보고 그들은 어찌할 방법이 없어 등나무 넝쿨이 뒤덮고 있는 풀숲으로 달아나니, 왜적들이 그들을 찾으러 와서 배회하며 두리번두리번 살펴보고 있었다. 이때다 하고 이로 등이 우거진 풀숲 안에서 갑자기 활을 쏘니 두리번거리던 왜적 모두가 화살에 맞아 나뒹굴어졌다. 다시 장소를 옮겨 나타났다 숨었다 하며 적의 눈을 어지럽게 하니 왜적들이 더욱 종을 못 잡고 헤매었다. 이로부터 왜적들은 자기들이 가는 곳에 풀숲이 있으면 멀리 달아나 감히 접근하지 못하였으므로 두 능이 무사할 수 있었다. 이로써 본다면 좋은 지형을 확보하느냐에 따라서 전쟁의 성패가 결정된다는 것을 알 수 있다.

왜적이 상주에 주둔하고 있을 때에 신립·이일 등이 만약 이 계책을 내어 먼저 토천(兎遷, 경상북도 문경시 마성면에 있던 가파른 고갯길로 조령과 함께 지나기 어려운 곳으로 유명하였다)과 조령 사이의 삼십여 리 사이에 사수 수천 명을 매복시켜 왜적으로 하여금 아군의 숫자를 알아차릴 수 없게 했더라면 왜적을 제압할 수 있었을 것이다. 그 준험한 천혜의 요새를 버리고 훈련되지 않은 오합지졸의 병사들을 평지에 배치하여 왜적과 싸우게 했다는 것은 패배를 스스로 불러들인 것이나 마찬가지였다. 내가 용병의 묘책에 대해 앞에서 자세하게 기술하였고, 지금 또다시 이 문제를 특별히 강조한 것은 후세 사람들에게 교훈으로 삼게 하려는 데에 있다.

75

효율적인 축성 방안이 무산되다

성城은 포악한 침입자를 막아 백성들을 지키기 위해서 존재하는 것으로 무엇보다도 견고해야 한다.

옛사람들이 성의 구조를 말할 때 모두 치雉에 대해서 얘기했는데, 예컨대 천 치千雉니 백 치百雉니 하는 말이 바로 그것이다. 나는 평소에 책을 대강대강 읽어서 '치'가 무엇인지 알지도 못하면서 그 말이 나올 때마다 살받이[垜타] 정도로만 알고 있었다. 언젠가 한 성안에 살받이가 단지 천 개 백 개만 있다면 그 성은 너무 작아 많은 군사들을 들일 수 없을 것인데 어째서 그런 말을 하는지 모르겠다고 의심을 가지기도 하였다. 그러나 왜변이 일어난 뒤에 비로소 척계광(戚繼光, 1528-1588, 중국 명나라 말엽의 명장으로 자는 원경元敬, 호는 남당南塘이다. 왜구를 토벌하는 데 큰 공을 세웠다. 시호는 무의武毅이다)의 『기효신서』(紀效新書, 1560년에 척계광이 지은 병서兵書로, 이 책에서 척계광은 특별히 바다를 통해 기습해 오는 왜구를 효율적으로 막는 병법을 기술하고 있다)를 읽고 곧 치는 살받이를 말하는 것이 아니라 바로 지금의 이른바 곡성(曲城, 성문을 밖으로 둘러 가려서 구부러지게 쌓은 성을 말한다)과 옹성(甕城, 성문을 보호하기 위하여 성문 밖에 또 한 겹으로 쌓은 성벽을 말한다. 성벽에서 밖으로 돌출되어 있어 성문에 접근하는 적을 3면에서 입체적으로 막을 수 있다)을 뜻하는 것임을 알게 되었다.

만약 성에 곡성, 옹성이 없다면 한 사람이 한 살받이를 지키고 살받이 사이에 방패를 세워 밖에서 날아오는 화살과 돌은 막을 수 있을지라도 적이 와서 성 아래에 달라붙으면 그들을 멀쩡히 보고 있으면서도 막아내기가 어렵다.

『기효신서』에 의하면, 50개의 살받이마다 치 하나를 두어 밖으로 2, 3길 정도 나오게 하였으며, 두 치 사이에 50개의 살받이를 두게 되므로 한 치가 각각 25개의 살받이를 차지하게 된다는 것이다. 이렇게 장치를 해놓으면 화살이 힘을 받아 세게 날아가고 앞뒤와 좌우를 보면서 활을 쏘기 편하니 적군이 몰래 와서 성 아래에 붙을 수가 없게 된다.

임진년 가을에 내가 안주에 머물고 있었다. 그때 얼핏, 왜적이 지금 평양성에 주둔하고 있는데 만약 하루아침에 저들이 서쪽으로 내려올 경우에 임금이 계시는 행재소를 보호할 가로막이 없다는 생각이 들어 나로서는 그럴 만한 여유가 없었지만 안주성을 보수하여 왜적의 침입에 대비하기로 했다.

구월 구일 중양절에 우연히 청천강에 나가 안주성을 돌아보고는 조용히 앉아 한참동안 깊은 생각에 잠겼는데 갑자기 한 묘안이 떠올랐다.

성 바깥에 따로 치를 설치하는 것처럼, 안주성 바깥의 지형에 맞춰 밖으로 돌출된 성[凸城철성]을 따로 쌓는다. 그 따로 설치한 성 안을 비워 두어 사람이 들어갈 수 있게 하고 그 앞쪽과 좌우에는 대포를 둘 자리를 파서 거기에서 대포를 쏠 수 있게 하며, 그 위에는 1천 보 이상 간격을 두고 망루 하나씩을 세운다. 그러고 나서 새알같이 둥근 여러 개의 쇠구슬을 대포 속에 장전하였다가 왜적이 성 밖에 많이 모여들 때 양쪽에서 교대로 대포알을 쏘면 사람과 말은 말할 것 없고 쇳덩이와 바위라 할지라도 가루를 낼 수 있을 것이다. 만약 이렇게 된다면 여러 성가퀴[堞첩]에 병사를 배치하지 않고 단지 수십 명의 군사들로 포루砲樓를 지키게만 해도 왜적은 감히 접근하지 못할 것이니 이는 실로 성을 지키는 오묘한 계책이 아닐 수 없다. 그 체제는 비록 치의 제도를 본떴으나 얻을 수 있는 효과는 몇만 배나 더 많을 것이다. 대개 1천 보 내로 왜적이 접근하지 못하게 되면 그들이 운제雲梯와 충차衝車(운제는 구름사다리라는 말로 성에 대어 타고 오를 수 있게 만든 사다리이고, 충차는 성을 공격할 때에 성벽을 들이받거나 허물어뜨리기 위해 사용하던 수레의 한 가지로 몸은 쇠로 덮어 감싸고, 양옆으로 날카로운 톱니를 가지고 있다. 둘 다 성벽 공격용 무기라고 할 수 있다)를 가지고 있다 해도 아무 소용이 없을 것이다.

이것은 내가 우연히 생각해 낸 것으로 그때 즉시 행재소에 나아가 임금께 아뢰었고, 뒤에 경연 자리에서도 거듭 아뢰었으며, 이어서 여러 번에 걸쳐 제안하기도 했다. 또 사람을 시켜 그것이 쓸 만한 묘책임을 증명해 보이려고 병신년(1596, 선조 29년) 봄에 서울 동쪽 수구문水口門 밖에 적당한 땅을 택하여 돌을 모아 설계대로 시연해 보려고 하였다. 그러나 아직 채 완성되지도 못했는데 반대 여론이 여기저기에서 제기되어 하던 작업을 그만둘 수밖에 없었다.

훗날에 만약 원대한 계획을 가지고 있는 사람이 나와 나의 말을 무시하지 말고 이 안을 실행에 옮긴다면 성을 지키는 데에 적지 않은 도움을 얻을 수 있을 것이다.

진주성에 포루를 세우려는 계획이 좌절되다

내가 안주에 있을 때 내 벗인 김사순(金士純, 1538-1593, 사순은 김성일 金誠一의 자字이다)이 경상 우감사慶尙右監司가 되었는데, 나에게 진주성을 잘 정비해서 죽음을 무릅쓰고 지키려고 한다는 간절한 내용의 편지를 보내왔다. 이전에 왜적이 진주성을 침범했다가 이기지 못하고 퇴각한 적이 있었기에, 내가 그 편지를 받고 김사순에게 "왜적이 조만간에 반드시 보복전을 펼칠 것입니다. 그들이 침입해 들어오면 대대적인 공세를 취할 것이 분명하니 옛날처럼 대비했다가는 버텨내기가 어려울 것이니, 오직 포루砲樓를 세워서 그들의 공격에 대비해야만 걱정을 들 수 있으리라고 생각됩니다"라고 써서 답신을 보냈는데, 그 답신 속에 대포를 설치하는 방법에 대해서 자세하게 알려줬다.

계사년(1593, 선조 26년) 유월에 내가 왜적이 다시 진주성을 공격했다는 소식을 듣고, 종사관 신경식에게 "진주성 사태가 너무 위급한데 다행히 포루를 설치했다면 그래도 버틸 수가 있겠으나 만약 그렇지 않다면 성을 지키기가 어렵겠지"라고 하였다. 그러고 나서 얼마 후에 합천에 내려가니 진주성이 이미 함락됐다는 소식이 들렸다.

단성현감 조종도 군도 김사순의 벗이었는데, 그가 나에게 말하기를 "지난해에 김사순과 진주에 같이 있었는데, 그가 공에게서 온 편지를 보이며 좋아서 어쩔 줄 몰라 하며 놀라운 계책이라고 칭송하였소. 그러고는 바로 막하에 있는 관료 몇 사람과 함께 성을 돌며 지형을 감안해서 포루를 세울 수 있는 여덟 군데를 확정하였지요. 포대를 세울 곳에 서 있던 나무를 베어 강물에 내려보내라고 독촉하니 백성들이 부역하기를 꺼려하여 '전에 포루가 없었어도 성을 지키고 왜적을 물리칠 수 있었는데 지금 포루를 설치하여 어디에 쓰려고 이렇게 사람을 괴롭히는지 모르겠네'라고 불평하였으나 김사순이 그들의 말에 귀 기울이지 않고 공사에 쓰일 재료들을 다 준비하고 공사를 시작하려던 어느 날 불행하게도 김사순이 몸져누워 일어나지 못하는 바람에 그 일은 없던 것으로 돼버렸지요"라고 하였다. 우리 두 사람이 함께 통곡하고 헤어졌다.

아! 김사순의 불행은 곧 수많은 사람의 불행으로 이어졌으니, 이는 참으로 운수소관이지 사람의 힘으로는 어쩔 수 없는 일이었다.

명장의 등장은 나라의 운명을 좌우한다

임진년 사월에 왜적이 연전연승하며 내지內地의 여러 고을을 함락시켰다. 아군들은 적이 움직이는 낌새만 보고도 달아나기에 바빴으니 감히 그들과 맞서서 싸우려는 자가 있을 수 없었다. 비변사의 여러 재신들이 날마다 대궐에 모여 왜적을 막을 대책을 강구하였으나 별 뾰족한 수를 찾지 못했다. 어떤 이가 건의하기를 "왜적이 창검을 잘 사용하는데 아군들은 두꺼운 갑옷도 입지 않고 막아내려고 하니 저들의 적수가 될 수 없습니다. 그러니 두꺼운 쇠붙이로 갑옷을 만들어 그것으로 온몸을 감싸고 왜적의 진지에 들어가면 적이 칼로 찌를 틈을 찾지 못할 것이니 그리 되면 아군은 왜적을 물리칠 수 있을 것입니다"라고 하니, 여러 사람들이 머리를 끄덕였다. 이에 장인들을 대거 불러 모아 밤낮을 가리지 않고 망치질을 하여 철갑옷을 만들었다. 그러나 나 혼자 그 계획이 마땅치 않다고 생각하여 "적과 맞서 싸울 때는 구름이 갑자기 모여들고, 새가 어느새 흩어져 날아가듯이 민첩하게 움직여야 하는데, 온 몸에 무게를 감당할 수 없을 정도로 무거운 갑옷을 걸치고 나면 몸을 제대로 움직일 수 없을 것입니다. 그리고서 어찌 왜적에게 이기기를 바라겠습니까"라고 하니, 그 갑옷을 활용하기가 어려운 것을 알고 마침내 없었던 일로 하였다.

또 대간에서 대신들을 만나 좋은 계책을 내놓으라고 요청했는데, 그들 중에 한 사람이 성난 얼굴로 조정 대신들이 아무 생각 없이 안이하게 대처한다고 성토했다. 자리에 앉았던 어느 대신이 "그렇다면 그쪽은 무슨 대책이 있단 말이요"라고 하니, 그가 "어째서 한강 가에다 높은 누각을 많이 세워 적이 올라오지 못하게 하고 위에서 아래를 향하여 활을 쏘는 방법을 생각하지 못하십니까"라고 대답하였다. 어떤 대신이 "왜적의 총알도 위로 올라오지 못한단 말이요"라고 응수하자 그 사람이 아무 말도 못하고 물러났는데 이 얘기를 들은 사람들이 세상에 전하여 우스갯소리가 되었다.

아! 군사력이 늘 일정하게 유지될 수는 없고, 전쟁터에서 싸울 때도 정해진 병법은 없다. 기지를 발휘해서 변화에 대응해야 하고 전쟁터에서 나아가고 물러나고 모이고 흩어지는 신출귀몰한 계책을 내놓아야 하는데 이는 오직 군사를 지휘하는 장수의 몫이다. 그렇다면 온갖 조언과 계책이 무슨 소용이 있겠는가. 오직 장수로서 재간을 가진 사람을 얻는 것이 문제를 풀 수 있는 관건이 아니겠는가. 그래서 조조가 말한 세 가지 계책(그 하나는 유리한 지형地形을 잘 선택하는 것이고, 둘째는 병사들을 잘 훈련시켜야 하며, 셋째는 무기를 잘 벼려서 예리하게 해야 한다는 이 세 가지를 말한다)이 더욱 절실해진다. 그 중에 한 가지라도 빠뜨려서는 안 되니 그 나머지 쓰잘데없는 계책들이야 무슨 도움이 되겠는가.

대체로 국가는 변고가 일어나기기 전에 장수를 선발했다가 유사시에 장수로 임명해야 한다. 장수를 선발할 때에는 주도면밀하게 잘 살펴서 실수가 없어야 하겠고, 일단 그를 장수에 임명했으면 전적으로 책임지게 하고 간섭은 하지 말아야 한다. 왜란이 처음 일어났을 때 경상도의 수군을 지휘하던 수장은 박홍과 원균이었고, 육지를 지키는 장수는 이각과 조대곤이었는데 이들은 장수감이 아닌데도 뽑힌 사람들이었다. 사변이 일어나자 순변사·방어사·조방사 등은 각자 조정에서 명을 받아 군무를 결정하는 데에 전권을 쥐고 있었다. 그러나 명령을 발동하거나 병력을 이동하고 적진에 투입하는 문제에 있어 이들 상호 간에 협력과 조화가 이루어지지 않아 전선이 형성될 수 없었다. 이리하여 시체를 수레에 싣고 돌아온다(『주역周易』 사괘師卦의 설명에서 '군사가 돌아올 때 시체를 싣고 오리니 흉한 괘로다(歸或輿尸, 凶)'라고 하여 군사가 전쟁에서 패한다는 말이다)는 최악의 결과를 낳고 말았으니 어찌 일이 바라는 대로 될 수 있었겠는가. 더욱이나 장수가 자신이 양성한 군사들을 지휘하지도 못하고, 지휘하는 군사들이 자신이 양성한 군사도 아니니 장수와 병사가 서로를 모를 수밖에 없었다. 이 모든 것은 병가에서 크게 꺼려하는 병폐이다.

어찌 앞서 가던 수레가 뒤집어졌는데 뒤에 오는 사람이 길을 바꿔서 올 줄 모르고 지금까지 오히려 앞사람의 행동을 그대로 따라하고 있단 말인가. 이 같은데 아무 일 없기를 바라는 것은 요행을 바라는 것과 마찬가지이다. 내가 말을 더 늘어놓으면 한두 마디로 끝낼 수 없을 것이다. 아, 위태롭도다!

부교도 전시에 큰 도움이 된다

계사년(1593년) 정월에 명나라 구원군이 평양에서 출발하였는데, 나는 그들보다 앞서서 가고 있었다. 그때 임진강 물이 녹아서 건널 수 없었으므로 제독 이여송이 잇달아 사람을 보내 부교를 만들라고 독촉하였다. 내가 금교역에서 황해도의 한 고을 수령이 인솔하고 온 아전과 백성들이 명나라 대군에게 음식을 제공하기 위해 들판에 가득 모여 있는 것을 보았다. 우봉현 수령인 이희원李希愿을 불러 "데리고 온 고을 백성들이 몇 명이나 되는가" 하고 물었더니, 그가 "수백 명이 되옵니다"라고 대답하였다. 내가 그에게 분부하기를 "그대는 빨리 고을 백성을 거느리고 산에 올라 칡넝쿨을 잘라 와서 내일 임진강 어구에서 만나기로 하세. 약속 시간을 어기지 마시게"라고 하니, 이희원이 떠났다.

다음날 나는 개성부에서 묵고, 그 다음날 새벽에 말을 달려 덕진당에 이르러 강물을 보니 얼음이 아직 다 녹지 않았었다. 그런데 사람 몸 반 정도 크기의 살얼음 조각들이 떠내려가고 있어 하류에서 배가 올라오기는 어려웠다. 경기 순찰사 권징·수사 이빈·장단 부사 한덕원과 창의추군倡義秋軍 천여 명이 강가에 모여 있었으나 속수무책으로 아무런 방도를 찾지 못하고 있었다.

내가 우봉에서 온 사람을 불러 칡넝쿨로 밧줄을 꼬게 하니 굵기는 몇 아름이 되고 길이는 강을 가로지를 정도로 길었다. 강 남쪽과 북쪽 언덕에 각각 두 기둥을 서로 마주 보게 세우고 그 안에 가로지른 나무 하나를 눕혀두고는 큰 밧줄 열다섯 가닥을 강물 위로 잡아당겨 밧줄의 양쪽 끝을 가로누워 있는 나무에 묶게 하였다. 그런데 밧줄이 무거워 반쯤 물에 잠겨 모습을 드러내지 않자 여러 사람들이 "헛되이 인력만 낭비했다"라고 투덜거렸다.

내가 천여 명의 사람들에게 각자 두세 자 길이의 짧은 막대기를 가지고 칡넝쿨 밧줄에 꽂아 넣어 일제히 힘을 다해 서너 바퀴를 돌리게 하니 밧줄이 서로 팽팽하게 일어나 빗살처럼 나란히 늘어섰다. 이에 모든 밧줄이 팽팽하게 꼬여 아치형으로 높이 솟아 제법 격을 갖춘 다리 모양이 되었다. 가는 버들가지를 베어 그 위에 깔고 다시 풀을 두껍게 덮고는 위에 흙을 깔아 마무리하였다. 명나라 군사들이 다리를 보고 크게 기뻐하며 모두 채찍을 휘두르며 말을 달려 지나갔고 대포와 병기들도 모두 이 다리를 이용하여 강을 건넜다. 시간이 갈수록 건너는 사람이 많아지자 팽팽했던 밧줄이 느슨해져서 물에 가까이 닿게 되니 명나라 대군은 얕은 개울을 타고 강을 건넜으나 별 이상은 없었다.

내가 그때를 생각해보니, 갑자기 칡넝쿨을 많이 확보하지 못해서 그리 됐지만 그 양보다 두 배 정도의 칡넝쿨로 서른 가닥의 밧줄을 얻었을 수 있었다면 밧줄이 힘을 받아 더 팽팽해져 느슨해지는 일은 없었을 것이다.

뒤에 중국의 『남북사』(南北史, 중국 당나라 이연수李延壽가 지은 역사서이다. 남사南史는 송宋나라에서 진秦나라까지 170년 동안, 북사北史는 위魏나라에서 수隋나라까지의 242년 동안의 역사를 기록한 것으로, 모두 180권이다)를 보니, 제齊나라 군사가 양梁나라 임금 규巋를 공격하자 규는 주周나라 총관總管과 합세하여 맞섰다. 주나라 군사들이 협구(峽口, 중국 양자강 상류 삼협三峽 가운데서 서릉협구西陵峽口를 가리킨다)의 남쪽 언덕에 안촉성安蜀城을 쌓고 강물 위로 큰 밧줄을 팽팽하게 당겨 가로지르고는 갈대를 엮어 다리를 만들어 군량미를 실어 날랐다(『북사北史』 진서陳書 장소달전章昭達傳에 나오는 말이다)고 하였는데, 내가 고안했던 것이 바로 이 방식이었다. 나는 마음속으로 "내가 우연히 이 방식을 생각해 냈다고 자부했는데 옛 사람이 이미 이 방법을 시행한 것을 알지 못했다"고 생각하며 일소에 부쳤다. 이 사실을 기록하여 후세에 응급조치가 필요할 때 도움을 줄 수 있었으면 한다.

선진적이고 조직적인 군사 훈련이 필요하다

계사년 여름에 나는 병을 얻어 서울 묵사동(墨寺洞, 서울 성북구 성북동에 있었던 마을 이름으로, 옛날에 이곳에 묵사墨寺라는 절이 있어서 붙여진 이름이라고 한다)에 몸져누워 있었다. 하루는 명나라 장수 낙상지가 내가 누워 있는 곳을 방문하여 정성을 다하여 위로하고는 "조선은 지금 국방력이 너무 약하여 왜적이 아직도 국내에 진을 치고 있으니, 군사를 단련시켜 적을 막는 것이 가장 시급한 일입니다. 마침 명나라 군사가 아직 돌아가지 않고 있으니. 이참에 군사를 단련시키는 방법을 배워서 한 사람이 열 사람을 가르치고 또 열 사람이 백 사람을 가르치면 몇 년 사이에 모든 군사들이 잘 훈련된 정예병이 되어 나라를 지킬 수 있을 것입니다"고 말하였다. 내가 그 말에 느낀 바가 있어 곧바로 임금이 계시는 행재소에 장계를 보냈다, 이어서 내가 데리고 있던 금군禁軍 한사립韓士立으로 하여금 서울 장안에서 칠십여 명의 장정을 모집하여 낙상지가 머무는 곳으로 데리고 가서 무술 배우기를 요청하게 했다. 낙상지가 휘하에 있는, 진법陣法에 능통한 장육삼張六三 등 열 명을 선발하여 교관으로 삼고 밤낮을 가리지 않고 창술・검술・낭선(筤筅, 창의 한 종류로 가지를 치지 않은 대나무를 손잡이로 사용하는 병기로, 명나라 때 왜구의 긴 칼에 대응하기 위하여 만들어진 것이다. 명나라 명장 척계광이 이 무기의 중요성을 인지하여 전투에서 사용하였다고 한다) 등의 무술을 단련시켰다.

얼마 있다가 내가 남쪽으로 내려가는 바람에 그만 그 훈련 프로그램이 폐지되었다. 그러나 임금께서 내가 올린 장계를 보시고 비변사에 내려보내 따로 훈련도감訓練都監을 설치하여 좌의정 윤두수에게 그 일을 주관하라고 하셨다.

그해 구월에 내가 남쪽에 있다가 부름을 받아 행재소로 가는 도중에 해주에서 어가를 맞아 호종하여 서울로 돌아오고 있었는데, 임금께서 나에게 윤두수를 대신하여 훈련도감의 일을 맡으라고 하셨다.

그때 도성 사람들이 너무 굶주림에 시달리고 있었다. 내가 용산창에 비축되어 있는, 명나라에서 들여온 좁쌀 일천 섬을 방출할 것을 요청하여서는 훈련원에 들어오는 군인에게 일인당 하루에 좁쌀 두 되를 주겠다고 공고하니, 모병에 응모하려는 사람들이 사방에서 모여들었다. 훈련도감 당상관인 조경趙儆이 구호미의 양이 너무 적어 찾아오는 모든 사람에게 일률적으로 지급하기에는 태부족이라 선발 규정을 만들어 지급 대상자를 제한하려고 하였다. 큰 돌 하나를 놓아두고는 응모자에게 먼저 돌을 들어 올리게 하여 체력을 시험하고 또 한 길 높이의 흙담장을 뛰어넘게 하여 이 두 가지 시험에 합격한 사람을 군인으로 받아들이고 그렇지 못한 사람은 불합격 처리했다. 사람들이 굶주리고 무기력해져 있어 합격자는 열 명에 한두 명 정도였다. 시험에 응하려고 하였으나 그것도 뜻대로 되지 않은 사람은 기함하여 넘어지고 엎어져 죽어나가는 사람까지도 있었다.

모병을 시작한 지 얼마 되지도 않아 수백 명의 군인을 뽑고는 파총(把摠, 조선조에 각 군영軍營에 두었던 종4품의 무관武官으로 훈련도감에는 6명의 파총이 근무하였다)과 초관(哨官, 조선조에 종9품의 무관직으로 각 군영軍營에서 100명으로 편성된 1초哨를 통솔하던 벼슬이었는데 훈련도감에는 33명의 초관이 근무하였다)을 세우고 그들로 하여금 부대를 나누어 지휘하게 하였다. 또 조총 사격술을 가르치려 하는데 화약이 없어 포기할 형편이었다. 그때 군기시 장인 대풍손大豊孫이란 자가 몰래 왜적의 진지로 들어가 화약을 많이 구워 왜적에게 바친 죄로 강화도에 갇혀 머잖아 사형을 당하게 되었는데, 내가 특별히 그의 죄를 면해 주면서 염초(焰硝, 화약의 옛말로, 고려·조선 시대 사용하던 화약의 핵심 원료이다. 초석硝石에 들어 있는 주성분은 질산칼륨이다)를 열심히 구워 속죄하라고 하니 그 자가 감동하고 송구한 나머지 화약을 굽는 데에 온 힘을 기울여 하루에 열 근이나 구워냈다. 이것을 날마다 각 부대에 나눠주고 밤낮을 가리지 않고 연습을 시키되 훈련 성적에 따라 상과 벌을 내리게 하니, 한 달 남짓 지났는데 병사들이 날아가는 새를 맞힐 정도로 숙달되었다. 몇 달 뒤에는 항복해 온 왜군과 명나라 남부 지역 출신으로 조총을 잘 쏘는 사람과 시합을 시켜도 뒤지지 않을 정도였고 간혹 그들을 능가하는 병사도 나왔다.

나는 임금께 차자箚子를 올려 "군량미를 조치해 주시오면 모병을 더 많이 하여 만 명까지 채워서 5영五營을 설치하고자 하옵니다. 각 영에 2천 명의 군사를 소속시켜 해마다 반년은 도성 안에서 군사훈련을 받고 나머지 반년은 도성 밖으로 나가 넓고 비옥한 땅을 택하여 둔전(屯田, 변경이나 군사 요지에 설치해 군량미를 대던 토지로, 농사도 짓고 전쟁도 수행한다는 취지하에 부근의 한광지閑曠地를 개간, 경작해 군량을 현지에서 조달함으로써 군량미 운반의 수고를 덜고 국방을 충실히 수행하기 위해서 마련한 제도이다)을 두어 농사짓게 하여 곡식을 비축해 나가다보면 몇 년 뒤에는 군사들을 먹일 식량 자원이 풍부해져 그 기반이 공고해질 수 있을 것이옵니다. 윤허해 주시옵소서"라고 요청하니 임금께서 나의 차자를 병조에 내리시며 의논해 보라고 하셨으나 바로 시행되지 않아 끝내 실현되지 못하였다.

심유경의 고백은 진실하지 못하였다

심유경은 평양에서 왜적의 진중으로 들어가 고생을 많이 했지만 왜적과 강화한다는 명분으로 그쪽을 출입했기 때문에 우리나라를 위해서 좋은 일을 했다고는 볼 수 없다. 마지막에 왜적이 부산에 머물며 오랫동안 바다를 건너 왜국으로 돌아가지 않자 책사冊使 이종성이 도주하여 명나라로 돌아갔다. 명나라 조정에서 심유경을 부사副使로 임명하고 양방형이 정사가 되어 왜국에 들어가게 했으나 끝내 좋은 결과를 얻지 못하고 돌아왔다. 오히려 왜장 고니시 유키나가와 가토 기요마사가 우리나라로 돌아와 바닷가에 진을 쳤다. 이렇게 되자 우리나라와 명나라에서 이 문제를 두고 시끌벅적했는데 종당에는 모두가 심유경의 잘못으로 돌렸다. 심한 경우는 "심유경이 왜국과 공모하여 반역을 꾀하려는 모양이다"라고 하여 심유경을 모함하기도 하였다. 우리나라 스님인 송운(松雲, 사명대사 유정의 호)이 서생포에 들어가서 가토 기요마사를 만나고 돌아와 "왜적이 명나라를 침범하겠다고 하며 말하는 태도가 너무 불손했다"고 말하자 바로 조정에서 사실 대로 기록하여 명나라 조정에 알렸다. 이 말을 들은 사람들은 더욱더 화를 냈다. 심유경은 자기에게 화가 미치리라는 것을 알고 걱정과 두려움에 어찌할 바를 몰라 허둥대다가 김명원에게 편지를 보내어 지금까지의 강화협상 과정을 자세하게 설명하며 스스로 변명하기에 바빴다. 그 편지 내용은 이러 했다.

세월이 빠르기도 하여 지나간 일이 마치 어제 일 같기도 합니다. 생각하면, 몇 년 전에 왜적이 귀국을 침범해 들어와 일사천리로 평양에 다다랐을 때 그들의 안중에 조선 팔도는 없었습니다. 늙고 추한 제가 황제의 명을 받아 왜적의 정황을 정탐하며 저들의 기미를 엿보아 어루만지고 달래기도 했습니다. 제가 족하(足下, 윗사람이나 같은 또래에 대한 존칭이다. 편지글에서 사이가 가깝거나 나이와 신분이 대등한 사람에 대한 경칭으로도 쓰인다)와 체찰사 이원익을 만난 것도 난리로 북새통을 이루던 그때였지요. 제가 평양 서쪽 지역의 백성들이 유리걸식하며 수심에 차서 마치 바늘방석에 앉아 있는 것처럼 괴로워하고, 또한 그들이 아침에 그날 저녁의 일을 도모할 수 없는 참혹한 현실을 목격했을 때는 너무 가슴 아팠습니다. 족하께서도 몸소 그 일을 겪으셨으니 저의 구구한 설명 따위야 필요 없으시겠지요.

제가 격서檄書로 왜장 고니시 유키나가를 불러 건복산에서 만나 평양의 서쪽을 침범하지 말 것을 다짐케 하였습니다. 왜적이 그 명을 받아들여 감히 여러 달 동안 그 지역을 넘어오지 않았는데, 그 사이에 명나라 대군이 평양에 이르러 평양성을 탈환하였습니다. 만약 제가 평양에 오지 않았더라면 왜적이 명나라 장수 조승훈의 군대를 퇴패시킨 것을 기화로 하여 임금이 계시는 의주로 달려갔을지도 모를 일이었습니다. 평양 일대의 백성들만이라도 저들에게 해를 입지 않은 것은 귀국으로서는 크게 다행스런 일이었습니다.

얼마 있다가 왜적의 장수 고니시 유키나가가 평양에서 물러나 서울을 지키고, 총병 우기타 히데이에[宇喜多秀家우희다수가], 부장付將 이시다 미쓰나리[石田三成석전삼성]·마시타 나가모리[增田長盛증전장성] 등 삼십여 명의 장수가 휘하의 군사들을 합치고 병영을 서로 잇대어 지세가 험준한 곳에 진을 쳐 난공불락의 진지를 구축하였었는데, 벽제관에서의 전투 이후로 그들을 공격하기가 더욱 어려워졌습니다.

그때 판서 이덕형이라는 분이 개성에서 저를 만나 "장차 왜적의 기세가 더 극성해지려는데 명나라 대군이 물러나려고 하니 서울을 되찾을 가망성은 없을 것 같습니다" 하고는 눈물을 보이고는 다시 저에게 말하기를 "서울은 국가의 근간이 되는 곳입니다. 그곳을 수복해야 여러 도에 명을 내려 사람을 불러 모을 수 있는데, 지금 사세가 이 지경에까지 이르렀으니 장차 이 일을 어찌하면 좋단 말입니까"라고 했습니다. 그래서 제가 "다만 서울을 수복하고도 한강 이남의 땅을 회복하지 못하면 여러 도의 사세도 펼쳐가기가 어려울 테지요"라고 대답하니, 이덕형이 이르기를 "서울을 수복하는 것도 실은 저희에게는 망외지사望外之事이니 서울만 수복된다면 저희 작은 나라의 군신들이 좁은 땅을 지탱해 나가는 데에는 큰 어려움이 없을 것입니다"라고 했습니다. 제가 또 이르기를 "나는 그대 나라와 함께 서울 수복을 도모하고 아울러 한강 이남의 여러 도를 수복한 뒤에는 왜적에게 잡혀간 귀국의 왕자들과 배신들도 데려와 온전한 나라를 만들어 보려고 합니다"라고 하니, 그가 울면서 머리를 조아리며 감격하여 이르기를 "과연 그렇게 된다면 노야께서는 우리나라를 다시 만드시는 것이나 진배없으니, 그 공덕이 적지 않을 것입니다"라고 하였습니다.

그러고 얼마 뒤에 제가 배를 한강에 대고 있었는데, 가토 기요마사 병영에 머물고 있던 왕자 임해군 일행이 저에게 사람을 보내 숨가쁘게 말하기를 "만약 우리를 돌아갈 수 있게 해준다면 한강 이남의 어느 땅이든지 원하는 대로 떼어 주겠소"라고 했으나 저는 그 말을 따르지 않았습니다. 다시 왜적의 장수와 서약하기를 "왕자 일행을 돌려주고 싶으면 돌려주고, 그러기 싫으면 너희들 마음대로 죽여라. 그 외 무슨 말이 더 필요한가"라고 하였습니다. 왕자께서는 귀국의 귀하신 분이신데 제가 어찌 그리 소중한 분을 몰랐겠습니까. 그때에는 차라리 죽이라고 말할 뿐 다른 말로 실랑이를 벌일 분위기가 아니었습니다.

부산으로 옮겨 와서는 왜적이 왕자 일행에게 좋은 생필품을 주고 예를 갖추어 대하는 등 왕자에게 성의를 다 기울였습니다. 왜적이 전에는 왕자에게 거만을 떨었다가 그 일이 있은 뒤로는 왕자분들을 공경하게 된 것입니다.

때에는 급한 때와 그렇지 않은 때가 있고, 일에는 쉬운 일과 어려운 일이 있듯이, 저는 그때 달리 어쩔 수 없는 상황이라서 엄청난 말을 했던 것입니다.

여러 번에 걸쳐 대화가 이루어진 뒤에 왜적이 서울에서 물러나니, 그들이 길가에 설치했던 병영과 남겨 놓은 곡식은 다 헤아릴 수 없을 정도로 많았습니다. 또한 한강 이남의 여러 도가 다 수복이 되고 왕자와 배신들도 돌아왔습니다. 마침내 관백 도요토미 히데요시를 책봉하는 문제로 왜적의 모든 장수를 꼼짝 못하게 묶어 놓았으므로 저들이 동떨어진 부산 바닷가에서 삼 년 동안 얌전히 우리 황제의 어명을 기다리느라 감히 경거망동한 짓을 저지르지 않았습니다.

이어서 책봉에 대한 논의가 성사되었으므로, 이에 근거하여 제가 어명에 따라 두 나라 사이의 전쟁을 종식시켰습니다. 서울에서 다시 족하와 이덕형의 무리를 만나 "지금 제가 왜국으로 책봉하러 가게 되면 왜적들이 물러갈지도 모릅니다. 그렇다면 귀국에서는 사후를 위해 무슨 좋은 대비책을 가지고 계시는지요"라고 하니, 이덕형이 이르기를 "사후의 대비책은 저희 군신들이 책임지고 마련하겠사오니 노야께서는 괘념치 마십시오"라고 하였습니다. 제가 처음 그 말을 들었을 때에는 아닌 게 아니라 그가 가진 역량이 크고 식견이 고매하여 나라의 주춧돌이 되겠다고 생각하여 기특하게 여겼습니다. 그러나 지금 그가 한 말을 깊이 따져보니, 그가 말은 잘 꾸며서 그럴듯하게 하지만 그것을 행동으로 옮기지 못하고 있으니 저는 마음속으로 이 판서를 안타깝게 생각하고 있습니다.

또 부산 죽도에 있던 왜적의 여러 병영이 즉각적으로 철수했다는 소식이 들리지 않는 것은 제가 책임질 일이었습니다. 그러나 기장·서생포 등 여러 곳에 주둔하고 있던 왜적들은 모두 본국으로 건너가고 병영은 모두 불태워 버렸으며, 조정에서는 왜적들이 차지했던 땅을 지방관에게 나누어 주어 관리하게 하라는 공문을 내렸습니다. 그런데 뒤에 가토 기요마사가 다시 그곳으로 돌아오자 지방관들은 한바탕 싸워보지도 않고, 화살 한 대도 쏘아보지 못한 채 땅을 도로 돌려주고 피신했으니 이것은 어찌된 일입니까. 이미 "한강 이남의 좁은 땅을 지탱해 나가는 데에는 큰 어려움이 없을 것이다"라고 말해 놓고는 어째서 다시 되찾은 땅을 이같이 왜적에게 되 바칠 수 있단 말씀입니까. 또 "사후의 좋은 대책을 세우는 것은 저희 나라가 책임질 문제라고" 하더니, 어찌 큰 계책을 세웠다는 소식은 들리지 않고 오직 대궐 아래에서 목 놓아 우는 계책만 있습니까. 병법에 "약한 군대는 강한 군대를 당해 낼 수 없고, 수가 적은 군대는 수가 많은 군대의 적수가 될 수 없다"(이 말은 『맹자孟子』 양혜왕梁惠王 상편上篇에 나오는 말이다. 그 원문을 보면, 작은 것은 진실로 큰 것과 대적할 수 없고[小固不可以敵大소고불가이적대], 수가 적은 것은 진실로 수가 많은 것에 대적할 수 없으며[寡固不可以敵衆과고불가이적중], 약한 자는 진실로 강한 자에게 대적할 수 없다[弱固不可以敵强약고불가이적강]라고 하였다)라고 하였습니다. 저 또한 귀국의 사정을 잘 알기에 여러 당국자들을 꾸짖거나 비난할 마음은 없습니다. 다만 "병의 증상이 급하지 않으면 병의 근본[本본]을 다스리고, 병의 증세가 위급하면 그 나타난 증상[標표]을 치료해야 한다"(이 말은 중국 명나라 본초학자本草學者인 이시진李時珍, 1518-1593이 엮은 본초강목本草綱目에 나오는 말로 여기에서 본本은 병의 원인 또는 정기正氣을 의미하고, 표標는 현재 바깥으로 나타나는 병의 증상 또는 사기邪氣를 의미한다)고 한 것처럼, 군사들을 잘 훈련시켜 수비에 충실하게 하고 때를 잘 살펴 적절한 시기에 왜적을 공격하고 방어하는 일은 귀국의 당국자들 여러분들이 포기하지 말아야 한다는 것은 물어보고 말고 할 일이 아닙니다.

왜국에서 건너온 뒤로 저는 귀국의 국왕을 네 번이나 뵈었습니다. 두 사람이 만나 서로 묻고 대답한 말이 진심에서 우러나와 시의에 적절하였고 조금이라도 꾸밈이 있거나 거짓이 없었습니다. 국왕과 저의 마음은 명경알같이 환하게 통했습니다. 국왕을 뵙고 난 뒤에 제가 진심으로 "조선의 사태가 이 지경에 이르렀으나 달리 염려할 필요가 없겠다"고 생각했습니다. 그런데 생각지도 않게 귀국의 모신謀臣과 책사策士들이 온갖 술수를 부리며 이간질을 일삼아 안으로는 위험한 발언으로 우리 명나라 조정을 격노케 하였고, 밖으로는 허약한 군대를 길러 왜국에게 도발할 빌미를 제공하였습니다.

송운 스님의 한 차례 발언은 또 예법에 벗어나는 행동이었습니다. 그는 가토 기요마사가 "조선이 앞장서서 우리를 인도하여 명나라를 쳐야 한다"거나 "조선 팔도를 분할하여 우리 일본에게 주고 조선 국왕이 친히 바다를 건너 우리나라에 가서 항복하라"고 한 말을 퍼뜨렸는데, 짧은 시간에 그 말이 두세 차례 바뀌기도 하였습니다. 다만 이 말이 전해져서 조선 국왕의 생각을 움직이게 하고 우리나라를 격노케 하여 군사를 출동시킬 수 있으리라는 것은 짐작되는 바입니다. 그러나 귀국이 조선 팔도의 주인인 것을 생각하지 않고 만약 그 땅을 그들에게 다 내어주 고 또 국왕이 친히 바다를 건너 왜국에 항복한다면 귀국의 종묘사직과 많은 백성들은 모두 일본에 예속될 수밖에 없을 것인데, 그리 된다면 어떻게 두 분 왕자를 돌려받을 수 있겠습니까. 제가 생각하기로는 삼척동자라도 결코 그런 실언을 하지 않으리라고 봅니다. 그리고 가토 기요마사가 아무리 횡설수설하는 위인이지만 이처럼 방자한 말은 하지 않았으리라고 생각됩니다.

당당한 우리 명나라 조정은 나라 밖의 제후국을 다스릴 때 자체적으로 큰 원칙을 가지고 있어 은혜를 베풀거나 위세를 과시할 경우에도 적절한 시기를 고려하여 시행합니다. 수백 년 동안 전해오는 속국이 어려움에 처해 있을 때 나 몰라라 내버려두지 않고, 또한 우리의 봉공을 받아들이지 않는 역적의 무리들이 우리의 속국을 노략질하는 것을 보고 대세가 그러려니 하고 내버려두지는 않습니다.

저는 어리석어 일을 잘 살피지 못하는 사람이긴 합니다. 그러나 세상 사람들은 상대가 자신의 입장을 잘 이해하는지 또는 그렇지 않은지, 나아가서는 자신의 의견에 동조하는 자인지 아니면 반역하는 자인지를 정확하게 구분할 줄 압니다. 하물며 이번에 저는 황제의 칙명을 받들어 이 전쟁 상태를 조정하고 종식시키는 일을 맡았습니다. 저는 이 일의 성공과 실패는 당사국들에게 평화가 아니면 파멸을 가져다주는 중요한 일이라고 생각하여 가볍게 대처해서는 안 된다고 생각하였습니다. 그러니 감히 귀국의 일을 소홀히 여

길 수 있었겠으며, 또 어찌 일본의 횡포를 감추고 알리지 않으려고 하였겠습니까.

족하께서는 제가 하고 있는 일에 깊이 공감하시고 나라 일도 상세하게 알고 계시는 분이시라 제가 이 편지를 보내드립니다. 다행히 족하께서 저의 순수한 마음을 헤아리시어 곧바로 국왕께 이 사실을 알려주시고, 아울러 당국자인 여러 관료들에게도 제가 지금까지 해온 일을 대략이나마 알려주시면 감사하겠습니다. 귀국에서 이미 우리 명나라에 의지하여 나라의 모든 일이 잘되기를 꾀하고, 내리는 명령에 따라 일을 처리함으로써 무궁한 복을 누릴 수 있기를 바란다고 하였으니, 귀국이 독단적으로 잘못된 계책을 세워 나날이 고생만 하고 나중에 실망스런 결과를 초래하지 않기를 바랍니다. 부탁드릴 말씀은 많사오나 이것으로 끝낼까 합니다.

이 서신을 보니 서울을 수복하기 이전의 일에 있어서는 자세하고 진지하여 그 진실성을 인정할 만하지만 부산 이후의 언급은 지리멸렬하고 잘못을 숨기려는 의도가 엿보인다. 그러나 그에 대한 공과 죄는 저절로 가려지기 마련이니 훗날에 심유경을 논하는 자들은 마땅히 이 서신에 근거하여 그의 잘잘못을 판단해야 하겠기에 여기에다 그 전문을 기록해 둔다.

심유경은 변설에 능한 유세객이었다

심유경은 유세를 장기로 삼는 사람이다. 평양성전투(1593, 선조 26년) 이후의 살벌한 분위기 속에서 왜적의 병영에 두 번이나 들어갔다는 것은 사람들이 모두 어려워하던 일이었는데, 그는 세 치의 혀를 놀려 왜적의 무리들을 조선에서 몰아내고 수천 리 우리 강토를 수복시켰지만 끝에 가서 한 가지 일이 어그러지는 바람에 큰 화를 피하지 못하였다. 아, 애달프다!

고니시 유키나가는 심유경을 크게 신뢰하였다. 왜적이 서울에 진을 치고 있을 때 심유경이 고니시 유키나가에게 몰래 "너희들이 여기에 오래 머물며 물러나지 않고 있으니 우리나라에서 다시 대군을 출발시켜 이미 서해 쪽으로 오고 있어 머잖아 충청도로 나와 너희들의 퇴로를 차단하게 될 것이다. 그리 되면 너희들이 물러나려고 해도 물러날 길이 없어진다. 나는 평양에서부터 그대와 절친하게 지내왔으므로 차마 이 말을 전하지 않을 수 없어서 그럴 뿐이다"라고 하였다. 이 말을 듣고 고니시 유키나가가 두려운 나머지 마침내 서울 도성에서 물러났다. 이 사실은 심유경이 스스로 우의정 김명원에게 말해 준 것으로 다시 김명원이 나에게 그 말을 들은 대로 전해줬다.

저자 유성룡柳成龍을 말한다

서애 유성룡(1542-1607)은 그의 외가가 있는 경상좌도 의성현 사촌 마을에서 1542년 10월 1일 아버지 유중영과 어머니 안동 김씨 사이에 둘째 아들로 태어났다. 그의 자는 이현而見이고, 호는 서애西厓, 본관은 풍산이다. 그의 가문은 고려조에 알려졌는데, 그의 증조부가 관직을 얻기 시작해서 아버지 대에는 관찰사를 역임했으므로 안동 지역에서는 명망 있는 가문으로 행세할 수 있었다. 그를 잉태할 때에 어머니 김씨 부인이 어떤 노인이 나타나 훌륭한 아들을 얻게 될 것이란 계시를 받은 꿈을 꾸기도 하였고, 또는 큰 강물 속에서 이무기가 나타나 부인에게 하늘로 올라갈 수 있게 꼬리를 한 번 쳐 달라고 하여 그대로 하니 용이 되어 찬란한 빛을 발하며 하늘로 승천하는 꿈을 꾸었다는 설화가 전한다. 이 설화는 서애가 어느 향촌의 한 범부로 살아갔더라면 잊혀질 얘기였겠지만, 그가 절체절명의 위기에 놓여 있던 나라를 구원하여 역사에 길이 남을 인물로 성장하였기 때문에 그의 존재에 신비감을 부여할 수 있었다.

그가 태어났던 1540년대를 전후로 하여 정국은 소용돌이쳤다. 중종이 죽고 그 아들인 인종도 왕위에 오른 지 8개월 만에 죽었으며, 다시 인종의 아우인 명종이 12살의 어린 나이로 왕위에 오름으로써 정권에 기생하던 외척에 의해서 정국은 파행으로 치닫고 있었다. 대윤과 소윤이라 불린 두 외척의 세력 사이에 벌어진 정권쟁탈전은 소윤이 대윤의 일파를 처단하는 을사사화(1545년)를 일으킴으로써 그 절정을 이루었다.

이러한 정치적 소용돌이 속에서 정국은 경색되고 민심은 이반되어 갔지만 서애는 양반 가문의 자제로 여러 아이들과 어울려서 유연하면서도 총명한 유소년 시절을 보냈다. 그러나 당시 유학자 가문의 자제로 태어난 어린 서애는 마냥 뛰어놀 수만은 없었다. 가정에서의 세소응대灑掃應對와 진퇴지절進退之節(집안을 깨끗하게 청소하고 손님을 맞아 공손하게 대하며 나아가고 물러남에 있어 절도가 있는, 근면하고 예의바른 행동) 등을 통해 겸손과 절제를 체화體化하는 인성교육은 자연스럽게 받아들여야 했고, 또한 일찍부터 입신양명을 위한 서당에서의 교과교육에서도 결코 자유로울 수 없었다. 13살 때 서당에서 서애를 가르치던 훈장이 서애가 큰 학자로 성장하리라는 예언이 적중하여 그는 16세에 도내에서 유생들에게 보이던 향시에 합격함으로써 서울 중앙 정계로 진출할 기반을 마련하였다. 그 이듬해에 왕족인 전주 이씨로, 현감을 지낸 이경의 따님과 결혼하여 총각의 신분에서 벗어나 상투를 틀고 갓을 쓰고는 의젓한 성인으로서 첫 걸음을 내딛었다.

그는 이후로 학문에 정진하여 스스로 괄목상대할 성장을 이룬 것에 놀라며 19세가 되던 해에 자신이 공자 같은 성인의 문하에서 학문을 연마했다면 공자의 제자인 자공子貢만큼은 배울 수 있었으리라고 자부하였다. 이 말은 그가 이후에 지향할 세계를 스스로 사람들 앞에서 공표한 것이나 다름없었다. 공자의 제자 가운데 안회顔回와 자공은 성격이나 처세양상에 있어 확연하게 달랐다. 안회가 은군자隱君子로 안빈낙도하던 인물이었는가 하면, 자공은 언변이 뛰어난 정치가로서 노나라를 위기에서 구하고 위나라를 안정시켰으며 이재理財에 능하여 부를 축적한 자산가로서 공자에게 물질적 도움을 많이 준 제자였다. 여기에서 서애가 젊은 시절에 품고 있던 포부와 이후로 전개될 행보의 향방을 짐작할 수 있었다.

그는 21세가 되던 9월에 도산에 가서 퇴계 이황에게 집지(執贄: 처음 스승에게 배움을 청하러 갈 때 빈손으로 가지 않고 형편껏 마련한 음식이나 예물을 선물로 가지고 가는 것을 뜻함)하여 사제의 관계를 맺게 된다. 두 사람이 만나 교류한 것이 채 10년도 되지 못했지만 서애는 퇴계 사후에 퇴계 문집의 편찬 사업을 주도하였고, 퇴계의 연보를 작성하는 등 퇴계를 선양하는 사업에 적극적으로 참여하였으므로 서애는 스승 퇴계에게 자공 같은 제자로 남을 수 있었다.

서애는 23세에 지방의 초시에 합격한 사람들을 모아 서울에서 보는 시험인 회시會試에서 수석으로 합격하자 스승인 퇴계가 "이현而見은 마치 빠른 수레가 길에 나선 것처럼 일취월장한다"고 칭찬하여 서애의 역량을 높이 평가하였다.

25세 되던 10월에 대과에 급제하고, 11월에 첫 직장으로 승문원 권지부정자權知副正字의 자리를 얻게 된다. 이 관직은 종9품의 최말단직이긴 하였지만 외교문서의 검토와 교정을 담당하던 중요한 자리였다. 그러므로 과거 급제자 중에서 학문적으로나 식견이 뛰어난 사람이 아니면 이 자리에 임명될 수 없었으므로 고급 관료로 진출하는 엘리트 코스의 첫 단계로 널리 알려졌었다. 점필재 김종직이 그 자리를 거쳐 갔고, 스승인 퇴계가 서른세 살에 얻은 첫 직장이었으며, 서애의 10년 후배로 6판서와 우의정을 지낸 한응인이 자랑으로 여겼던 자리이기도 하였다. 그는 3년 만에 5단계를 뛰어넘어 정6품인 공조좌랑에 임명되어 실무를 주관하는 중간 관료로 성장하게 된다. 이때 그는 명나라 황제의 생일을 축하하는 성절사의 서장관으로 중국 연경에 가서 외교 업무에 충실하면서도 한편으로는, 그곳의 젊은 학자들과의 짧은 만남을 통하여 조선의 대단한 젊은 유학자로 인정받기도 하였다.

그의 이러한 관료 생활은 중간에 별다른 기복이 없이 순탄하게 이루어져 47세가 되던 10월에 비로소 관료의 꽃이라고 할 수 있는 판서 자리인 형조판서에 임명되고, 그 다음해 봄에 병조판서로 자리를 옮긴다. 이어서 49세와 50세에는 우의정과 좌의정에 제수됨으로써 인신人臣으로서 얻을 수 있는 최고의 자리에 올랐다. 그러나 그가 20여 년을 관료로 지내오면서 수없이 널려 있는 함정과 덫을 피하면서 무사히 정승의 반열에 오르기까지는 무엇보다도 스스로 절제하고 성찰하는 노력이 필요하였을 것이다. 그러므로 그는 재직시에 항상 자신이 세상에 부끄러운 사람이 되지 않기를 바라며 마음속으로 늘 근신하며 지냈다. 이러한 사실은 그가 잠자리에 들 때마다 덮고 자는 이불에 '獨寢不愧衾銘독침불괴금명'(혼자 잘 때도 부끄럽지 않기 위하여 이불에 새긴 명)을 새겨 넣어서 스스로를 경계한 것에서 확인할 수 있다. 그 명銘의 마지막 부분에 '성실함이 없다면 아무 것도 아니니/예로부터 그 말을 들었노라'라고 하여, 진실하지 않으면 어디에도 기댈 데가 없다는 사실을 절감하고 늘 자신을 성찰하며 부끄럽지 않은 삶을 살려고 노력하였다.

그러나 그가 노년기에 접어든 51세에 만난 임진왜란(1592)은 그를 대의명분에 충실한 고위관료에서, 침몰해 가는 나라를 건지기 위해 자신의 모든 것을 내던진 전사로 만들었다고 해도 과언이 아니다. 임진왜란이 일어나기 전까지 조선은 개국 이후 200년 가까이 대외적으로 평화를 누려왔다. 오랜 기간 동안 전쟁의 공포를 느껴보지 못한 조선

조정에서 왜적의 전면적인 침공이 있으리라고 여러 경로를 통해서 확인하였지만 그에 따른 대비책을 마련하지도 못하고 시간만 보내고 있었다. 그러나 임진년 4월 13일에 맞춰진 일본의 조선 침공작전은 그대로 진행되었고, 우리 민족 최대의 수난기로 알려진 7년에 걸친 임진왜란의 서막이 올랐다.

당시 일본은 도요토미 히데요시에 의해서 100여 년에 걸친 전국시대를 마감하고 하나의 통일된 국가로 새로 태어났기 때문에 그들의 군사력은 어느 때보다도 팽팽하게 조율되어 있었다. 더욱이 풍부한 전투 경험에다가 최신의 무기인 조총으로 무장한 50만 명의 일본군은 당시 세계 어떤 나라와 싸워도 이길 수 있는 막강한 군사력을 지니고 있었다. 그러나 우리의 군사 수는 20만 명 정도에다 그것도 대부분 오합지졸의 훈련되지 않은 군사들이라서 일본과 맞서 싸운다는 것은 어불성설이었다.

일본의 침공작전은 치밀하였고, 군사력이나 병사들의 사기에 있어서도 우리를 압도하였으므로 왜적이 부산에 상륙한 지 17일 만에 선조의 어가가 서쪽으로 피난을 가고 곧이어 서울이 일본군에게 함락되었다. 이때 서애는 병조판서로 있으면서 전쟁에 관한 모든 일을 주관하였으나 일본의 공세에 쫓겨서 선조의 어가를 호위하여 피난길에 오른 처량한 신세가 될 수밖에 없었다.

서애는 국정을 총괄하는 영의정으로, 여러 지역의 전투상황을 총체적으로 지휘 감독해야 하는 도체찰사로서, 조선을 도우러 온 명나라 군사들을 영접하고 그들의 요구에 대응해야 할 최고 책임자로서 당시 어느 누구보다도 임진왜란의 가장 한복판에 서 있었다. 그가 아무리 침착하고 이성적인 인물이었지만 버티기 어려울 정도의 육체적 고통과 심리적 부담을 이겨내느라 안간힘을 다 썼다. 그러나 나라가 힘이 없어 일개 명나라 지방 사령관에 지나지 않는 이여송에게 군량미가 제대로 보급되지 않았다는 문제로 자신을 비롯한 여러 판서들이 무릎이 꿇고 용서를 빌다가 서애 자신도 모르게 눈물을 흘려 오히려 이여송의 동정을 샀던 일은 그의 마음속에 한으로 남았을 것이다.

그러나 전쟁은 엄연한 현실이고, 극복해야 할 일이었기 때문에 서애는 어려움을 참으며 자신의 온갖 지혜를 다 발휘하여 고난을 헤쳐 나갔다. 특히 왜적에게 밀려서 선조의 어가가 의주까지 피난하게 되자 조정에서 우리나라를 포기하고 요동 땅으로 들어가 스스로 명나라의 부속 국가로 자처하여 연명하자는 내부론內附論과 끝까지 왜적과 싸우다가 명나라 구원군이 오면 합세하여 우리 국토를 수복하자는 고수론固守論이 논란에 휩싸이자 서애는 죽을 각오로 고수론을 주장하여 자신의 뜻을 관철하는 강인함을 보이기도 하였다.

임진왜란의 대미는 이순신에 의해서 이루어졌다. 서애는 우리나라가 전쟁에서 이기지 못하는 첫째 이유가 우리에게는 전투를 수행할 만한 장수가 없다는 것이었다. 그가 왜란 중에 당시 우리나라의 수많은 장수들과 얘기를 나누고 그들이 전장에서 펼치는 전투작전을 지켜보면서 대부분의 장수가 어설픈 졸장이라는 것을 실감하였으므로 더욱더 그런 생각을 가지게 되었다. 그래서 서애는 일찍부터 이순신이 자신이 기대하는 장군상을 지닌 사람이라고 판단하여 그를 적극적으로 신뢰하고 무거운 책임을 맡기려고 하였다. 그러나 두 사람의 만남은 예사로웠지만 그 헤어짐은 특별하였다.

이순신은 후퇴하는 왜적을 끝까지 추격하며 위험을 무릅쓰고 싸움을 독려하다가 1598년 11월 18일 노량해협에서 왜적이 쏜 유탄에 맞아 장렬하게 전사하였다. 그즈음에 명나라 사람 정응태가 조선이 왜병을 인도하여 명나라를 치려고 한다고 명나라 조정에 무고하여 온 조야가 경악하고 있었다. 우리 조정에서는 정응태의 말이 거짓이라는 사실을 해명하기 위하여 하루빨리 명나라 조정에 진주사陳奏使를 파견해야 했으므로 진주사의 정사로 서애가 가장 적임자라고 생각하여 지명하려 하였으나 서애가 여러 사유를 제시하며 사절하였다. 이 일을 빌미로 이이첨 등 조정에서 서애를 좋지 않게 보던 신료들이 서애를 탄핵하였고, 설상가상으로 서애가 왜적과 강화협정을 맺으려고 앞장섰다는 거짓말을 꾸며 모함하기 시작하였다. 고금도에 있던 이순신이 전사하기 며칠 전에 서애가 간신배들에게 모함을 당하여 궁지에 몰렸다는 얘기를 듣고 크게 탄식하며 "나랏일이 이렇게 막다른 지경에 이르렀구나" 라고 하며 괴로워하기도 하였다. 여기에서 보면 이순신이 서애의 솔직하고 사심 없는 애국충정을 깊이 이해하고 그와 뜻을 같이하고 있었음을 알 수 있다.

서애는 이순신이 전사하던 그날에 모든 관직을 다 내려놓고 야인으로 돌아갔다. 두 사람은 전쟁이 끝나고 조용히 만났으면 할 얘기가 많았을 것인데 이 두 사람의 아쉬운 이별은 서애가 불가항력적일 때 늘 하던 말투대로 한다면 천운이라서 어쩔 수 없는 일이었다. 그러나 두 사람의 아름다운 인연은 헛되지 않아 지금까지도 서애 측의 풍산 유씨 문중과 이순신 측의 덕수 이씨 문중이 교류하며 각별한 관계를 유지해 오고 있는 것 또한 천운이 아닐 수 없다고 하겠다.

서애는 파직을 당하자 서울에서의 모든 것을 분연히 떨치고 고향으로 내려와 자신의 새로운 후반기를 준비하였다. 그가 전쟁 중에 우리 산하를 돌아다니며 산을 옮길 수 있는 용기와 원력願力으로 국난을 극복하였지만 고향에 온 그는 한 사람의 대갓집 선비로 조용히 서당에 앉아 못다 한 성리학 공부에 전념하고 자연과 더불어 한유하게 여생을 보내고 있었다.

그러나 그에게는 한 가지 해결하지 못한 일이 있었다. 후세 사람들에게 임진왜란의 참혹함을 알리고 다시는 그런 일이 없기를 바라는 마음에서 전쟁 중에 자신이 보고 느꼈던 것을 기록으로 남기는 문제였다. 그리고 그 기록을 통하여 자신이 임진왜란 때 왜국과의 강화협상을 꾀하지 않았다는 사실도 세상 사람들에게 알려야 할 의무도 있었다. 그는 여러 가지 자료를 모으고, 직접 현장에서 겪었던 사건들에 대한 기억을 반추하며 '전쟁은 끝나지 않았고 언제든지 또 겪을 수 있다'는 뜻의 강한 메시지를 담은 『징비록』을 써내려간 끝에 그가 운명하기 3년 전인 63세에 원고를 완성하였다. 그는 이 작업을 끝으로 세상과의 소통을 원하지 않았으므로 자신만의 세계에 노닐 수 있는 더 깊은 곳으로 들어가 반진(反眞: 천진난만한 어린 시절로 돌아감)의 즐거움을 누리기도 하였다.

그는 66세에 마지막을 맞이할 준비를 하면서 자손들에게 '만가지로 보양하는 것은 다 헛된 것이니/ 조심하는 것만이 중요한 일이니라'라는 극히 평범하지만 만유萬有가 깃든 시구를 유계遺戒로 남겼다. 이는 인내와 절제로 세상의 온갖 영욕을 이겨냈던 서애 자신의 삶의 철학을 요약해서 들려주는 말이기도 했다.

서애는 마지막으로 자신이 남에게서 빌려온 책들을 체크하여 다 주인에게 돌려주라고 당부함으로써 이승에서의 책무를 끝내고는, 1607년 5월 6일 아침에 크게 신고辛苦하지도 않은 채 농환재弄丸齋에서 임금이 계시는 북쪽을 향하여 꼿꼿이 앉아 운명하였다.

서애가 세상을 떠난 뒤에 그에 대한 후인들의 평가가 다양하지만. 다산 정약용과 정조의 말에서 압축되고 있다. 다산은 서애야 말로 우리 역사의 진정한 위인이라고 평하였고, 정조도 서애는 간을 맞출 때 사용하는 매실과 같은 존재로 생각하면 할수록 매력 있는 사람이라고 하였다. 이 두 사람의 평가는 서애가 우리 역사에 길이 남을 인물이고, 조선이라는 나라에 가장 필요한 정치가라는 것을 시사하는 말이기도 하다. 여기에서 우리는 서애가 부끄럽지 않게 세상을 살아가려고 부단히 노력했고, 그러한 그의 삶이 후세 사람들에게 큰 울림으로 남게 됐다는 것을 알 수 있다.

【참고문헌】

『조선왕조실록』(명종 · 선조실록)
『서애전서』, 서애선생기념사업회, 1991.
『국립진주박물관』, 국립진주박물관, 1997.
『繪本朝鮮軍記』, 東京大學藏
『繪本朝鮮征伐記』, 東京 金幸堂
『懲毖錄』, 東京大學藏

『한국사』, 한길사, 1994.
김호종, 『서애 류성룡의 생각과 삶』, 한국국학진흥원 2006.
이정화, 『유성룡선생시문학연구』, 아세아문화사, 2007.
박성규, 『백졸재한응인평전』, 한영, 2010.
최관 · 김시덕, 『임진왜란 관련 일본 문헌해제』, 문, 2010.

유성룡·이순신 대비연표

	류성룡	이순신
1542년 (중종中宗 37, 임인壬寅)	10월 경상도 의성현義城縣 사촌리沙村里(외가外家 동리)에서 황해도 관찰사黃海道觀察使 유중영柳仲郢의 둘째 아들로 태어나다.	
1545년 (인종仁宗 1, 을사乙巳)		3월 자시子時 한성부漢城府 건천동乾川洞에서 태어나다. 그의 아버지는 고려 때 중랑장中郎將을 지낸 덕수 이씨德水李氏의 1대조 이돈수李敦水로부터 11대손 정貞이며 어머니는 초계 변씨草溪卞氏이다.
1558년 (명종明宗 13, 무오戊午)	17세 광평대군廣平大君 5세손 이경李坰의 딸과 결혼하다.	
1562년 (명종明宗 17, 임술壬戌)	21세 안동安東 도산陶山에서 퇴계退溪 이황李滉 선생에게서 『근사록近思錄』을 수업하다. 퇴계 선생이 "이 젊은이는 하늘이 낳은 사람이다[此人天所生也]" 하여 유성룡이 장차 대성할 인물임을 예언하다.	
1565년 (명종明宗 20, 을축乙丑)		21세 보성寶城 군수 방진方震의 딸과 혼인함.
1566년 (명종明宗 21, 병인丙寅)	25세 문과文科에 급제하여 승정원承政院 권지부정자權知副正字로 임명되다.	

1569년 (선조宣祖 2, 기사己巳)	28세 사헌부 감찰司憲府監察이 되어 성절사聖節使의 서장관書狀官(상사上使는 이후백李後白)으로 명나라 연경燕京에 가다. 이때 명의 태학생太學生 수백 명이 왕양명王陽明과 진백사陳白沙의 학문을 주장한 데 대하여, 유성룡은 설문청薛文淸이 정통유학正統儒學의 종주宗主임을 주장하여 감탄과 존경을 받다. 또한 궁중 서열宮中序列에서 유생을 도사道士와 승도僧徒의 뒷줄에 세우는 잘못을 지적하여 그 자리에서 시정하게 함으로써 명나라 조정을 놀라게 하다.	
1570년 (선조 3, 경오庚午)	29세 사가독서賜暇讀書의 은전을 받다. 병조좌랑兵曹佐郎 겸 홍문관 수찬弘文館修撰으로 임명되다. 붕당朋黨의 징후를 아뢴 전 영의정領議政 이준경李浚慶의 유차遺箚를 문제 삼아 그의 관직官爵을 추탈追奪하자는 공론이 크게 일었으나, 유성룡이 그 부당함을 주장하여 이를 저지하다.	
1572년 (선조 5, 신미辛未)		28세 8월 훈련원訓練院 별과시험에 응시 중 말 위에서 떨어져 좌측 다리가 절골되다.
1576년 (선조 9, 병자丙子)		32세 2월 식년무과에 입격入格하다. 12월 함경도 동구비보권관童仇非堡權官(종8품)이 되다.
1579년 (선조 12, 기묘己卯)		35세 2월 훈련원訓練院 봉사奉事(종8품)가 되다. 10월 충청병사忠淸兵使 군관이 되다.
1580년 (선조 13, 경진庚辰)	39세 노모를 봉양하고자 여러 번 관직을 사양하자, 선조께서 유성룡을 상주목사尙州牧使로 특명하여 노모를 모시도록 하다.	36세 6월 발포鉢浦(전남고흥全南高興) 수군만호水軍萬戶(종4품)가 되다.
1581년 (선조14, 신사辛巳)	40세 홍문관 부제학弘文館副提學이 되어 왕명王命으로 『대학 연의大學衍義』를 지어 올리다.	

1582년 (선조15, 임오 壬午)	41세 사간원 대사간司諫院大司諫이 되다. 우부승지右副承旨에서 도승지都承旨로 특진特進되다. 사헌부 대사헌司憲府大司憲에 올랐으며, 왕명으로 『황화집皇華集』 서문을 지어 올리다.	38세 1월 군기 경차관(조사관)인 서익이 발포에 와서 군기를 보수하지 않았다고 상부에 보고하여 수군만호에서 파직되다. 5월 함경도 훈련원 봉사로 재임용 되다.
1583년 (선조 16, 계미 癸未)	42세 1월 회재晦齋 이언적李彦迪 선생의 『구경 연의九經衍義』 발문跋文을 짓다. 2월 여진인 이탕개가 조선 국경을 침범한 사건을 맞이하여, 「북방 변란에 대한 방책을 드리는 의논」(북변헌책의 北變獻策議)을 제출하다. 10월 경상도 관찰사慶尙道觀察使가 되다.	39세 7월 함남병사咸南兵使 군관軍官이 되다. 10월 건원보乾原堡(함경도) 권관權官이 되어 번호藩胡 울지내鬱只乃를 토벌하여 공을 세우다. 11월 훈련원訓練院 참군參軍으로 승직되다. 15일 아버지 덕연군德淵君이 별세하다.
1584년 (선조 17, 갑신 甲申)	43세 왕명으로 『문산집文山集』(송나라 충신 문천상文天祥의 문집) 서문을 지어 올리다. 예조판서禮曹判書 겸 동지경연 춘추관사同知經筵春秋館事, 홍문관 제학弘文館提學이 되어 향약鄕約을 반포하다.	
1585년 (선조 18, 을유 乙酉)	44세 왕명으로 『정충록精忠錄』 발문을 지어 올리다. 포은圃隱 정몽주鄭夢周 선생의 문집을 교정하고 그 발문을 짓다.	
1586년 (선조 19, 병술 丙戌)	45세 야은冶隱 길재吉再 선생의 지주중류비砥柱中流碑의 음기陰記를 짓다.	42세 1월 사복시司僕寺 주부主簿(종6품)가 되다. 다시 16일 후 조산보造山堡(함경도) 만호萬戶로 전보되다.
1587년 (선조 20, 정해 丁亥)		43세 8월 녹둔도鹿屯島(함경도) 둔전관屯田官을 겸임하다. 이때 번호藩胡의 침입을 격파하였으나 병사兵使 이일李鎰의 무고로 파직되어 백의종군白衣從軍하다. 같은 해 겨울 시전時錢 부락 정벌에 공을 세워 특사特赦 되다.
1588년 (선조 21, 무자	47세 형조판서刑曹判書 겸 홍문관 대제학弘文館大提學, 예문관 대제학 藝文官	

戊子)	大提學, 지경연 춘추관사知經筵春秋館事, 성균관사成均館事가 되다.	
1589년 (선조 22, 기축己丑)	48세 봄 사헌부 대사헌에 병조판서兵曹判書를 겸무兼務하다. 7월 정경부인貞敬夫人 이씨李氏가 별세하다. 10월 이조판서吏曹判書가 되다.	45세 2월 전라순찰사全羅巡察使 이광李洸의 군관軍官이 되다. 11월 무신으로서 선전관宣傳官을 겸하다. 12월 정읍현감井邑縣監이 되다.
1590년 (선조 23, 경인庚寅)	49세 3월 황윤길黃允吉, 김성일 金誠一 등을 통신사通信使로 보내 왜국倭國의 정세를 살펴 오게 하다. 5월 우의정右議政에 오르고 이조판서를 겸하다. 명나라에 그릇되게 기재된 조선 왕조 종계宗系를 바로잡은 공로로 광국공신光國功臣, 풍원부원군豊原府院君으로서 서훈敍勳되다.	
1591년 (선조 24, 신묘辛卯)	50세 2월 좌의정左議政에 오르고 여전히 이조판서를 겸무하다. 유성룡은 조정의 많은 반대를 물리치고 왜국이 침공할 조짐을 명나라에 보고하도록 하다. 7월 왜란倭亂에 대비해서 장재將材를 천거하여 정읍 현감井邑縣監 이순신李舜臣을 전라도 좌수사全羅道左水使로, 형조정랑刑曹正郎 권율權栗을 의주목사義州牧使로 임명하도록 하다. 조선의 국방체제를 제승방략체제制勝方掠體制에서 진관제鎭管制로 바꾸도록 건의했으나, 반대론에 부딪혀 실현되지 못하다.	47세 2월 진도군수珍島郡守로 발령發令되었다가 다시 가리포진加里浦鎭 수군첨절제사水軍僉節制使로 발령되고 또 다시 부임하기도 전에 전라좌도全羅左道 수군절도사水軍節度使에 임명되다.
1592년 (선조 25, 임진壬辰)	51세 3월 『증손 전수 방략增損戰守方略』이라는 병서兵書를 저술하여 이순신에게 보내 실전에 활용하도록 하다. 4월(왜군이 대거 침입하다) 좌의정으로서 특명으로 병조판서를 겸임하다. 도체찰사都體察使로 임명되다. 광해군光海君을 왕세자로 책봉하도록 계청하다. 『근왕애통교서勤王哀痛敎書』를 널리 반포하고, 왕자들을 각 도道에 파견하여 근	48세 4월 거북선을 완성하다. 5월 옥포玉浦, 합포合浦, 적진포赤珍浦 등 해전海戰에서 왜선 40여 척을 무찌르다. 가선대부嘉善大夫(종2품)로 승직되다. 6월 당포唐浦, 당항포黨項浦 등 해전에서 왜선 70여 척을 무찌르다. 자헌대부資憲大(정품)로 승직되다.

	왕병勤王兵을 소집하도록 계청하다. 경상 우병사慶尙右兵使 김성일을 사면하도록 주청하여 윤허를 받다. 5월 왜병의 도성 침입이 임박하자, 왕을 모시고 개성開城에 이르러 영의정領議政으로 임명되었으나, 일부의 모함으로 그날로 파직되다. 동파역東坡驛에서 "사태가 위급하면 국경을 넘어 명나라로 가자"는 조정 공론을 "나라를 버리는 계책이다[大駕離東土一步地朝鮮非我有也]"라고 극력 반대하여 국내 항전 태세를 굳히다. 6월 풍원부원군으로 다시 서용敍用되다. 평양平壤을 고수하자고 주장했으나 윤허를 얻지 못했으며, 함경도로 거동하자는 공론을 극력 반대하여 의주義州로 파천播遷하도록 하다. 평양까지 침공한 왜군의 전진을 막고 후방을 차단하여 포위하는 유격전을 지령하다. 9월 군수 물자 보급과 명나라 장관將官들의 접대 임무를 맡다. 건주위建州衛(청淸 태조太祖 누루하치)가 구원병을 보내주겠다는 제의를 거절하도록 계청하다. 12월 평안도 도체찰사平安道都體察使로 임명되다. 왜군의 간첩인 김순량金順良 등을 잡아 처단하여 군기 누설을 예방하다. 명군明軍 제독提督 이여송李如松과 안주安州에서 회견하여 평양 수복을 협의하다.	7월 한산閑山 안골포安骨浦 등 해전에서 왜선 60여 척을 무찌르다. 정헌대부正憲大夫(정2품)로 승직되다. 9월 부산 등 해전에서 왜선 130여 척을 무찌르다.
1593년 (선조 26, 계사癸巳)	52세 1월 명군明軍과 협력하여 평양성을 수복하다. 호남에서 운송되어 온 곡식으로 기민飢民을 구제하도록 계청하여 시행하도록 하다. 3월 임진강臨津江에 부교浮橋를 놓아 대군大軍을 건너게 하다. 충청·전라·경상 삼도 도체찰사道都體察使로 임명되다. 4월 유성룡은 이여송의 대왜 강화 교	49세 2~3월 웅포熊浦 등지의 왜선을 수륙으로 공격하다. 7월 수군진水軍陣을 한산도로 옮겨(본영은 전라좌수영全羅左手營 여수麗水에 그대로 두고 진陣만 작전상 옮김) 방어에 힘쓰고 전쟁 물자를 준비하다. 10월 전라좌수사 겸 삼도수군통제사가 되다.

	섭에 항의 했으나 명군이 일방적으로 정전停戰하여 왜군이 철수하자 명군과 함께 서울을 수복하다. 왜군을 추격하자는 유성룡의 주장을 명장이 달가워하지 않아 "명나라를 믿을 수 없으니 자주적으로 국방력을 강화하자"고 건의하여 훈련도감訓鍊都監을 설치하고 장정壯丁을 모집하였으며, 조총鳥銃과 대포 등의 화기火器로 증강하다. 7월 『기효신서紀效新書』를 본뜬 군병 훈련을 실시하도록 건의하다. 8월 압록강鴨綠江 연안의 중강中江에서 우리나라의 소금·철·은·면포 등과 중국의 양곡을 교역하도록 해서 식량을 확보하도록 하다. 10월 다시 영의정에 임명되었으며, 훈련도감 도제조都提調를 겸무하다. 11월 조선을 더 이상 구원할 뜻이 없는 명나라는 사신 사헌司憲을 파견하여 우리의 국정을 살피고, 명나라가 왜군을 물리쳐주기만을 바라는 선조를 퇴위하도록 하고, 우리 국토의 직접 통치를 강요하는 국서를 보내왔으나, 유성룡이 극력 반대하여 이를 물리치다. 유성룡의 충성심과 지략에 감탄한 사헌은 유성룡이 "나라를 다시 일으킨 공[山河再造之功]이 있다"라고 선조에게 극구 찬양하고, 유성룡으로 하여금 국사를 전관專管하도록 하라는 말까지 하다.	
1594년 (선조 27, 갑오甲午)	53세 3월 진관법을 다시 쓰기로 하여 국민군國民軍 제도를 확립시키다. 공물貢物을 미곡으로 대신하여 바치도록 하고, 소금을 증산해서 이를 전매제專賣制로 하여 군량미를 확보하도록 하다. 민심 안정이 난국을 수습하는 기본임을 역설하여, 흩어진 국민들의 생활을 돌보는 안집도감安集都監을 설치하고 도제조로 임명되다. 5월 지방관의 근무 실태를 조사하여 해이해진 관의 기강을 쇄신하도록 건의하다. 6월 대신을 명나라로 보내 왜군의 동정을 알리고 대책을 협의하도록 하다.	50세 3월 당항포唐項浦 등 해전에서 왜선 30여 척을 무찌르다. 3월 명의 담도사譚都司 금토패문禁討牌文에 답장을 써 보내다. 이 무렵 열병熱病에 시달리다. 4월 한산도에서 과거를 보이다. 9월 장문포해전에서 적선 2척을 격파함 10월 영등포해전에서 육군과 연계하여 바다와 육지에서 합동 작전을 실시함

	『군국 기무 십조軍國機務十條』를 올리다. 7월 연병 사병練兵事務를 병조에서 전담하도록 하다. 문벌·신분·출신지의 차별 없이, 총포銃砲·도검刀劍·기계器械·수학數學·광업鑛業·주철鑄鐵·화약火藥·제염製鹽 등에 유능한 인재를 널리 등용하도록 건의하다.	
1595년 (선조 28, 을미乙未)	54세 1월 한강유역에 둔보屯堡를 구축하고, 둔전병屯田兵 제도를 실시하도록 건의하다. 소疏를 올려 기축년己丑年(1589)의 정여립鄭汝立 옥사獄事 때 억울하게 죽은 이의 오명을 씻어주도록 건의하다. 10월 경기·황해·평안·함경 사도 도체찰사로 임명되다. 사도 순찰사巡察使에게 군병의 교련을 유시諭示하다. 11월 관영官營의 제철장製鐵場을 설치하여 대포와 조총을 제조하도록 하다. 남한산성南漢山城을 순시하고 승장僧將 사명대사四溟大師(유정惟政)에게 성을 쌓고 창고를 설치하도록 지시하다.	
1596년 (선조 29, 병신丙申)	55세 1월 군병을 훈련하는 규칙을 제정하여 각 도에 반포하다. 2월 건주위의 침입에 대비하여 북변北邊의 방위를 강화하도록 평안도와 함경도의 순찰사에게 지령指令하다. 9월 이순신에게 죄를 주자는 의견에 반대하여 사직상소辭職上疏를 올리다. 11월 청야책淸野策을 채용하여 왜적의 재침에 대비하도록 하다.	
1597년 (선조 30, 정유丁酉)	56세 3월 이순신이 무함誣陷으로 파면될 때 그 부당함을 극력 진언했으나 윤허되지 않아, 그를 천거한 책임을 지고 재차 사직소를 올렸으나 받아들여지지 않다. 10월 왕명으로 경기·충청 지방을 순시하여 민심을 안정시키고, 제장諸將들의 공과功過를 살피다.	53세 1월 정유재란이 발발하다. 1월 21일 왜군이 거짓으로 꾸민 밀서를 그대로 믿은 조정에서 출동 명령을 내리나 이를 어기고 출동하지 않다. 1월 27일 삼도수군통제사에서 파직되다. 2월 24일 한성으로 압송되다. 3월 4일 모진 고문을 받고 옥에 투옥되다. 4월 1일 재옥在獄 28일 만에 특사特赦되어 백의종군하다.

연도	류성룡	이순신
		4월 13일 어머니의 부음訃音을 받다. 8월 3일 다시 삼도수군통제사가 되다. 이때 12척의 전선戰船을 거두다. 9월 명량에서 왜선 133척 중 31척을 무찌르고 명량대첩鳴梁大捷을 거두어 왜군의 서해 진출을 차단하다. 셋째 아들 면이 충청도 아산에서 왜국과의 전투에서 전사하다. 10월 고하도高下島에 수군 진을 설치하여 전비를 강화하다. 11월 17일 면사첩免死帖을 받다.
1598년 (선조 31, 무술戊戌)	57세 여러 번 사직 상소를 올렸으나 윤허되지 않다. 7월 명나라 정응태丁應泰의 무주誣奏사건에 대한 진주사陳奏使를 고사하다. 11월 북인北人들의 탄핵으로 영의정을 파직당하다(19일, 이날 이순신이 전사함). 12월 모든 관직을 삭탈당하다.	54세 2월 수군진을 고금도古今島로 옮기다. 7월 명明 수군도독水軍都督 진린陳璘과 연합하다. 11월 19일 남해노량해상에서 왜선을 무찌르던 중 유탄에 장렬한 최후最後를 마쳤다. "전방급戰方急 신물전아사愼勿言我死"(싸움이 한창이니 내가 죽었다는 말을 하지 말라)라는 유언을 남기다. 맏아들 회도 선상에서 전사함 11월 26일 일본군 부산포에서 완전 철수함. 전쟁 종결
1599년 (선조 32, 기해己亥)	58세 2월 향리鄕里 하외河隈(하회河回)로 돌아오다.	55세 2월 충청남도 아산 금성산 선영에 장사 지냄.
1600년 (선조 33, 경자庚子)	59세 3월 「퇴계선생연보(退溪先生年譜)」를 찬하다. 11월 직첩職牒을 되돌려 받다.	
1602년 (선조 35, 임인壬寅)	61세 4월 청백리淸白吏로 뽑혀 『염근 청백록廉謹淸白錄』에 이름이 오르다. 『영모록永慕錄』을 찬술撰述하다.	
1604년	63세 3월 관직이 복구되고 풍원부원군	10월 선무공신 1등에 책록되

(선조 37, 갑진甲辰)	에 제수되자, 상소하여 사직하고 이어 치사(致仕)하다. 7월『징비록懲毖錄』저술을 마치다. 다시 풍원부원군으로 서용되고 호성공신扈聖功臣으로 서훈되다. 9월 충훈부忠勳府에서 공신功臣인 선생의 초상화를 그릴 화사畵師를 보냈으나 나라에 공이 없다고 사양하여 그대로 돌려보내다.	고, 풍덕부원군으로 추봉, 좌의정에 추봉됨. '충무忠武'의 시호를 받음.
1605년 (선조 38, 을사乙巳)	64세 3월 봉조하奉朝賀의 녹봉祿俸을 사양하는 상소를 올렸으나 윤허되지 않다.	
1607년 (선조 40, 정미丁未)	66세 2월 선생의 병보病報를 접한 선조가 내의內醫를 보내 병환을 살피게 하다. 5월 향리 농환재弄丸齋 초당草堂에서 별세하다(6일). 부음이 서울에 전해지자 항곡巷哭이 일어났으며 1,000여 백성이 선생의 옛 집터에 모여 통곡하고, 조정에서는 사흘 동안 공휴公休를 선포하고 상민들은 자진하여 나흘 동안 철시撤市하다. 풍산현豐山縣 수동壽洞의 남향 땅에 예장禮葬하다. 선조가 예조좌랑禮曹佐郞 구혜具惠에게 치제致祭토록 하다.	영의정에 추증되고, 충렬사, 충민사, 현충사에 배향됨.
1614년 (광해군光海君 6, 갑인甲寅)	병산서원屛山書院에 선생의 위판位版을 봉안했으며, 그 뒤에 남계서원南溪書院, 여강서원廬江書院, 삼강서원三江書院, 도남서원道南書院, 빙산서원氷山書院 등에도 위판이 봉안되다.	
1627년 (인조仁祖 5, 정묘丁卯)	문충文忠이라는 시호諡號가 내려지다.	
1795년 (정조 19, 을묘乙卯)		『이충무공전서』 완성. 규장각 문신 윤행임에 의해 편찬, 간행됨.